борис евсеев

Пламенеющий воздух

БОРИС ЕВСЕЕВ

роман

москва 2013

ВРЕМЯ

УДК 821.161.1-3
ББК 84Р7-4
Е25

дизайн, макет — валерий калныньш

При информационной поддержке главной книжной
социальной сети Рунета www.livelib.ru

Евсеев Б. Т.

Е25   **Пламенеющий воздух: История одной метаморфозы: Роман.** —
М.: Время, 2013. — 416 с. — (Серия «Самое время!»)
ISBN 978-5-9691-0872-1

Борис Евсеев находит такие темы и таких героев, что соперников в их описании и разработке у него чаще всего нет — это художественные открытия. Их нельзя не заметить. И потому Евсеев — лауреат Бунинской и Горьковской премий, премии правительства России за 2012 год, финалист «Большой книги», «Русского Букера», «Ясной Поляны»... Вот и роман «Пламенеющий воздух» — это не просто лирический гротеск и психологическая драма, но и единственное литературное произведение, посвященное загадке эфирного ветра. Казалось бы, представления о нем сохранились лишь в учебниках физики позапрошлого века. Но нет: группа современных ученых с помощью новейших экспериментов пытается вернуться к разгадке этой «пятой сущности» материального мира. И становится ясно: в XXI веке мы не можем больше сбрасывать со счетов запретные или признанные «неудобными» темы и альтернативные формы знания.

ББК 84Р7-4

ISBN 978-5-9691-0872-1

КАК НАЧИНАЛОСЬ

Ниточка Жихарева, Савва Лукич Куроцап, засушенный австрияк Дроссель и даже сама мадам Бузлова не раз и не два просили меня рассказать эту историю.

Раньше бы я ни за что на такое дело не отважился.

Я — пачкун и марака, жалкий литературный негр я! И всякие там замысловатые истории мне не по плечу. Однако обстоятельства жизни все-таки заставляют меня о том, что произошло, рассказать.

Дело тут вот в чем.

Сейчас — пять утра. Ровно через три дня и почти в то же самое время я должен буду принять важнейшее в своей жизни решение. Меня ждет «великий переход», обещанный одним из участников всей этой заварушки.

Участник этот что-либо рассказывать меня, конечно, не просил. Он-то как раз хотел бы все оставить в тайне! Он, но не я.

Поэтому, откинув колебания, я просьбу новых своих знакомых выполняю. И постараюсь за оставшиеся до «перехода» семьдесят два часа рассказать, как все оно и было.

Разве добавив к собственным заметкам с десяток информашек местного радио, валяющихся у меня на столе в виде распечаток. Плюс кое-что из записей, считанных со спецтехники, которой пользовался еще один из фигурантов всей цепи этих странных, с чудинкой и «с присвистом», происшествий.

А начиналось так…

Старая ветряная мельница, дрогнув напоследок изломанными, просвечивающими насквозь крыльями, вдруг заглохла, остановилась. Наблюдавший за ней через монитор человек в армейском ватнике тут же принял решение развалюху эту чинить.

Однако добраться до мельницы, стоявшей метрах в трехстах от впадения Рыкуши в Волгу, смог на легкой своей дюральке только к вечеру.

Водяной насос «Ромашка» производства 1987 года еще тихонько урчал, а вот допотопная мельница-толчея как утром встала, так и стояла. Исправно работал только расположенный метрах в пятидесяти от нее трехлопастный голландский ветрогенератор на длинной железной ноге.

«Насос — к черту! Мельницу — для хозяйственных нужд… Вместо нее — еще один ветрогенератор. И как раз тут: у впадения Рыкуши в Волгу! Но это все — на той неделе. Сегодня — сил моих больше нет…»

Блеснуло заходящее солнце. Лодка подошла к самому урезу воды.

Запах сладко-умирающей гнили, смешанный с запахом грозового озона, вдруг пробил человеку обе ноздри сразу.

«Сентябрь, все отцвело, кувшинки и лилии сгнили, отсюда, наверно, и запах…»

Человек наклонился зачерпнуть воды из Рыкуши, но внезапно тело свое в наклоне задержал: при заходящем солнце и легчайшей волне собственного отражения он не увидел.

Бок лодки — тот отражался. Навесной мотор — тоже.

Человек поплескал себя ладошкой по щекам и склонился к воде ниже.

Отражения не было.

Тут он вдруг что-то вспомнил, стукнул себя кулаком по лбу, полез в карман за мобилкой:

— Не утерпел, Столбец? Врубил, я спрашиваю, программу?

— Ага! Уже минут десять как фурычит, — растянул рот во всю экранную ширь умный Столбец. — Короче: ты меня видишь — я тебя нет!

— Вот мы и замаскировались, — устало сказал человек в ватнике. — Ладно, вырубай свою программу. Рано еще. Смотри: облака грозовые собрались! Как бы опять смерча не было...

— Облака — кучево-дождевые. Вижу их хорошо. А смерч... Если и будет, то слабый, бичеподобный.

— Все, Столбов, хватит болтать. Как бы меня тут, к чертям свинячьим, не потопило. Отключайся мигом!

— Сейчас, — заторопился четко видимый на экране мобилки Столбов, — еще минуту тобой, прозрачненьким, полюбуюсь. Облака, они еще во-он где...

Человек в ватнике, одной рукой продолжая держать перед собой мобилку, другой крутанул ручку навесного мотора, развернул лодку и быстро по узкой Рыкуше выскочил к Волге. Тут он мотор заглушил и глаза закрыл. Просто чтобы отдохнуть от красок вечереющего дня...

Неожиданный порыв ветра вырвал из рук человека, не отражавшегося в воде, мобилку.

— Ну Столбец, ну остолопина!

В ту же секунду мощный воздушный вихрь неудачно, боком к волне вставшую лодку — перевернул вверх дном.

Крупные брызги и мелкий водяной сор закрыли видимость напрочь, зеленые водоросли густо залепили человеку уши, глаза, рот...

Часть 1

РУССКИЙ БУНТ

НА ОБОЧИНЕ

Бр-р-р…

Рань несусветная. Двадцать минут седьмого — а я уже на ветру, в сквере. Где буду в семь — сам черт не скажет!

Черт с копытами занес меня в эту дыру! Черт с копытами, или злой дух, или ненавистник рода человеческого — у нас его уклончиво называют случай — за пять дней измордовал так, что я теперь, как тот газетный пасквилянт, с дрожью и стоном припадаю к любому клочку бумаги, лишь бы освободить себя от накопившейся злости.

Конечно, мой новый работодатель (о нем позже) ничего из того, что я сейчас чувствую, запоминать или записывать меня не просил. А прежний хозяин (по имени Рогволденок, по прозвищу Сивкин-Буркин), у которого я вкалывал литературным негром и за которого три года подряд сочинял романы и повести — тот за такие записи наверняка бы все зубы пересчитал.

Но сейчас я ничего не пишу и по клавишам бодро не стукаю. Просто пытаюсь свести концы с концами и освободиться от надоедливых мыслей.

Утро едва только занимается. Ветерок теребит волосы. Острый волжский холод ползет за шиворот. Вокруг — осень, рваные облака, птичий помет и другие очарования жизни.

Нужно вставать, нужно идти. Но идти мне некуда.

Двадцать минут назад меня турнули из гостиницы. Грубо турнули и бесповоротно. Правда, вещички на час-другой оставить разрешили. Даже не столько разрешили, сколько горячо попросили оставить их.

Тима я, Тима! Тима, Тима я. Эх!..

Я сижу на узкой скамейке и по временам — от икоты и гнева — вздрагиваю. Слева — деревянный сарай без вывески: бывшая моя гостиница. Справа — скучноватое пространство сквера. В сквере — ни путан праведных, ни пьянчуг велеречивых. Только воробьи и кусты. Мило, но не греет.

От волжского царапающего холода в голову лезут глупости.

И первая из них такая: хуже меня нет! Вот как я сейчас о себе думаю. И, конечно, тут же начинаю осматривать свои руки-ноги.

Руки слишком худые, ноги — в замшевых зеленых туфлях и явно длинней, чем нужно. А остальное?

По бокам муниципальной скамейки — тонированное оргстекло. Когда-то на нем крепилась крыша. Устраиваюсь вполоборота к мутноватому этому зеркалу. Смотрюсь. Видно плохо. Но в общем и целом ясно: лицо за ночь не посвежело, скулы все так же выпирают, нос длинноват и не имеет строгой формы — ни тебе кавказского гачка, ни греческой костяной выточенности, ни тайной еврейской горбинки. Словом, обыкновенный, бесформенный славянский нос — разве кончик едва заметно загнут книзу.

Отлипнув от оргстекла, припоминаю чужие о себе разговоры: «Какой-то он все-таки непонятный», «Дурня ломает, а видно ведь — парень себе на уме», «Такой худой, жалко даже».

Да, я худ, я страшно худ! И от этого часто хожу, похнюпившись, а кроме того, приобрел отвратительную привычку вдавливать ладонью в темечко вечно торчащую вверх прядь волос. Вот потому-то некоторым моим друзьям-приятелям и кажется — этому миру я не подхожу...

Так оно, скорей всего, и есть!

Нос мой языческий, нос славянский чует одну тоску гниющего воска. Нос втягивает в себя гнусно шипящий карбид и запахи очистных сооружений.

Язык готов навесить оскорбительные ярлыки на все, что вблизи и вдали происходит. Взял бы и откусил его!

Глаза направлены на поиски пороков и несовершенств.

Веки — занавес театральный! Схлопнул их и сразу чувствуешь: мир за веками — широк, велик. А перед внутренним взором — только узость, одна бедность.

Из-за всего этого во мне зреет злость. Из-за всего этого во мне вскипает несказанно прекрасный, но уже слегка и поднадоевший бунт!

Дома, в Москве, бунт всегда удавалось гасить. Иногда гасил сам, иногда со стороны помогали. Но здесь, в городке старинном, городке приречном — никому гасить свой бунт не позволю! Бунтовать так бунтовать!

Только ведь все это враки, что наш русский бунт — бессмысленный и беспощадный. Может, он когда-то таким и был. Но не теперь. Теперь бунтуют не от бессмыслицы — от переизбытка мыслей и сведений!

Я, к примеру, бунтую потому, что вокруг (и это прямо в последние месяцы) стало что-то много холуев и захребетников. А за плечами холуев престарелых уже вовсю плоскозвучит и гадко кривляется поколение «жесть». Еще дальше — какие-то хипстеры. От них, опять-таки, одно плоскозвучие, даже — плосковоние.

Ни «жестью», ни хипстером быть не хочу! Мне — сорок. И, возможно, я подзадержался в развитии. Но, может, это я потому подзадержался, что непрерывно решал вопрос: выбегать или не выбегать на площадь, бить или не бить фонари у театров?

Тут, конечно, многие притворно вздохнут: как не бунтовать против нынешней власти, как не бунтовать против политики нынешней?

Ждете новых и лучших политиков? А хреном вам по колену! Политики новые всегда хуже предыдущих, а те, что приходят им вслед — ну просто ничтожества! Эти-то властные ничтожества, придя и утвердившись, первым делом выпускают на сцену очередного обделанного с головы до ног «радетеля за народ», и тот, припадочно закатывая глазки, возглашает: «А кто говорил, что будет легко?».

Так что не в политике дело.

Здесь, на скамейке, в городке старинном, малолюдном, я вдруг окончательно понял: наш русский бунт — он не против царизма, троцкизма, андропомании или путинизации! Это бунт против человеческого бессилия. Бунт против непонимания. Бунт возрастной и бунт любовный!

И конечно, это бунт против гадкого, копившегося веками отстоя, который теперь благоговейно называют «здравым смыслом» и который довел многих из нас до ручки, уничтожив походя все великие мысли, идеи.

Ну и на закуску главное.

Русский бунт — это бунт против всего. А значит — бунт против бунта!

И тут мы упираемся рогом в забор и копытом в стойло. И опять все начинаем сначала, а потом плюем от бессилия, блюем от выпивки и тошноты и, проблевавшись, идем горевать в шустрых сиренях, меж толстых пней или слепнущих от воздуха, изранившего их нежно-морщинистую кожу, сахарных канадских кленов…

По земле сквера бегают-прыгают пять воробьев и один голубь.

Я замахиваюсь. Воробьи улетают.

Но голубь — ушлый, трепаный, давно человеческую любовь к птицам внагляк использующий — тот остается на земле.

И тогда я кончаю бунтовать, тогда с головы до ног окутываюсь смирением и пересаживаюсь со скамейки на низенький бордюр, на обочину дорожки, к голубю поближе.

Голубь дергает шеей, но остается на месте. При этом смотрит на меня косвенно, без сочувствия. Я протягиваю руку. Голубь, семеня лапками, отбегает подальше…

Ветер налегает сильней.

Вдруг мне начинает казаться: не бунт виноват и не голубь, даже не черт с рогами… Виноват ветер! Да, он!

Это волжский ветер измотал меня в последние дни до краю. Рвет он и путает мысли и уносит их обрывки к мусорным кучам, в сугубо полицейские, отдающие наказуемостью причин и непоправимостью следствий места. А я, как дурак, за эти обрывки цепляюсь, силясь ухватить что-то первостепенное, важное!

Так и сегодня. Все утро под звон и стон гостиничных безобразий меня мучила мысль о безвестной смерти. Безвестная смерть вдруг предстала порицанием и позорищем.

Безвестная смерть — она мелкая, ленивая, неопрятная! Сперва подступила ко мне в образе сварливой, много о себе понимающей горничной. Но по ходу дела переквалифицировалась в сотрудницу ЖКХ: с поджатыми губами, с противно вихляющейся стальной линейкой в руках, с хамским требованием сей же момент, сей же час освободить кусок жизненного пространства, мною без спросу занимаемого!

Стальную линейку сотрудница подносила к моему носу непозволительно близко, слегка ее оттягивала и с хриплым смешком отпускала. Линейка в воздухе лязгала, нос мой набухал, прежнюю жизнь следовало менять, начинать новую — не было сил...

ЧТО БЫЛО

Воспоминания — худший вид казни. Это если они окрашены черным.

И сладчайшее из удовольствий. Это когда они окрашены розовым и золотым.

Но сейчас все цвета в моих воспоминаниях перемешались: черный, розовый, золотой. Мешанина, конечно, и в мыслях. Поэтому я стараюсь воспоминания от себя отодвинуть, цель и обстоятельства приезда в приречный город хоть на полчаса забыть...

Внезапно над ухом — голос. Унылое такое мужское сопрано. Или, скорей, высокий тенор. Приятно, что хоть чистый, без хрипа.

— Идемте в кафе, что ль... Так и окоченеть недолго.

Тон голоса понизился, в нем стала копиться энергия, появилась настойчивость:

— Тут близко, рядом… Кофейку выпьем. Хотите, встать помогу?

Подымаю голову.

Восточный человек, но одет по-европейски, притом с иголочки. Плаща нет, зато костюм зеленый — зашибись. Кстати, и «восточность», если всмотреться, наполовину стертая.

Почувствовав интерес, «стертый» взбодрился, уныния в голосе как не бывало:

— И совсем не обязательно звать меня Селим Семеныч. Селим, Селимчик, так оно даже приятней. А наши — те вообще зовут меня Симсимыч…

Сели в кафе. Принесли кипятку с морковкой. Наслаждаемся, пьем. Я слегка удивлен, но делаю вид, что все идет как надо. Вдруг:

— Я через полтора часа — тю-тю! Улетаю. Только вы не думайте, что я вас тут в беспомощном состоянии бросаю. Я б вас и в Америку, даже в Австралию с собой взял. Но лучше мы поступим так: месяца через полтора я вернусь, а вы тут пока приглядитесь, что да как…

— Это ж за какие такие грехи меня в Австралию?

— Вы, я вижу, узнавать меня не хотите.

— Я тут в первый раз и по делу. Чего в узнавалки играть? И вообще, нахрена вы меня из сквера выдернули? Ну есть у меня временные трудности. Ну так я скоро их решу…

— Да погодите вы грубить. А насчет временных трудностей… Давайте так: что если я предложу вам для начала… Ну, скажем… Десять тысяч рублей?

Я хмыкнул. Он понял по-своему:

— Хорошо. Двадцать!

Четыре красненькие без промедления легли на стол.

— Вы что, факир?

При слове «факир» Селимчик посерел лицом, а губы его — те и вовсе лиловыми сделались. Кожа на лбу еще сильней натянулась и стала гладкой, как на африканском ударном инструменте (вот забыл, как он называется)...

Но вскоре Селимчик собрался с духом, улыбнулся и широко развел руками:

— Стараюсь, блин горелый...

По этому «разводящему» жесту я его и вспомнил! И серьезно удивился, почему не вспомнил раньше. Я на память свою не жалуюсь. Я горжусь ею. А тут — прошляпил! Ведь этот Селимчик был на той самой тусовке, после которой я здесь, в приречном городке, и оказался!

На тусовке мы с ним и познакомились.

Вечер московский, вечер дивный, промелькнул передо мной, как слайд-шоу: Тверская, отель «Карлтон», виски «Ригл» двенадцатилетнее, девочки ласковые, неназойливые, по высшему разряду вымуштрованные...

Вечер устроил полуолигарх Ж-о, а пригласил меня на него кореец Пу.

— Вы еще тогда меня от балерины этой... — тут Селимчик с неожиданной застенчивостью и очень даже приятно улыбнулся, — ну от Тюлькиной-Килькиной, всю дорогу оттирали. Так это, бочком подступите и плечиком молча — тырк! С таким видом, что, мол, не дадим этим хитрым кабардинцам наших русских дам уводить. А какой я кабардинец? И какая Тюлькина дама? Я из Алматы, а она охламонка просто... Верней, — Селимчик нежно, как выдра, сожмурился, — обыкновенная субретка!

15

Балерина Тюлькина была на том вечере сбоку припека. Но, конечно, я ее запомнил. Запомнил и редкое слово: субретка. Селимчик тихо, чтоб никто не услышал, его и произнес, когда Тюлькина-Килькина, ломая каблуки, от нас к олигархам рванула.

Тюлькина насела на олигархов, а я тогда про Селима еще подумал: работает он в захудалом московском театрике, и скорей всего антрепренером. Причем играют в театрике одни только старинные пьесы, где все эти субретки, фаворитки, слуги двух господ вместе с прочей лаковой шелупонью до сих пор и обретаются.

Подумалось мне и о том, что иногда потехи ради «кабардинца» выпускают на сцену, чтобы он там со страху на пол грохнулся или петуха пустил. А еще лучше — предстал в виде смазливого евнуха, каких нам время от времени являют в чисто немецком зингшпиле «Похищение из сераля»...

Но самое важное, что не давало тот вечер забыть, — это когда полуолигарх Ж-о меня с олигархом настоящим, с гением рынка и ценных бумаг, с хозяином рудников и многокилометровых колбасных цехов — с Куроцапом Саввой Лукичом познакомил.

Страшно не хотел, а познакомил!

Ж-о вообще весь тот вечер только и делал, что ограждал Куроцапа от влияний и посягательств. Ну а я на том вечере, как всегда, пребывал в глубоком тылу. Стоял себе, вполголоса сорил стишками.

У Максима Ж-о был секретарь-кореец Пу. Вот я и стал втихаря рифмами, как железными шарами во рту, погромыхивать:

Перли-терли Жо и Пу.
Пу — расквасил нос клопу,
А его хозяин Жо —
Выглядел, как труп, свежо.
Если сложим слог и слог,
То получим не сапог,
Не «привет», не «гамарджобу»,
А одну большую …

То, что я стоял отдельно от всех и шевелил губами, многих почему-то раздражало. При этом еще и еще раз — я не какой-то шибздик! Рост у меня пристойный, плечи в общем и целом неплохие, и я с первого удара перебиваю костяшками пальцев — кентосами — шестимиллиметровую доску: тхэк-ван-дой в юности занимался!

Правда, лицо у меня чуть плаксивое, затылок островат и прядь над ним, как тот ковыль в степи, развевается...

Все это людей от меня при первом знакомстве отталкивает. Может, поэтому я в свои сорок не женат. Но с женитьбой я себя так утешаю: для меня перво-наперво дело. А интрижки с женщинами — так до них просто руки не доходят!

Теперь о деле. Здесь-то как раз собака и зарыта.

Дело мое шаткое, ненадежное!

Сперва был я литературным негром, другими словами, регулярно сочинял за других. А совсем недавно пошел на повышение: предложили выступить в роли титульного редактора. То есть все так же сочинять чужие тексты — но уже обозначать на концевой странице собственное имя: редактор Тимофей Мокруша.

Говорили мне и советовали: «Иди в блогеры, олух! Там бабки, там возможности. Вторым Навальным через год станешь!».

Не пошел.

Что мне Навальный, этот прусак подвальный?

Да и само слово «блогер» мне омерзительным показалось.

Блох хер? Плохер? Герр Блядюкер?

Словом, от блогерства я отказался.

А блогера́ тем временем по штуке баксов в день огребают! А я тут, в приволжском кафе, кипяток с морковкой глотаю!

Тима я, Тима! Тима, Тима я...

Ладно. Опять про тот вечер.

Стою себе в сторонке. Смотрю, как полуолигарх Ж-о (полуолигархом его зовут потому, что на должности своей налогово-контролерской украл он только половину того, что милостиво ему позволили провинциальные власти), смотрю, как Ж-о и мой тогдашний работодатель Рогволд Кобылятьев по прозвищу Сивкин-Буркин друг перед другом выставляются, пургу гонят, турусы на колесах разводят!

Ну и дам, конечно, пощипывать не прекращают.

А тут — сегодняшний Селимка! (На том вечере он сильно позамухрышистей выглядел. Это сейчас — косой прибор, усики подстрижены, лысина напомажена. А тогда — ну просто рвань и срань тропическая! Брючки коротковатые, кофта лиловая, вместо галстука — шизоидная бабочка в горошек.)

Так вот. Начал Селимка к Тюлькиной, что-то быстро от олигархов вернувшейся, клинья подбивать. Но Тюлькина на него — ноль внимания. Селимка и отстал. А на его месте какой-то прокурорский в полном костюме правосудия вдруг очутился. В синем фраке, пуговицы аж на самой… Сразу видно, что не промах капитан! Потому как, не раздумывая, даму за бочок — и к туалету поближе.

«Ага, — подумал я тогда про себя, — сейчас самое время нашу русскую удаль явить, несгибаемый дух показать!»

И явил, и показал.

Вынул из портфеля добрый обломок красного кирпича да под нос прокурорскому и сунул.

(Я всегда этот обломок с собой таскаю. Сквозь «рамку» магнитную кирпич без писка проходит, а покажешь где надо — неизгладимое впечатление производит!)

Кирпич, правду сказать, особого впечатления на прокурорского (он приставом налоговым оказался) не произвел.

Но это только на прокурорского и только сперва!

Пока красная крошка с кирпича осыпалась, а пристав-прокурор гордо грудь расправлял, ко мне мой работодатель Рогволд Арнольдович Кобылятьсв подступил. Мол, еханый насос и все такое! Как я вообще осмелился! Да меня и взяли сюда, чтобы базар уважаемых людей записывать, а я тут кирпичом машу, его, Рогволда, в идиотское положение ставлю. И вообще надо еще подумать, нужны ли ему, лауреату премии «Нац-Нац», такие, блин, помощнички.

Тут же Рогволд Сивкин-Буркин от меня, как от гриппозно-вирусного, и отвалил. А пристав-прокурор, чтоб дела не раздувать, подхватил Килькину, как пушинку, и куда-то в свои налогово-прокурорские владения унес.

Кстати, про Кобылятьева и про его прозвище. Писатель Сивкин-Буркин — так себе. Многоречивый, истерико-патетический. Не писатель — писателишка! Но скачет бодро.

И на скаку огромные бабки рубит. И некогда ему чем-то другим заниматься. Поэтому в негры меня и пригласил. Поэтому деньги — пусть и скромные, но без задержки — платил.

Росточку в писателишке — не больше полутора метров. Лицо — синий сморчок. Губы узкой полосочкой. Говорит зажатым голосом, как та институтка на клиросе. Ручки — кукольные, игрушечные. Одним словом: недомерок!

И вот, пока я думал, какая же на самом деле погань этот самый Сивкин-Буркин, ко мне неожиданно сам Куроцап подошел!

Он так и представился: Савва, мол, Куроцап. И добавил: давайте по-простому, без отчеств. Савва, и все тут.

Как Савва Лукич на том вечере оказался — уму непостижимо. Не того он полета коршун, чтоб с такими, как Сивкин-Буркин, Килькина, кореец Пу и даже полуолигарх Ж-о, дружбу водить!

Куроцап — олигарх всамделишний. Воротила — первостепенный. Хозяин — на всю страну! Заводы, рудники, шахты. Никель, марганец, титан.

Ну и для души — всякие там ветчинно-рубленые предприятия: овцеводство, яки, верблюдофермы, прочая кожгалантерея. И все это новенькое, передовое, по последнему слову техники оснащенное и упакованное. А потому — доход умножающее, федеральную казну доверху налогами набивающее!

Савва Лукич подошел и сразу меня взбодрил.

— Ты это, — сказал он радостно, — ну, в общем, того… девять-семь… — он с той же радостью, но и с неожиданным вниманием посмотрел мне прямо в глаза, — ну, я хотел сказать, ты кирпичом — славно так! И, главно дело, — неожиданно! Пристав этот сразу в штаны и наделал. Килькину-то он для отводу глаз увел. Не по этому делу он! А ты, я вижу, человек находчивый, раз новое применение кирпичу нашел, раз на вечеринки его в портфеле таскаешь…

Я не без изящества поклонился. А Куроцап продолжил:

— Ну а для веселых и находчивых и работенка всегда сыщется. Приползай ко мне завтра в офис на Смоленку, — он еще раз и опять как-то уж очень внимательно на меня глянул, — да гляди, с утреца мой офис с МИДом не перепутай! Ну шуткую, шуткую. Завтра скажу, в чем дело.

Тут Куроцап зачем-то подошел ко мне вплотную и померился со мной ростом. Росту мы оказались абсолютно одинакового. Куроцап, конечно, помощней, но и я неплох.

После обмера Савва Лукич даже зареготал от радости. Но потом спохватился и как-то совсем по-детски завершил реготанье нежным и одиноким звоночком смеха.

Тут, смотрю, мой Рогволоденок, мой писателишка сраный, который четвертый год меня в черном теле держит, шасть — и к нам! С ним полуолигарх Ж-о. Стоят, немеют. На глазах у писателишки — слезы счастья. Крупные, неактерские. А Ж-о руку к сердцу приложил и от сердца ее не отрывает, словно гимн Отечеству исполняют рядом. При этом Рогволоденок носом пипочным воздух втягивает и над виском своим голову пальцами наминает: как пить дать, облапошить кого-то собрался!

Оправившись от потрясения (взаправдашний миллиардер ведь рядом!), Рогволоденок и говорит:

— А позвольте вам, Савва Лукич, представить моего пресс-секретаря, — (сразу мне повышение вышло). — Он, как и я, на литературно-публицистическом фронте в бой с нашими и вашими врагами недавно вступил…

— Так он уже и без тебя, девять-семь… — Куроцап сделал паузу и от этой паузы стал еще мощней: высокий, квадратный, губы грозные, глаза лукавые, щеки полыхают, как две сахарные свеклы в разрезе, нос длинный, но и хищноватый, с чуть загнутым кончиком, — так он уже сам себя отрекомендовал! Ну разве хозяин, если желает, пусть представит.

Здесь Ж-о расшаркался и наговорил обо мне много лестного. Но Савва его не особо слушал: он дружески хлопнул меня по плечу, а Рогволденку, вроде в шутку, к самой морде кулак поднес. (Прозорливо, ох, прозорливо Савва Лукич поднес его!)

Рогволденок побледнел, как поганка в дождь, а Куроцап медленно, вразвалочку ушел. За Куроцапом рысцой, рысцой полуолигарх Ж-о.

Через минуту Рогволденок, конечно, собрался с мыслями.

— Значит так, — раздул он синенькие свои ноздри. (А ноздри у него действительно синеватые, и весь его пипочный нос — тоже!) — Ровно половину из того, что Савва Лукич тебе предложит, откатишь мне.

— А морда не треснет?

— Морда выдержит. — Рогволденок во второй раз за вечер прикоснулся к височно-затылочной части головы. — А не распилим с тобой куроцаповские денежки — можешь собирать манатки и уматывать.

Жил я тогда и впрямь у Рогволденка. И вещички свои — что верно, то верно — держал у него. Да и как не держать было? У него квартира четырехкомнатная, а у меня комната в коммуналке: соседи газом травят, дети чужие глумятся с утра до ночи. И книгу заказную мы тогда с Рогволденком как раз строчили. Вот я к нему с вещичками и перебрался.

Правда, жена у Рогволденка оказалась сварливая. Но она все время на работу ездила. Сын-лоботряс — в продленке до ночи. Сам Рогволденок дома тоже не засиживался: с утра мыслишек накидает и в Думу или еще куда.

Сижу, бывало, из мыслей его выпутываюсь. А мысли у Рогволденка тяжелые, комковатые. С производственной, да еще и с полуфашистской какой-то начинкой. Она-то, полуфашистская, в первую очередь кобылятьевских читателей и соблазняла, она в первую очередь и продавалась.

Поэтому, когда я про манатки услыхал, обычное плаксивое выражение (мышцами ощущать его научился) в лицо мое намертво — как узор в тульский пряник — впечаталось. Куроцап еще и не предложил ничего, а этот, синюшный, уже доходы мои на распил тащит!

Ноги у меня — титановые. Руки — клещи. Но жить по-современному, но откатывать и распиливать я никак не научусь. И от предложений таких — пусть даже полушепотом сделанных — всегда теряюсь: ноги становятся ватными, руки виснут плетьми. Но хуже всего — язык! Тот, наоборот, развязывается и начинает помимо воли нести всякую околесицу.

Что я Рогволденку в те минуты говорил — не помню. Помню только, что ругал его и поносил и на распил ни в какую не соглашался. Но потом выпил бокал «Ригла» и согласился подумать.

После «Ригла» Селимчик мне еще раз и попался. С ним тоже выпили и слегка в туалете повздорили. Но позже помирились. Дальше — смешно вышло. Селимчик спьяну тоже померился со мной ростом: маленький, толстопузый, он прыгал рядом, как колобок! На том и расстались...

23

Я встряхнулся.

Воспоминания о Москве пролетели мигом. И так эти воспоминания меня захватили, что на Селимчиковы слова я острозатылочной своей головой только кивал, а ничего из того, что говорил он, не слышал. Даже кипяток с морковкой глотать перестал. Все вспоминал и вспоминал.

САВВА УРЫВАЙ АЛТЫННИК

На следующее — после олигархической тусни — утро ломило виски и дрожали пальцы.

Слава богу, Савва Лукич — офис его был с каким-то смутным дипломатическим прошлым, и табличка про наркома Чичерина, кажется, там была — принял меня сразу.

Оценив состояние — налил. С восторгом ощущая бульканье водочки в пищеводе и даже словно бы наблюдая ее сияние в верхних отделах желудка, — начало разговора я как-то упустил.

Однако середина и конец той московской беседы здесь, в приволжском кафе, вспоминались ясно, четко.

Я сидел в кресле, а Куроцап ходил от окон к двери, мимо громадного, без конца и краю стола. На столе высилась одиноко бутылка «Абсолюта» и лежала генеральская мерлушковая папаха с алым верхом. Занюхивать новой папахой было неудобно, и я время от времени подносил к носу кулак, пахнущий порошком из кобылятьевского принтера.

— ...и все-то вроде мы про нее знаем, — говорил с выражением Савва, — а вот чего-то главного и не знаем, нет! А ведь она, девять-семь, великолепна, она в своем роде — неповторима. Куда лучше закордонных! Да и многих отечественных получше... Понимаешь? Как балерина она в сметане! Ну, то есть, я хотел сказать — ножки у балерины по щиколотку, даже по колени черные, загорелые. И мордочка тоже темная... А сама... Сама балерина — не в материи белой, а в жирненькой смачной сметане. Или, точней, в сероватом йогурте: от бедра и по горлышко.... Вот она какая! А мы — не ценим. Мы три шкуры с нее драть готовы. А все почему? Потому что слишком сухо, педантически, ну, в общем... Ты же грамотный человек, понимаешь... Словом, слишком наукообразно про нее думаем! А она — слабенькая! Они все — слап-п... — тут Савва Лукич заглотнул слишком большую порцию воздуху и, захлебнувшись, на минуту стих.

Постепенно я сообразил: речь идет о неведомых людях, накрепко, как Робинзон с козой, связанных с некими домашними животными — загадочными, прекрасными и, без всяких сомнений, отечественными.

— А она, а они... Ну, в общем, когда ты их узнаешь получше, тогда и поймешь, тогда и напишешь настоящую книгу. Но учти! — Савва погрозил мне кулаком, — автором книги буду я. Потому как книга необычная будет. Я ведь и сам необычный. Но и ты, гляжу, не промах... Кирпич принес?

Я с готовностью полез в портфель.

— Верю, верю, — засмеялся Куроцап, — и вот поскольку ты такой, какой ты есть, будешь у меня, как это называется... титульным редактором! Жизнь и судьбу ихнюю на весь мир прославишь! Ну? Лады?

— Кончено, лады... Только, Савва Лукич...

— Просто Савва. Я в некотором роде как Морозов. Или даже как Мамонтов. Новый народный капиталист я! Точней — капитал-разведчик. А не какой-то там урывай алтынник… А скажи-ка мне, дружок, — вдруг переменил он тему, — тебе сколько годков от роду?

— Сорок восемь, — соврал я, прибавив себе зачем-то целых семь с половиной лет.

Савва потускнел и смолк.

Я откашлялся.

— Так вы, уважаемый Савва, мне поясните: о какой группе лиц, или, точней, о какой страте (решил блеснуть я итальянщиной и блеснул удачно: глаза Куроцаповы сочувственно округлились) пойдет речь в нашей книге?

— Неужто сорок восемь? А видом — так сильно моложе.

Я скромно пожал плечами: мол, что имеем, то имеем.

— Ладно, — вдруг улыбнулся Савва, — врать ты, кажется, тоже здоров. И про страту верно сказал… Наше, славянское слово! Старинное. Стратил, истратил, казнил… Их ведь тоже вчистую почти уничтожили… В загонах да за колючей проволокой при Советах держали!

— А вот про лагеря, Савва Лукич, — даже не просите! Сил моих больше нет. Столько книг про лагеря уже настрочил. У нас теперь что ни писун, то лагерник! Вроде люди как люди, а как заведутся, как начнут лишения свои расхваливать… И, главное, не скрывают ведь, что бандосы! А политическую подкладку к несчастьям своим давним и нынешним подшивают и подшивают…

Савва задумчиво глянул на окна. Я его движение повторил.

Смоленская площадь глянула на нас в ответ с удивлением, но и с интересом немалым.

— Да, правильно ты сказал. Они — как люди! Даже лучше людей! А вокруг них наши отечественные волки-заготовители рыщут: жадные, клыкастые… А у тех… И душа у них лучше, и задница чище. Только что́ мы с тобой об их личной жизни, об их любви, об их заботах знаем? Да ни хренашечки. Ты вот сейчас думаешь: она побежала, хвостиком вильнула, Куроцап на крючок и попался. Шиш тебе! Чтобы такую нежную шерсть на себе взрастить…

Я украдкой глянул на Савву: шерсть из-под расстегнутого ворота черной его рубахи торчала недлинная и на вид жестковатая.

Савва взгляда моего не заметил.

— Чтоб, говорю, шерсть такую романовскую на себе взрастить, нужно хрен знает кем внутри себя быть.

Савва снова пошел к окнам, а я, наконец, догадался: речь в новой книге пойдет не о людях, об овцах!

— Ты думаешь, у них в голове только гулеж и ветер?

Я испугался: Куроцап внезапно заговорил со слезой в голосе и, вернувшись к столу, часто, как девушка, заморгал.

Ресницы у Лукича были светленькие, брови темно-русые, бобрик на голове серо-соломенный. И весь он, с едва курчавящейся крохотной бородкой, мощным кадыком и каменными лепными веками, напомнил вдруг бога виноградников Диониса. Но Диониса нашего, русского, вытесанного из уральско-сибирского камня, пьющего по утрам огуречный рассол, занюхивающего каждый второй шкалик тертой редькой. В юности мне самому таким быть хотелось…

— А вот и не ветер! — ответил Савва самому себе. — Много чего у них в голове есть — только мы про то не знаем. Не знаем, какая у этих лучших в мире овец жизнь, какие семейные ценности…

— Какие же, Савва Лукич, могут быть семейные ценности у овец?

— Вот! И ты туда же. Да пойми ты, дурья башка: у них есть все то, что и у нас! И даже больше… Вот ты туда за Ярославль, в город Царево-Романов и езжай. И книгу мне про романовскую овцу через три месяца, будь любезен, в чистовике представь. Командирую я тебя туда, понял?

— Чего уж понятней.

— Только ты мне книгу с историями напиши! С любовью, с приключениями и всем таким прочим.

— С приключениями овец?

— Конечно! Людские-то приключения — кого они теперь, по большому счету, интересуют? А овца, брат, она, как поросенок на веревочке! Даже лучше: бежит за тобой, в развитии догоняет! Ты ею любуешься и про жизнь овечью с человеческой страстью почитываешь! А прекрасней всего, если ты мне историю одной отдельно взятой овцы напишешь. Но не про какую-то Долли! Про нашу Лидку, про нашу Маньку. Про всю ее судьбу! Даже про шкуру, положенную на алтарь…

Савва наверняка хотел сказать: «На алтарь отечества», но вовремя поперхнулся.

— В общем, про судьбу и жизнь, отданную за наши с тобой удобства, напиши. Три месяца не хватит — дам четыре. Через полгода сигнал, потом тираж, потом этот… гонорар.

Мысли Саввины про овец мне внезапно стали нравиться. Сам Лукич — после некоторых колебаний — тоже.

— А тогда, может, аванс, Савва Лукич?

— Ты Куроцапа не знаешь? В Романов приедешь, я туда через банк переведу. У меня бухгалтерия чистая. Никаких серых схем, ничего из рук в руки. Никаких откатов, никогда, никому!

Савва завелся, и я отступил. И, как оказалось, зря. Но в тот момент мне стало не до аванса, потому что Савва во всю глотку гаркнул:

— Надюх, а Надюх! Яви породу! Р-романовскую нам представь!

С легким презрением всеми отвергнутого художника я ждал: сейчас сюда, на Смоленку, прямо под наружные камеры МИДа приволокут упирающуюся, но в своем упорстве, конечно же, и прекрасную романовскую овцу.

Но вошла стройная деваха в серо-серебристой шубе на голое тело.

Какое-то белье под шубой, как потом выяснилось, все-таки было, но в количествах небольших.

— Ты, Надюх, повернись бочком, а потом приляг на шубу… Пускай писатель (я обмер сердцем, в первый раз так назвали!) на результат глянет. Глянет на то, что мы в итоге — после употребления любящей и мыслящей овцы — имеем.

Я думал, Савва заревет в голос. Однако, глядя, как Надюха, постелив шубу на пол, ложится, он, наоборот, развеселился:

— *Есть многое на свете, друг Горацио, что и не снилось нашим папараццио!* — обратился он уже ко мне лично и от души захохотал, тыча пальцем в женское белье. От хохочущего Саввы я отшатнулся и перевел взгляд на Надюху.

Тем временем Савва наклонился, Савва стал шубу щупать и мять и кончил тем, что, столкнув с романовского чуда Надюху, сам улегся туда на короткое время.

Было видно: Надюха интересует Савву постольку поскольку. Это было неожиданно и вселяло надежды. Поэтому вскочившей на ноги Надюхе решился я подмигнуть. Надюха — не заметила. Она, широко раскрыв рот, вслушивалась в слова, слетавшие с куроцаповского языка.

— Весу в ней четыре фунта! — кричал Савва, поднимая шубу с паркета. — А греет, как четыре стакана! Как пять стаканов… Как шесть!..

Тут Куроцап звонко ляснул себя ладонью по лбу, шубу бросил на стол, Надюху отослал, подступил ко мне вплотную и сказал:

— Дам-ка я тебе «жучок». Для связи. И для записи твоих размышлений. Он двадцать пять тысяч стоит. Такая, Тима, спецтехника! Я по случаю прикупил. А навесить не на кого. И у тебя со мной связь будет. Вот, бери. Раньше у нас только ФСБ и МВД «жучками» пользовались. Теперь — каждый может. И учти! Не только правительство нас слушает — мы его тоже слушаем. Сечешь?

Я замялся. Савва понял по-своему.

— Что? Думаешь, нагреет Куроцап? Думаешь, мне для тебя настоящего «жучка» жалко? Думаешь, заваль предлагаю? Вот, гляди!

Савва проворно кинулся к шкафу, вынул оттуда красную, плоскую, размером со школьную тетрадь коробочку.

— Видишь? Комплект же! «Жучки» и экраны к ним. Один маячок-жучок — р-раз! — сюда прикрепляю (он наколол себе на грудь какую-то английскую булавку с серой каплей вместо головки). — Другой — тебе! А чтоб комплект не разбивать — вот! Возьми и оставшиеся два. На двух лучших овец навесишь. Запишешь, как они там блеют-млеют.

— Может, с «жучками», Савва Лукич, лучше не связываться?

— Свяжемся, обязательно свяжемся! Ты только не включай их раньше времени. А так это... через неделю. Я сейчас на своем жучке таймер поставлю... А теперь вали поскорей отсэда. Христом богом тебя прошу! — Савва хитро склонил голову влево и вдруг выставил перед собой руки, как суслик лапки: локти согнуты, кисти вниз свисают. — Дел у меня: до утра не спроворить!..

«МУЗЕЙ ОВЦЫ»

И вот теперь, сидя в кафе против Селимчика, глотал я кипяток с морковкой и думал: какой же я обалдуй!

Обалдуй и остолоп, потому что на следующий же день после разговора с Куроцапом от Рогволденка съехал. Увез свой комп, увез тележку с вещами и, заперев накрепко дверь коммуналки, двинул в городок Романов...

Денег Савва не перевел ни через сутки, ни через трое.

В «Музее романовской овцы» со мной ласково поговорили, но никаких эксклюзивных материалов, повествующих о жизни этих энергичных черноголовых и белопузых домашних животных не предоставили. Я стал звонить по очереди всем секретарям Саввы Лукича, и, конечно, в первую очередь Надюхе.

Через пять дней стало ясно: Куроцап от романовской овцы отказался навсегда, навек.

— Савва Лукич наткнулся на новую, более перспективную мысль, — томно ворковала, видно вспоминая показ романовской шубы, с трудом разысканная Надюха. — Это такая интересная тема! Жизнь огородных растений. Представляете? Редька, лук, патиссоны, чеснок! Как они в огороде нашем эволюционировали. Как сопутствовали российскому гражданину в его жизни. Савва Лукич хочет, чтобы на обложке так и значилось...

— Савелий Куроцап. «Русский хрен», — подсказал я.

Надюха сперва в трубку хрюкнула, но потом стала серьезней:

— Чувствуется, что вы хорошо над романовской овцой поработали. Вникли в тему. А за Савелия — спасибо. Это для обложки даже лучше, чем Савва... Спрашиваете, как вам быть? Ей-богу, ума не приложу. Лукич сейчас в Шри-Ланке. Пробудет месяца полтора-два. Чайные плантации, сами понимаете. Но как вернется — обязательно заходите. Савва Лукич так и сказал: как Тима появится — сразу его ко мне!

— И что тогда? Чайные листочки к проблемным местам прикладывать будем?

— Это уж как получится. Но вы должны знать: Савва Лукич — щедрая душа. И в свое время заплатит вам обязательно...

Надюха отключилась, но я снова набрал ее:

— А это кто ж ему про русский хрен писать будет? — не своим голосом крикнул я в трубку.

— Для такой книги писатель с университетским образованием требуется. А у вас, извините... только Литинститут. Кстати, писатель с образованием не без труда, но нашелся.

— Кобылятьев? Рогволд?! — заорал я, брызгая слюной и злобой.

Две-три сороки, сидевшие на ветвях близ гостиничного дворика, плавно, как детские самолетики, взлетели, но тут же в кустах и приземлились...

— Да, это Рогволд Арнольдович, — чуть удивясь, сказала Надюха.

— Так ведь он пэтэушник, сволочь! — застонал я в голос.

Но к стонам моим Надюха не прислушалась, лишь добавила снисходительно:

— Так что босс благодарит вас и все такое прочее. А также Савва Лукич дорит вам шубу.

Она, зараза, так и сказала: «Дорит»!

— Ну ту самую... которую вы на мне видали, — Надюха приятно засмеялась. — Так что возвращайтесь в Москву, получайте шубу, и удачи вам!

— А деньги?! — крикнул я опять, как дурак.

— Денег на вас... — Надюха умышленно громко прошелестела в трубке какими-то бумагами... — Денег на вас, увы, не отпущено.

Я вдавил красную кнопку в мобильник так, что отпала задняя крышка. Белый свет померк у меня перед глазами...

Это что ж? Не солоно хлебавши назад в Москву?

Невозможно! Двум-трем приятелям и одной прелестной оторве я успел объявить о шикарном заказе, о том, что ухожу из литнегров, что передо мной — пусть пока и соавторство, но очень, очень перспективное...

Словом, заявляться в Москву ровно через пять дней, да еще обделанным с головы до пят не хотелось.

Рогволденок к себе, ясное дело, теперь не пустит: ухватился за Куроцапа намертво. Какие там попахивающие бытовым фашизмом романы! Русский хрен и цейлонский чай, во всех своих дымка́х и ароматах, витали сейчас над головой этого недомерка...

Можно было, конечно, отсидеться месяц-другой у себя в коммуналке. Однако и тут — черт за язык дернул!

В коммуналке на улице Сайкина, близ издыхающего ЗИЛа я, пугая соседей, объявил: через месяц продаю комнату кавказцам и покидаю их волчье логово навсегда.

Соседи на полдня утихомирились. Затихли даже их сопливые дети.

И вот теперь надо было на улицу Сайкина возвращаться, надо было снова вылавливать плевки из кастрюли.

Красная пелена бунта, жестокого и кровавого, стала заволакивать края моего внутреннего пространства!..

Но как-то так вышло, что именно после разговора с Надюхой, я, чуть успокоившись, впервые как следует осмотрелся.

Городок Романов был прекрасен и был пугливо чист! Он раскинулся сразу по двум берегам Волги. Одна сторона называлась Романовской, другая Борисоглебской. И пусть моста через реку в городке пока не было — внизу медленно и величественно сам себя двигал паром, катера и лодки бойко перевозили пассажиров через Волгу туда и обратно.

Вид городка, с мягко очерченными колокольнями, хорошо очищенными луковицами куполов и бойко сияющими крестами, с кое-где сиротскими, а кое-где вполне пристойными домами, бунт мой на время смирил, но добавил плаксивой мути.

Вдруг с севера налетел ветер. Мути поубавилось. Но ветер быстро стих. Хотя как-то нечуемо — так мне тогда показалось — продолжал в городе присутствовать…

Растерзанный бесчувственной Надюхой, побрел я наобум. И вскоре очутился на безлюдных, круто спадающих к Волге улочках.

Навстречу попался белокурый паренек. Он гнал перед собой двух тщедушных овец. А в руках вместо хворостины держал логарифмическую линейку. Даже моего, не искушенного в животноводстве взгляда было достаточно: не романовских овец паренек гонит!

— На пропитание овечкам... сделайте милость, — пропел белокурый.

С отвращением обминув паренька с его овцами, я все же обернулся и с грубой прямотой спросил:

— Это ведь не романовские? Не романовские, говорю, овцы?

— Да, не романовские, — простосердечно ответил белокурый.

— А чего ж тогда просишь?

— Божьи твари ведь.

— Больше десяти рублей не дам.

— И за это — огромное вам спасибо...

Через день в гостинице с меня потребовали денег. Я обещал заплатить через неделю. Великодушно прождав еще два дня, меня выставили вон. Но вещи, как уже говорилось, решили у себя попридержать.

И тут — Селимчик. И нескончаемый кипяток с морковкой, который мой собеседник с трепетом в голосе называет «кофэ»...

Все это время Селим Симсимыч с тихим умилением и непонятной радостью наблюдал, как я предаюсь воспоминаниям. Он не только не мешал мне, но, казалось, делал все, чтобы я длил и длил свои мутные грезы.

— Ну хватит жрать, — сказал я резко. — Спасибо за кипяток и скажите, чего вам надо. Денег ведь даром теперь никто не дает. И не рассчитывайте, что я вам их сейчас же верну. Мне за гостиницу платить надо.

— Так это — мигом… Секунду, минутку!

Круглый Селимчик выкатился из-за стола и как-то очень быстро, словно не веря, что я его дождусь, вернулся:

— Гостиницу оплатил. За месяц вперед. И не вашу, деревянненькую! Приличная гостиница, скажу вам. «Князь Роман» называется… Я честное и почетное дело предложить хочу, — вдруг понизил он голос, — и как раз по вашему профилю. Сегодня утром к вам за этим и шел. И вчера наблюдал за вами. Вы из гостиницы вышли и сразу воробьев на асфальте считать начали.

— Если вы про птичек, то пусть вам китайцы пишут! Про то, как они этих самых воробьев всех до единого слопали.

— Какие воробьи! Клянусь предками: приятная работа, хорошая. Я, если хотите знать, организатор науки… По научной линии вас двинуть и хотим.

— У меня нет университетского образования, — вспомнив куроцаповскую Надюху, буркнул я с ненавистью.

— И не надо! Бог с ним, с университетским! Вашего образования, думаю, вполне достаточно будет. Сперва регистратором, а потом прогнозистом погоды у нас поработаете. Космической погоды, между прочим…

«Значит, опыты на мне будут ставить», — подумал я, а вслух сказал:

— Я вам не термометр. А вы — не японец, чтоб в задницу меня совать!

Сказал, встал, нехотя полез в карман за красненькими.

Тут Селимка вздохнул, достал кредитную карточку и, слегка кривясь от горечи собственного поступка, ее мне подал.

— Забыл сказать: мне профессор Дежкин про вас расска-зывал. Вы ведь после Литинститута еще в Институте журна-листики учились?

Очеркист Дежкин был единственным профессором, ко-торого я в Москве уважал. Это, наверное, отразилось на моем лице. Селимчик, воодушевясь, продолжил:

— Здесь зарплата за три месяца. Контрольное слово — «ветер». Пин-код — 5050. Только директору Коле про кар-точку не говорите. А тем более Дросселю нашему засушен-ному! Может, они вам из своих подкинут.

Я схватил кредитку, сунул ее в карман и снова сел, изо-бразив на лице живейшую готовность и дальше слушать всякую белиберду про директора Колю и засушенного Дрос-селя...

Но теперь встал Селимка.

— Я в Шереметьево опаздываю. А вы отсюда прямиком на Вторую Овражью. Тут рядом: направо и вниз. Дом номер шесть, на вывеске — «Ромэфир». Калитка не заперта, через сад и наверх. Скажете директору Коле, что со мной обо всем договорились. Он вас ласково, он вас нежнейше примет...

— Он что, слаборазвитый, ваш Коля, — попытался сост-рить я напоследок.

— Нет, развит он прилично... А давайте я еще записку для него нацарапаю. Только прошу, — Селимчик зачем-то оглянулся, — вы по дороге про «Ромэфир» особо не расспра-шивайте. И про новую работу в Москву пока не сообщайте.

— Что еще за скрытность такая?

— Коля скажет. Но будьте уверены: у нас никакого кри-минала. Мы — «Роскосмос»! Бывший, конечно, «Роскосмос», но все-таки... А Коле на всякий случай скажите, что когда-то в статистическом бюро работали. А сюда приехали, чтобы уйти от столичных склок. Ну, я Коле из Шереметьева еще позвоню, расскажу в деталях…

— Что я вам, пес — брехать про статистику? Я сюда, между прочим, книгу писать приехал…

— Знаю-знаю. Про романовскую овцу.

Здесь я удивился уже по-настоящему. Надюха растрепала? Куроцап предупредил? Но Савва Лукич страшно далек от таких мелочей, да и от людей вроде Селимчика тоже… Сами узнали? От кого, зачем?

— …А только на кой ляд вам эти овцы?

Селимка на мгновенье забыл, что он тупой азиат, а не ярославский бурлак, и от сладости старинного слова «ляд» даже зажмурился.

— А хочется — и все!

— Овцы с баранами и без вас шерсть нарастят. А у нас в «Ромэфире» — потрясающее научное открытие зреет. Под будущее это открытие я сейчас по Европам и Америкам денежки собирать и еду. А вы… Вы просто обязаны нам помочь!

— Как же я помогу, когда сам гол как сокол? Ни кола, ни двора, ни мохнатой лапы в министерстве…

— Так это временно, временно! Все у вас будет. И копеечка заведется. Ну, мне пора… Вернусь — все по местам расставим. Только дождитесь меня!

Селимчик сунул мне в руку сложенную вдвое записку и, помахивая изящной велосипедной сумочкой, которую в народе грубо и безосновательно зовут «пидораской», удалился.

ВТОРАЯ ОВРАЖЬЯ

Ветер осени, безобразивший три дня подряд, внезапно стих.

Наслаждаясь безветрием, я минут через десять уже входил в дом на Второй Овражьей.

Дом, как и гостиница, был двухэтажно-деревянный, но с мансардой и наличниками по второму этажу. Особенность дома была в том, что на нем крепились сразу три спутниковые антенны. Кроме того, он был глубоко задвинут в яблоневый, еще не пожелтевший, а вполне себе зеленый сад.

Никакой охраны на входе не было, вместо нее стоял, согнувшись в три погибели, деревянный сатир с обломанным рогом, лицемерной мордой и выполненный почти в натуральную величину.

Директор Коля принял даже ласковей, чем обещал Селимчик. Все благоприятствовало началу нового витка трудовой деятельности. Сунув нос в Селимову записку, в которой было всего два слова: «Возьми его» (по дороге прочел, не удержался), Коля тут же, без проволочек, принял меня на работу, причем сразу старшим научным сотрудником.

— У вас что — с кадрами тугезно? — поинтересовался я.

— В смысле — together? Да, слабовато у нас с кадрами, — признался Коля и подул поочередно на пальцы обеих рук, словно пытаясь сбить с них дыханием невидимые чернильные капли.

Мне показалось, Коля врет, и я рубанул прямо:

— Вы меня тут, случайно, не расчленить собрались?

— Ну зачем же так! К расчлененке мы отношения не имеем. У нас — научно-производственный комплекс, и работаем мы с чистыми, я бы даже сказал, с возвышенными материями! Просто уж очень вы Селим Семенычу приглянулись.

Легонький как былинка директор вскочил и, подойдя к одному из трех узких и высоких окон, поманил пальцем к себе.

Я подошел. Коля указал куда-то вдаль, за Волгу.

— Видите, как летит ветер? — спросил он заговорщицки.

Я пожал плечами:

— И видеть не вижу и слышать не слышу. Окно-то у вас закрыто!

Я потянулся к створкам. Пора было глотнуть свежего воздуху.

— Не открывайте окно! — Коля удержал мою руку. — Вы должны научиться видеть ветер. Это как раз и будет вашей основной обязанностью, помимо всяких там замеров и регистраций. Видеть не только, как ветер гнет деревья! Видеть саму материю ветра, сам его поток… Конечно, у вас будут приборы. И приборы новейшие. Здесь Трифон Петрович постарался, — Коля уважительно глянул на дверь, — но надо учиться и глазом засекать ветер. Нам необходима тройная фиксация — приборами, компьютером, глазом. Глазом, прибором, компьютером!.. Хотя, честно сказать, глазом — старо, ненаучно. Но Трифон Петрович, как ребенок, за глаз держится.

Коля выдал мне еще один аванс, поскромнее. (Селимчик, как и обещал, не разболтал про кредитку, я тем более.) Тут же директор сообщил, что за гостиницу уже заплачено, и разрешил пойти прогуляться по городу, пока он здесь расслабит один старый и ржавый моток проволоки.

— Вы только не подумайте, что мы к вам, старикам, что-то дурное имеем, — ласково улыбнулся Коля и выпроводил меня вон.

Когда через час, после двух соток вискаря, я вернулся в двухэтажный яблоневый дом — в кабинете у Коли сидела молодая, влекущая к неостановимым телесным контактам женщина. Волосы ее каштановые улеглись волнами на плечи, раскосые глаза смотрели хищно и смело. Чуть несоразмерное лицо — одна щека больше другой и подбородок слегка съехал на сторону — было матово-бледным, но было и прекрасным, на груди сияла громадная брошь, на пальцах — пять или шесть серебряных колец.

Женщина сидела лицом к двери, и директор Коля, все никак не желавший отлипнуть от окон, вынужден был стоять к ней вполоборота.

Это Колю тяготило.

— Все, хватит! — вдруг решился директор. — В Пшеничище поеду я сам. А ты, Леля, введи нового сотрудника в тонкости нашего дела.

— В Пшеничище уже выехали.

— Кто? Когда?

— Трифон. Четверть часа назад.

— Как? А я? Я же просил его… Как выехал?

— А так. На байке своем драном выехал.

— Неслыханно! Непостижимо!

Коля кинулся к двери, по дороге споткнулся о стул, чертыхаясь, помял колено, Леля крикнула: «Стоять, хам!» — и густо, не по-женски заржала. Директор Коля послушно остановился и с озабоченным видом стал ждать, что еще скажет Леля, чтобы немедленно бежать дальше.

Леля, отсмеявшись, и сказала. При этом всякая веселость из голоса ее исчезла, а уважения к постороннему человеку (то есть ко мне) не проглянуло и на йоту.

— Я требую покончить с кустарщиной раз и навсегда! Развели верхоглядство в Пшеничище. У вас там не станция — изба-читальня. И вообще: зачем тебе, Коля, давить сачка в Пшеничище, если там его уже давит Трифон? Старые подшивки переворачивать будете? За бабочками вместе гонять? И главное: зачем тебе, Коля, новый сотрудник, если есть я, есть Женчик с Ниточкой? Зачем последние деньги тратить? Вы с Трифоном живете в девятнадцатом веке. Но я там жить не желаю. Ты, Коля, — лайдак! А Трифон от всех нас просто устал... И... У него же нет больше идей! Только одна: плевать в воду и круги на воде разглядывать.

— Леля! — директор Коля молитвенно сложил руки, но глянул, скосив глаза, не на Лелю, а куда-то в сторону. Может, как раз туда, где, преодолевая трудности дорог, мчал в подозрительное Пшеничище усталый Трифон.

— Что — Леля? Я для всех вас кто? Питерская верховодка без московской протекции. Но вы с Трифоном не только меня презираете! Вы ведь и над Альберт Альбертычем насмехаетесь! Да-да, молодой человек, — язвительная Леля обратилась уже прямо ко мне. — Они Эйнштейну не верят! А ведь Альберт Альбертыч раз и навсегда доказал: никакого эфира в природе нет!

— Леля! Отца Альберта Эйнштейна звали...

— Я знаю, как звали отца Эйнштейна и его мац-цъ! — взвизгнула Леля и после визга чудесным образом преобразилась, словно изо рта у нее (а может, и откуда-то из глубин живота) бодро выпрыгнул и, шлепая босыми ступнями по линолеуму, ломанулся куда-то вдаль хитрый и наглый бесенок. — Но бог с ним, с Альбертиком. Я не против него. Но и не за. Я против дедовских способов работы. С ними пора

42

кончать. И если вы не кончите — я сделаю так, что лавочку нашу прикроют.

— После трех с половиной лет работы — и вдруг такие слова! Да еще при новом сотруднике…

— Не вдруг, не вдруг… Но ты успокойся, Колюнь. Сам ведь недавно говорил Трифону: нечего в словах у Лелищи смысла искать!

— Ищи ветра в поле… Моя фамилия Дроссель, — скрипнул, как дверь, останавливаясь на пороге, высокий костистый старик. — Кузьма Кузьмич, — сухо кивнул он и поправил большим пальцем круглые железные очки на носу. — Вы на наши склоки, молодой человек, внимания не тратьте. А идемте-ка лучше со мной. Надо поближе с вашей биографией познакомиться…

Дроссель пропустил меня вперед и, как показалось, умышленно не затворил за собой дверь, чтобы я слышал, как орет взволнованный Коля, как отвечает ему внезапно успокоившаяся Леля.

А слышно было превосходно.

— Лёлипутка ты наша бесценная! — кричал директор. — Пойми же наконец! Эйнштейн — бесконечно, вселенски заблуждался. Но даже он признавал… Ты не можешь не помнить его слов: «Если есть эфир, то моей общей теории относительности просто быть не может». Великий, несравненный ученый! Небывалый критик своего собственного учения! Не то что наши тупари… Они-то все и портят: «Как неверна? Разве может быть неверна великая теория? Не может быть, чтобы Эйнштейн ошибался, потому что он не мог ошибаться никогда»! Но ведь Эйнштейн в своем последнем постулате написал: «Пространство без эфира немыслимо, и поскольку моя общая теория…».

— А она твоя, Колюнь?

— «…и поскольку моя общая теория относительности наделяет пространство физическими свойствами»!.. Понимаешь, дура? Фи-зи-чес-кими!

— Хам и лайдак, — уже ласковей отвечала Леля директору. — И прохвост к тому же! Все вы здесь — прохвосты! И ты, и Трифон, и ваш Сухо-Дроссель. И этот новый сотрудник тоже, скорей всего, прохвост. Нечего сказать: пятидесятилетнего юношу в «Ромэфир» приволокли!

— Леля! Ты — совсем? Мы с Селимчиком такого человека три года искали!

— Да? Это что-то новое. Расскажи поподробней. Но что бы ты ни врал, все вы глупцы и прохвосты! От вас пахнет глупостью Майкельсона и Морли! И только из сострадания к твоей глупости я, Коля, тебя сейчас поцелую…

Я догнал Дросселя у дверей его кабинета.

А уже через полчаса, вместе с директором Колей и веселой Лелей, нехотя плёлся в лабораторию, на свое рабочее место.

Со Второй Овражьей улицы мы перебрались на Первую.

К запаху майкельсоновской глупости примешивался запах поздно скошенного бурьяна.

Впереди, метрах в пятнадцати, скачущей походкой поспешал директор Коля с карповым подсаком в руке.

Туфли у Коли были голубенькие, матерчатые, с черными кожаными нашлепками и загибающимися кверху носами. Подсак треугольный, пиджак коротюсенький. Цирк, да и только!

За Колей тащились мы с Лелей.

Леля оказалась занятной собеседницей. Сперва она попыталась уточнить, сколько мне лет, потом попросила рассказать, сколько раз и на ком именно я был женат.

Пришлось сказать правду: не был ни разу. Я думал, эти слова вдохновят Лелю на какую-нибудь незапланированную нежность, но она только буркнула: «Значит, и не женитесь» — и ринулась догонять Колю.

Мы как раз огибали пламенеющий золотом храм, когда Леля вдруг вернулась и, округлив милые кошачьи глазки с вертикальными черточками вместо зрачков, сказала:

— Мы все здесь концы отдать можем. Эксперименты наши смертельно опасны! И это — уже не шутка.

Сарказма в Лелином голосе я на этот раз и впрямь не уловил, и поэтому стал вертеть головой по сторонам, а потом часто-часто задышал носом, словно бы вынюхивая в воздухе опасность и риск.

Ничего не вынюхав, спросил:

— Так чего ж вы во все колокола не бьете? Чего наверх, в Москву, в Питер, не семафорите?

— А мне интересно, как мы все здесь — и теперь уже в обнимку с вами — подыхать будем! Я, кстати, так и не поняла: почему взяли именно вас? Тут что-то кроется…

Я приостановился. Леля дружески рассмеялась.

— Идемте же! — Она подхватила меня под руку. — Вы так и не сказали: сколько вам лет?

— Двадцать девять, — чуть подумав, соврал я.

Тут Леля отчебучила такую штуку. Изящно разведя в стороны полы белого плаща, она присела, и, показав толстенькие детские коленки, заявила:

— А тогда мне — пятнадцать.

Я двинулся дальше. Леля догнала, опять ухватила под руку.

— Видите во-он ту горку? Ну там, за Волгой…

Я нехотя всмотрелся.

ВИХРИ ЭФИРА

Слева от нас, за Волгой, на расстоянии примерно километра, на одном из невысоких лесистых холмов мерцали крупные, проглядываемые насквозь дневные огни. Чуть дальше, за огнями, через равные промежутки времени взмывали в небо оранжевые и желтые шары.

— Это зонды со спецначинкой, — таинственно сообщила Леля.

Трескотня ее начинала мне надоедать. Я вырвал руку.

— Но эти зонды — маленькие. А завтра будет запущен большой зонд. Через некоторое время — и аэростат! И ты, дурашка, на нем полетишь! А все потому, что Морли с Майкельсоном впервые добились результатов — именно поднявшись на аэростате. Вот наши повторялы и будут, вдогонку за американским девятнадцатым веком, в поисках эфирного ветра над Волгой рыскать… Нам самолет-разведчик со спецлабораторией нужен, а они, как пацаны, на тепловых аэростатах гоняют!

Я припустил быстрей.

— …чтобы уловить эфирный ветер — едва доносилось до меня (кричать на улице Леля все-таки остерегалась), — чтоб чужими руками поймать ветерок в коробочку, Коля вас и нанял!

Я резко встал. Несмотря на два аванса и оплату гостиницы, захотелось послать Лелю далеко и навечно, а самому срочно выехать по делам в Москву или в Питер.

Леля оценила остановку движения по-своему.

— Коля мне, кстати, никто, — задышала она в мое плечо, почти касаясь его губами. — Этот попрыгунчик только воздух вокруг меня обчмокивает. А вы, а ты…

Словно бы почуяв неладное, Коля, прыгавший с карповым подсаком далеко впереди, вдруг повернул к нам.

— Ничего не замечаете? — Леля до боли стиснула мой локоть. — Ничего не видите?.. Мы с вами — то туда, то сюда! Шатает нас и водит! То же самое — Коля, Трифон и наш Сухо-Дроссель: туда — сюда, туда — сюда! Такая хаотичность движений явно свидетельствует: мы становимся зависимыми от эфира! А эти, — заторопилась Леля, рассчитывая выложить всю подноготную «Ромэфира» до прихода директора, — а Коля с Пенкратом, чтобы доказать существование эфира, уже устроили у нас два небольших землетрясения. Их мало кто заметил — и так бедолаг наших трясёт, как в старом лифте, — но ведь Коля не остановится! Он собирается искусственные смерчи здесь устраивать! Тороидальный вихрь к нам в Романов обещал перенаправить...

— Какой ...идальный?

— Ой, ну какой вы безграмотный, — это на южном полюсе, очень, очень вихрь такой мощный...

— Как же его можно сюда перенаправить?

— Так ведь Коля петрит в науке — как бушмен в ароматах кварков! Он думает — можно...

Коля вырвал меня из цепких Лелиных лап (её он оттолкнул с гадливостью, а меня, наоборот, нежно приобнял за талию) и поволок в лабораторию:

— Немедленно, — стрекотал по дороге кузнечик, — сейчас же! Считывать данные, осматривать интерферометры, колупать и выколупывать истину! Иначе — аванс отберу. Иначе...

— Зачем вам подсак? — спросил я неожиданно Колю.

— Остолопов из Волги вылавливать!

Тихо шумнул ветер. Я бережно взял из директорских рук подсак и далеко зашвырнул его в бурьян. Коля, причитая, полез в бурьян за подсаком.

* * *

Эфирный ветер — нечуемый, неуловимый — летел над землёй.

Земля чувствовала этот ветер лучше и трепетней человека, потому что именно для окончательной формировки Земли он и был в первую очередь предназначен.

Не смешиваясь с ветрами обычными, не делая их своей частью, — эфирный ветер нередко под них маскировался, прятался за их порывами и контурами.

Волжская сухая трава, сорванные крыши и обломленные козырьки домов, перевёрнутые сухогрузы и вставшие дыбом крестьянские дроги, содранная живьём кожа лип и раскуроченные скалы — во всём этом справедливо видели следствия ураганов и смерчей, возникающих от неравномерного распределения атмосферного давления и других вполне объяснимых причин.

Так оно чаще всего и было.

Но по временам за настырной силой земных ветров, за Бофортовой двенадцатибалльной шкалой проступала некая сумасшедшинка, некая добавочная страсть. Проступала неуследимая и, похоже, разумная сила.

Так случалось потому, что ветры обычные тоже нередко были следствием эфирного ветра. Эфирный ветер в разных местах по-разному воздействует на Землю. А Земля под воздействием этого таинственного ветра, то нагреваясь изнутри, то вулканизируясь, в свою очередь способствует рождению некоторых видов ветра обыкновенного...

Ковчег на вершине Арарата и стальные линкоры с заглохшими двигателями, плывущие прямо по воздуху; кругосветные странствия призрачных клиперов, столетиями летящих со скоростью 20 узлов в час, и переселение на чужбину вполне благополучных многотысячных этносов; долгие войны, вспыхивающие без достаточных на то исторических причин, и захват власти кучкой безумцев то в одной, то в другой стране — во всем этом ощущалось влияние некой таинственной силы.

Находились те, кто считал: как раз в таких случаях влияние эфирного ветра и просматривается.

Откуда он, этот Ветер-Ветрило, взялся?

Вращаясь вокруг Солнца, Земля в своем орбитальном движении проходит сквозь тонкое и всепроницающее вещество: сквозь эфир. От соприкосновения Земли с эфиром рождается эфирный ветер.

Но это малый поток «ветрообращения», малый круг эфирного ветра.

А есть и «большой»! Другими словами, существует некое общее направление «обдува» нашей Галактики и нашей Земли эфирным ветром.

Галактика обдувается «большим» потоком эфирного ветра со стороны созвездия Льва. Земля — со стороны Северного полюса.

В отличие от четырех элементов подлунного мира: земли, воздуха, воды и огня — подверженных возникновению, склонных к уничтожению, — и сам эфир, и эфирный ветер обладают всеми свойствами блаженной вечности. Именно неизменность дуновений эфира — а его часто называют пятой сущностью или пятым элементом — сообщает ему свойства бессмертной субстанции, свойства всемогущего посредника меж Богом и человеком.

Тонкий, живой эфирный ветер, отделяясь от громадного тела всеобщей эфирной среды — легкими ручейками, быстрыми пальцами, — передает Земле свет и магнитные колебания. А главное, каждый час, каждый миг старается донести до нас волю Творца...

Один из таких эфиропотоков, берущий начало в созвездии Льва, — не обминая космические обломки и догорающие хвосты комет, а проходя их насквозь — с неслыханной скоростью летел той осенью к маковке Земли: к Северному полюсу. Уже в ионосфере фронт эфирного ветра сузился, а затем разделился на несколько малых потоков.

И почти тут же над волжскими просторами полетел неощутимый на вкус, не впитывающий влагу и пыль, сохраняющий постоянство, но и непрерывно себя обновляющий эфирный ветер.

Ветер эфира всегда летел ровно, легко. Но иногда, в заранее предчувствуемые дни и годы, в ответ на человеческую муть и похабень — становился резче, направленней.

Но и в таких случаях ветер эфира (даже вооружившись всеми приборами всех лабораторий мира) сложно было услышать, нельзя увидеть. Поигрывая неслыханной силой и скоростью, он словно бы подсмеивался, а иногда даже издевался над наукой: улови меня, если сможешь!

Правда, и ветер эфира кончал свои издевки, становился по-земному печальным — а кое-где и по-русски заунывным, — когда вынужден был прикасаться к событиям общественно-историческим...

В годы нелепостей и запредельного чванства ветер эфира начинал влиять на земные события точечно. И тогда ход вещей менял свой характер, менял вектор. Многие земные события приобретали небывалую силу и страсть, вспыхивали полярными сияниями и дополнительными лунами, а иногда, наоборот, летели к чертовой матери в подол кувырком!

При этом казавшиеся дурными в конкретный день и час события отзывались далеким счастьем в тысячелетней цепи.

Человек не мог уследить за связью этих событий, не мог предположить, как они отзовутся в будущем. Это сбивало с толку, пугало, мучило.

И только во времена новых направленных всплесков эфирного ветра людские мысли, до того обрывчатые и безвольные, вдруг начинали приобретать толк и смысл. Сама материя этих мыслей менялась: из вялых и блеклых они становились огненными, из гадковато-пустых — вселенскими.

Не всегда такие мысли оборачивалось добром. Но почти всегда отзывались неизбежностью. Чуя неизбежность, те, кто испытал прикосновение эфира, начинали действовать.

Нищий семинарист Иосиф Джугашвили вдруг ощущал себя распорядителем смертей и вершителем судеб. Кровавый вихрь уносимых в бездну жизней все тесней и тесней прижимал его к земле!

Скромный учитель Нестор Махно мысленно становился великим полководцем и готовился бежать из царской тюрьмы.

Наполеон Бонапарт принимал решение идти из Марселя в Париж и опять собирал — на беду себе и Европе — молоденьких маршалов и старых капралов.

В голову Эйнштейну закрадывались сомнения в общей теории относительности, и он, противореча своим же раздумьям, в 1924 году записывал: «Мы не можем в теоретической физике обойтись без эфира!».

А белокурый паренек из среднерусской деревни, остановившись на минуту у столба с медными кольцами и веревкой, то есть у коновязи, внезапно начинал мыслить великолепными персидскими образами, говорить несравненными русскими стихами...

Но постепенно дикий запал мыслей, бушевавший в головах гневливых одиночек и расхристанных толп, сникал, гас. Из агрессивных их думы и помыслы исподволь превращались в овечьи.

И тогда целые народы, не дойдя до намеченной цели, вдруг теряли энергию, останавливались в голой степи или в безводной пустыне. Пламенные пророки и громогласные трибуны внезапно становились жадными ростовщиками, грубые конкистадоры — улыбчивыми вице-консулами, ненасытные поблядушки — сладкоречивыми основательницами сиротских фондов...

Эфирный ветер раздувал знамена и смирял дыхание этносов, подталкивал к строительству гидроцентралей и топил непобедимые армады. Этот ветер поощрял, не давал воли, пересоздавал заново, наказывал, не оставлял камня на камне — возносил к звездам!

Ветер-Ветрило, эфирный ветер... Он мог, по сути, все!

И не выносил только одного: несвободы. Не терпел быть пойманным и посаженным в коробочку, не переносил быть разъятым, оплеванным и осмеянным человеческим саркастическим умом...

* * *

Первый день в приречном городе закончился для меня неожиданно.

После просмотра статистических таблиц и бесконечных замеров (были, оказывается, «полуденные наблюдения», были «вечерние», и они сильно разнились) кузнечик Коля выдернул нас с Лелей из лаборатории и повел в лучший кинотеатр города Романова на последний, девятичасовой сеанс.

По экрану клубилась муть и текла жижа. Может, поэтому прямо посреди сеанса Коля куда-то слинял.

Минут через пятнадцать мы с Лелей тоже решили свалить.

На улице Леля остановилась, задрала вверх милое, но, как уже говорилось, слегка несоразмерное личико (одна щека больше другой и подбородок скошен на сторону) и не к месту сказала:

— Наш город когда-то хотели переименовать в Луначарск. Но вовремя передумали. Ну ты же видишь! Даже луны приличной здесь нет!

Она еще раз глянула в опустевшее небо и как бы между прочим спросила:

— Ну что, старичок: к тебе или ко мне?

Я опешил. Лишь минуту спустя стал бормотать:

— Я в новой гостинице еще не оформился... Селимчик просто позвонил, и вещи мои из старой гостиницы туда перевезли. Так у администратора, наверное, и стоят. Надо распаковаться, то, се...

— Да я не в том смысле! Что ты, прохвост, так затрепыхался? Тебе теперь по должности положено кое-что из моих записок прочесть. Уяснил? Оказывается, вы, старики, — еще большие прохвосты, чем молодые...

— Я не старик.

— Ну хватит тут острить. Сорок с хвостиком — пенсионный возраст. По себе знаю... Ладно, не будем ссориться. Пошли в гостиницу, расскажу тебе про Майкельсона и Морли. Наш Трифон неучей не любит. Хотя он и сам, если честно сказать, порядочный неуч! Так я тебя в последний раз спрашиваю: будешь сказочку на ночь слушать или возьмешь «Справку» до утра в постельку? Она как раз для липовых сотрудников и других прохвостов написана…

— Давай «Справку» и вали домой спать! — осерчал я уже по-настоящему.

— А нету у меня дома. Я тут, как и все мы — и Трифон, и Коля, и Женчик-птенчик, — просто квартирку снимаю. Из-за науки страдаю. Понял?.. Одна Ниточка у нас местная. Ну еще бухгалтер наш… Сухо-Дроссель. С екатерининских времен тут эти Дроссели ошиваются. И дросселируют, и дросселируют, и дрос-с…

Я плотно прикрыл ладошкой Лелин рот, и мы некоторое время постояли в молчании.

ЭФИРНЫЙ ВЕТЕР — ВЕЧНЫЙ ДВИГАТЕЛЬ?

Что такое сила эфирного ветра, я понял по-настоящему только две недели спустя. А тогда, после прочтения Лелиной «Справки», эфирный ветер представился мне чудесным мировым прорывом, а в будущем — так даже панацеей от многих общественных и личных бед.

«Прорыв» этот по скверной привычке, приобретенной за время работы у Рогволденка, я вмиг превратил в мужиковатого, с лысостриженой, усеянной пигментными пятнами головой, с мышцами канатными и зубами каменными грека Апейрона (от имени которого, как утверждала моя новая знакомая, слово «эфир» и произошло).

А Панацеей, конечно, стала сама красавица Леля.

Апейрон и Панацея немедленно сошлись, потерлись друг о друга носами и поцеловались. Но, вместо того чтобы познакомиться тесней и глубже, стали вдруг прыгать и кривляться, как те пьяные актеры или, скорей, как оппозиционеры на сколоченных наспех подмостках. Протанцевав напоследок какой-то греческий социально-разнузданный танец, Апейрон и Панацея шустро — с глаз долой, из сердца вон — скрылись.

Правда, произошло это ближе к утру. А вечером, еще только начиная вчитываться в Лелину «Справку», я всю эту древнегреческую бодягу даже представить себе не мог.

Зато история соблазнов и заблуждений века девятнадцатого, века двадцатого и даже века двадцать первого, история, украшенная именами Майкельсона и Морли, Миллера и Иллингворта, Пикара и Седархольма, Таунса и Галаева, а также других зарубежных и отечественных ловцов эфирного ветра, — предстала передо мной во всем своем скандальном великолепии.

И хотя некоторые моменты ловли в «Справке» были резко осмеяны и даже слегка оплеваны — я Лелю зауважал сильней.

Приятно было и то, что самым крутым для Лели по-прежнему оставался старик Эйнштейн. Мне в этом имени тоже чуялось нечто незыблемое: шишку на ровном месте отнюдь не напоминающее, низкопоклонством не отдающее!

Кое-какие Лелины утверждения сразу захотелось оспорить. Однако, не имея большого лабораторно-физического опыта, я решил подходить к написанному не то чтобы с недоверием, а просто с хорошей долей историко-философского скепсиса. Явные несообразности в тексте сразу брал на карандаш, чтобы назавтра Лелю ими как следует кольнуть.

К примеру, в самом начале «Справки» Леля, еще ничего толком не объяснив, делала ультимативный вывод: «Несмотря на бешеные псевдонаучные усилия, эфирный ветер за все время его изучения так и не был обнаружен. Хотя некоторое подобие ветра зафиксировано и было».

Подобие ветра? (Тут я сильней зауважал самого себя.) Как такое понимать? Никаких подобий ветра нет и быть не может. Или ветер — или его отсутствие. А в «Справке» — подобие химерическое. Что это? Тень ветра? Отзвук его?

Здесь я случайно скосил глаза вниз и прочел сноску. Сноска была напечатана мелко, и поэтому сразу я ее не заметил.

«Именно поветрие может считаться подобием, а в некоторых случаях и особым видом эфирного ветра, искаженного земными влияниями. В первую очередь это относится к неожиданным моровым поветриям и мировым психозам, как то: чума в Европе XIV века, революционные завихрения в России, массовые японо-полпотовские сумасшествия, выброс китов на берег, поголовный уход слонов на слоновьи кладбища и т. п.»

А из основного текста «Справки», кое-как продравшись сквозь Лелин сарказм, я узнал вот что.

«Еще Джеймс Клерк Максвелл в Британской энциклопедии, а именно в 9-м ее издании, вышедшем в 1877 году, сообщил о том, что в своем движении вокруг Солнца Земля проходит сквозь неподвижный эфир. И поэтому на поверхности нашей планеты должен наблюдаться эфирный ветер».

Ниже Лелей и снова очень мелко было приписано: «И хотя такого ветра никто никогда не наб…».

Конца у фразы не было. Как будто директор Коля вырос нежданно за плечами пишущей и пару-тройку раз ласково, но и чувствительно стукнул деревянной указкой по красноватым пальчикам, не имевшим, кстати, никаких признаков удлинения ногтей. Стукнул, словно бы предупреждая: «Следи за базаром, милая! Ты, Леля, в науке, не в супермаркете!».

Дальше в Лелиной «Справке» сообщалось: «Некоторые из теоретиков еще в XIX веке подсчитали — скорость эфирного ветра в пространстве должна составлять 30,3 километра в секунду.

(Ничего себе, — раскрыл я рот от удивления.)

Однако профессор Майкельсон, первым начавший измерять дуновения эфира — в Потсдаме, в лаборатории Гельмгольца, — с третьей попытки, в 1887 году, получил скорость ветра, равнявшуюся трем километрам в секунду, что сразу снизило интерес к проблеме.

Замерял Майкельсон эфирный ветер с помощью громоздкого и неуклюжего прибора, интерферометра. Что это был тогда за прибор? Крестообразная махина два на два метра, обшитая досками из белой сосны, и только с одной парой зеркал внутри. Вот и вся наука!

После европейских опытов Майкельсон вернулся к себе в Америку и там опять взялся за свое, как будто ему делать было больше нечего!

Помогал Майкельсону в этих сомнительных экспериментах, без которых наука вполне могла обойтись, профессор Эдвард Уильямс Морли, тоже американец. Кстати, до подключения Морли у Майкельсона вообще ни черта не выходило!

Американцы снова замерили и опять получили: три километра в секунду».

«Но что такое для космоса 3 километра в секунду? Это же не ветер — ветерок!» — опять не удержалась от комментариев Леля.

Приписки ее раздражали все сильней. Мне самому хотелось комментировать! Самому выплескивать на экран или на бумагу сарказмы и сардонизмы! А она… Раскудахталась тут квочкой!

Под влиянием Лели я сбился на личности и сперва намалевал на полях «Справки» профессора Майкельсона, с громадным носом-гачком и руками-вилами. В пару Майкельсону добавил я Эдварда Уильямса Морли.

Портрета Морли в тот вечер взять мне было негде. Интернет в гостинице не работал. Но исходя из русского звучания американской фамилии, насадил я на тощую шейку приличное мурло, а чуть поразмыслив, воткнул мурлончику в щеки редкие кошачьи усы.

Максвеллу вместо головы навесил я маятник. Получилось здорово! Правда было трудно понять, кто это. Пришлось сбоку нацарапать по-английски: Maxwell.

Натешившись вдоволь американцами, я неожиданно для себя на обороте «справочных» листов стал делать эскизы, связанные с новой моей знакомой.

Рисунки про Лелю вышли в виде комиксов.

Быстро на двух оборотках изобразил я, как эта молодая особа распахивает гостиничное окно, вскакивает на подоконник и, косо разявив рот, выкрикивает: «Где этот паршивый эфирный ветер? Куда он, блин, делся?».

На двух других оборотках изобразил я окружающую среду. Небо под моей рукой от карандашной штриховки стало быстро темнеть, а потом и совсем почернело.

Еще картинка. Тяжкий порыв ветра переворачивает парусную яхту у берега. Летят кривые дрючки и куски жести. Летит, заполонив пол-листа, волжская ажурно-пенная волна.

Картинка предпоследняя, в трех кадрах. Леля, негодуя, срывает с себя в гостиничном номере одежду и швыряет ее — предмет за предметом — в открытое окно.

В последнем кадре одежда летит обратно, беспорядочно облепляя Лелино прекрасное, тщетно борющееся с ветром тело.

Вышло грубовато, натуралистично.

Небесную чистоту и скорость эфирного ветра — а, как показалось, именно эфирный ветер должен был обдувать вставшую на подоконник Лелю — запечатлеть не удалось.

Женское тело было передано лучше, но и оно требовало куда более тщательной прорисовки.

Чтобы не отвлекаться на рисунки и неисполнимые мысли, я стал читать Лелину «Справку» вслух.

«Эксперименты с уловлением эфирного ветра продолжились.

Именно профессор Морли помог Майкельсону окончательно определить скорость этого мнимого ветра. Он же выдвинул здравую мысль: скорость эфирного ветра по мере приближения к земле слабеет, угасает».

Ниже, неизвестно кем было мелко нацарапано: «От предчувствия встречи с человеческой глупостью слабеет даже эфирный ветер!».

Фыркнув, я стал читать дальше, и опять-таки вслух.

«Два профессора — все те же Морли и Майкельсон — предложили поднять прибор для измерения эфиропотоков, то есть интерферометр, на одну из мощных американских высот.

Но и тут — не заладилось! Подъем на высоту ничего не дал. Эксперименты были надолго остановлены.

Возобновили их, — продолжала Леля в духе греческой эпики, — только в 1904 году (почти двадцатилетний перерыв сам по себе говорит о многом!)

Все тот же профессор Морли привлек к делу коллегу Миллера.

И снова невнятный результатишко! Три целых и четыре десятых километра в секунду. Что тут сказать? Слабоват ветерок!

Тем не менее профессор Миллер решил об этом опыте написать, а после написания статьи наладился эксперименты продолжить.

Но опять незадача! Участок земли, занятый профессорами под научные цели самовольно, безо всяких бумаг, отобрали какие-то скотопромышленники или горновладельцы. Это Америка, господа! Там ветерками и вихрями предпринимателя на пушку не возьмешь!..»

С этим я согласился и продолжил чтение.

«...снова огромная пауза. И опять — двадцатилетняя! Конечно, и в это время кое-где эфир пытались ловить, но, видно, не поймали.

Правда, были сведения, что в 1919 году профессор Морли с помощником-славянином поднимался в воздух на аэростате для решающего, как он сам говорил, эксперимента. Но чем эксперимент закончился, так никто и не узнал. Профессор Морли через год умер, ассистент-славянин, по непроверенным сведениям, тронулся умом.

И тут наступил 1924 год.

Близ могучего американского, высотой аж в четыреста метров холма Маунт-Вилсон за дело снова взялся профессор Миллер. С расчетливостью зубного врача, надо сказать, взялся. Тысяча замеров в 1924 году! Больше ста тысяч замеров в 1925-м! Это, господа, уже не шутка, это американская бормашина!

Однако что новые, что старые опыты дали к тому времени только один результат: да, Землю действительно обдувает с севера каким-то скоростным, но слабо ощутимым ветром. Эфирный он или не эфирный — ясней не стало. То есть как было все в тумане, так в тумане и осталось.

(И это — хорошо! Потому что, если бы не туман, то еще тогда на свет божий вылезла бы новая научная глупость: якобы Земля под воздействием эфирного ветра приобретает форму груши! Нет, господа! Земля не груша, Земля — геоид! Другими словами, чуть искривленный эллипсоид. И она такая как раз потому, что никакой эфирный ветер в ее формировании участия не принимал и не принимает!)

Видно, под воздействием такого тумана и родилась чуть позже знаменитая английская песенка "В тумане пипл" ("To many people").

Но и неудачи не отбили охоту гоняться за эфиром.

В 1926 году за дело взялся нский Кеннеди. (Не из президентского ли клана?) Правда, клановый этот Кеннеди — как и все его потомки-кеннедианцы — оказался неудачником. Его, конечно, не грохнули (незачем было), но остался он с преогромным носом. А все почему?

Кеннеди этот не нашел ничего лучшего, как заключить основной прибор по измерению скорости эфиропотока, интерферометр (уже меньших размеров), в металлический ящик. Ящик, ко всему, был еще и полностью герметичным. Ну, тут ежу понятно! Герметичность эта никакой эфир, если б он даже существовал, засечь не позволяла.

Заслуга Кеннеди была в том, что он хотя бы честную статейку о своей неудаче тиснул (урок всем «эфироманам»!).

Несмотря на неудачи — американская настырность, никуда ее не деть — все те же Кеннеди с Миллером в 1927 году, зимой, в страшную пургу, на спервоначалу отобранной, а потом скотопромышленниками за ненадобностью брошенной горе Маунт-Вилсон в только что созданной обсерватории устроили пресс-конференцию.

Только чего и устраивать было? Кеннеди, осознав по ходу дела свои ошибки, так примерно тогда и выразился. Ничего, мол, не получено, зачем дальше штаны протирать? Чего вообще в этой вновь устроенной лаборатории эфиром баловаться? Не пора ли к другим научным открытиям перейти и тем самым прославить Америку?

Однако Миллер упорствовал. С немецкой педантичностью он настаивал: кое-что все-таки есть, хвостик эфирного ветра все же пойман!

Несмотря на попытки Миллера повернуть конференцию на холме Маунт-Вилсон в нужное русло — выводов конференция никаких не сделала.

Нет выводов — нет и ветра!

Правда, теперь кое-кому даже восхождений на заброшенный холм показалось мало.

Все в том же 1927 году европеец Пикар и с ним некий Стоэль подняли свои собственные приборы над городом Брюсселем. Аж на тысячу двести метров! И снова нуль. Ничего, кроме вздорных европейских ветерков, они там не поймали.

Ну казалось бы: угомонитесь, ребята, почитайте на ночь Альберт Альбертыча, выпейте абсенту с бурбоном, атлантической килькой занюхайте.

Так нет же! Опять престарелый Майкельсон влез в это дохлое дело!

В 1931 году он попытался определить влияние эфира на скорость света. (Ничего себе заявочка, ничего себе упорство!) Для этого умный Майкельсон использовал металлические трубы, из которых предварительно откачали воздух. И снова — нуль!

Наконец в 1933 году (интересный схлест) немец Миллер написал преогромную статью, где и подытожил все, что произошло за пятьдесят лет во взаимоотношениях человека и эфира. Правда, по слухам, опубликовал немец не всю статью. Вроде бы часть расчетов кто-то у него выкрал, и в статью они не попали. А если в статью попали не все расчеты, то какой от нее толк? Его и не было!

(Хорошо еще, что во все эти эфирные дела Николу Теслу по-серьезному не втянули. А то получили бы катастрофу почище тунгусской!)

Как бы там ни было — прошло еще двадцать пять лет. Казалось бы: бредни про эфир пора окончательно списать в архив. А ничуть не бывало! Даже такой, в общем-то, светлый ум, как Таунс, сюда ввязался. (А ведь Чарлз Харт Таунс — творец мазера! Вот бы ему и дальше мазерами заниматься! Так нет же! Как тот шкодливый кот в сметанку — сунул Таунс свой нос в эфир!)

С Таунсом был еще один, шведский профессор Седархольм. Ну и чего они вместе добились? Установили два взаимно неподвижных источника и давай искать ветра в поле. Не нашли. А сколько обещаний роздано было!..

Опа-опа-опа! То все была Америка, потом стала Европа! А где же, спросите вы, Россия?

А вот она. Еще в 20-е годы прошлого века вести про эфир и про попытки его уловить долетели до нас. С. Вавилов в 1927 году по этому вопросу выступил, за что его тут же раскритиковал К. Тимирязев.

Ну а потом некоторые как белены объелись: стали предлагать свое, доморощенное. Предлагали все, что в голову похмельную взбрести может! Додумались поднимать приборы на высоту реактивного самолета, а потом пропускать предполагаемые эфиропотоки через целую систему изогнутых — как в самогонном аппарате — трубок. Додумались телескоп заполнять водой и таким манером ловить эфирный ветер.

А позже и через самого человека стали эфирные дуновения пропускать. Стали внутрь русскому человеку зеркала совать, стали всякую железную мелкоту в пищевод пропихивать. И русский человек эту мелкоту принял, русский человек против псевдо-эфира не выступил!»

«Не взбунтовался», — карандашиком поправил я Лелю.

«Ему бы качественной закуски, русскому! — страдала за народ моя новая знакомая, — а они ему внутрь — ветрюган с железяками!..

И, конечно, закономерный результат.

В 1964 году группа передовых советских ученых, поставила вопрос о том, чтобы понятия «эфир» и «эфирный ветер» были навсегда из научного оборота изъяты. А за их употребление каждый употребивший отвечал бы по полной! Употребил — сразу сел. Вот это по-нашему, по-научному! Смелые и дальновидные люди. Поганой метлой стали они эфирец гнать! Как менделятину, как тот музыкальный сумбур!

Слава богу, нашелся и деятель государственный, который это предложение на самом высоком уровне поддержал.

Никитушка наш свет Сергеевич, Хрущев наш славно-великий, по эфиру умом прошелся! И сходу приравнял поиски эфира к поискам вечного двигателя.

Но, правда, вскоре его самого с насиженного места резко двинули.

(Эфирный ветер — вечный двигатель?! Это составившееся из слов Никиты и Лели определение мне внезапно понравилось.)

Ну, тут пошло-поехало, — вела свое Леля дальше. — Хрущев отошел от дел — останавливать псевдонауку стало некому, и наши умники вскоре сконструировали новый лазерный «п-образный» прибор. Потому как лазерный луч вроде должен (не знаю, не видела!) изгибаться под действием вихрей эфира.

А уже совсем в новые времена начались работы у нас, в Романове.

Теперь — внимание! Некоторые предварительные выводы», — на секунду прервала свою писанину Леля.

«Кроме привычного сиверка, кроме бризов и суховеев какой-то неустановленный ветер скорей всего в нашей жизни присутствует. Полностью отрицать наличие эфира нельзя. Но и приписывать эфиру заполнение всего мирового пространства и разные другие философско-религиозные дерзости — просто глупо!

Незачем голосить и о наступающем царстве эфира. О его власти над миром, о неотвязном влиянии на все, что на земле нашей развеселой происходит.

Странные явления природы, без сомнения, нужно изучать.

Вот только у нас в Романове — больше странностей, чем их изучения. О странностях пока умолчу. Напишу про главное.

Сто сорок лет доказывали и не смогли доказать присутствие эфира, эфирного ветра и мировой эфирной среды.

Поэтому — вывод! Эйнштейн и сейчас правей всех правых: ничего этого нет! И зачем нам идти дальше Альбертыча? Зачем подвергать сомнениям несомненное? Ведь от эйнштейновской правоты так дух захватывает — науку забываешь. Прямо-таки религиозное чувство по отношению к творцу общей теории относительности у многих интеллигентных людей по временам возникает!

От священной правоты хочется рвать волосы на негодяях и дико хохотать. А иногда — говорить стихами:

> Этот Морли —
> Не вздор ли?
> Не пора
> Под топор ли?

Или лучше — так:

> Альберт Эйнштейн —
> Не Франкенштейн!

А это — посильней предыдущего будет:

> Хватит, господа физики, иронизировать,
> Пора Альбертыча канонизировать!

Стихи Леля замарала шариковой ручкой. Не слишком густо, а так, чтобы их можно было при желании прочесть.

Дальше в «Справке» никаких зачеркиваний не было. Но и научность текста сильно пригасла, а потом попросту иссякла.

Пошли мнения и комментарии. Как в ЖЖ. Или даже хуже.

«Морли — Миллер — Майкельсон и примкнувший к ним Галаев из Харькова — распространители дури! И дурь эта — хуже наркоты».

«Разъясните кто-нибудь насчет поглощения землей эфира. И насчет его влияния на цунами. Трифон молчит, от Коли — фиг дождешься...»

Ночной эфир —
Кует наш мир.

«Написали бы проще: поглощение эфира землей — все-таки происходит! А то непонятно же».

«Нет, Женчик-птенчик, — никакого поглощения не происходит!»

«А вот — происходит!»

«Молчи, тупик! Кто вчера компьютер сжег?»

«Сам тупило! А Женчика не трожь, без этих... без ушей останешься!»

«Землетрясения и цунами — не есть воздействие эфира. Они имеют всем известную школярскую, я бы даже сказал — примитивную природу».

«Эфир ловил меня, но не поймал. Сочинила — Леля Сковорода».

«Леле до Сковороды — как двум нашим сапогам до неба. У Григория у Савича у Сковороды сказано: "Мир ловил меня, да не поймал"...»

«А то еще анекдот есть. Жена бьет мужа сковородой по голове. Спрашивает: будешь пить? — Буду. Наливай! — отвечает Григорий Савич».

«Ты олух, Коля».

«А ты — самка олуха!»

«Нет, вы не олухи, даже не олушата. Вы недовылупившиеся птенцы! Скорость вашего ума — много ниже 11,29 километра в год».

«Скорость 11,29 километра в секунду, то есть вторая космическая скорость — один из гвоздей, на которых держится мир. А вы тут бузу трете!»

«Мир держится на подтяжках. Лопнули подтяжки — штаны упали. Штаны упали — тут и миру конец».

«Если конец — в общественном месте, то тогда это не конец, а голый общественный протест».

«Ага! Наконец-то маньяки к нам пожаловали…»

«Я заявляю дирекции протест. Кому доверили писать научную "Справку"? Пьяной язычнице? Тупой паялке? Оторве шизанутой?»

«Что есть паялка? Я не софсем понимать».

«Паялка — это когда Леля тебя под статью подведет, а судья тебе эту статью впаяет!»

«Я снова не софсем понимать: тогда получаецца — судья есть паялка? А Леонила Аркадьевна есть шизонутая оторва? Как фамилий этот мерзавец судья?»

«Это же просто издевательство над наукой. Пора направить электронку в "Роскосмос" и в Госдуму о напрасной трате средств!»

«Ага. Госдума эти средства в карман — и на Гоа!»

«На Гоа — дураков нема!»

«Финанс — не дремлет. Финанс запятые считает. Ку. Ку. Дроссель».

«Молчи, Дроссель, молчи, Кузьмило!»

«Все что здесь написано — научно-политическая провокация!»

«Наука, научка, какая ж ты сучка!..»

«Кончай базлать! Директор Коля».

«Ни про какое базлание я ничего не писал. Продолжайте в том же духе. Директор Директор».

«Это теперь — не Директор Директор. Это теперь — директор Коля. И как директор настоящий я требую вернуться к обсуждению экспериментов Морли — Майкельсона (если уж на то пошло, то и украинца Галаева) в строго научной форме».

«Браться за эфирный ветер надо теперь по-другому. Т. У.»

«Скажите, пожалуйста! Трифон Петрович на свет божий вылез! Как там у тебя в норке, байбачок? Чисто, тепло? Зернышек много натаскал?»

«Триша, милый, где тебя носит?»

«Я в эту помойку больше писать не буду».

«Все, дискуссия завершена, страница аннулируется, байки про эфир запрещаю!»

«Позор российской цензуре!»

«А стамбульской — не позор? Американской — не позор?»

«Дура! В Америке нет цензуры!»

«Ага. И негров тоже».

СТАРИК МОРЛИ И «LIVERY STABLE BLUES»

Профессор Морли на стареньком аэростате, с тяжелой корзиной и латанным-перелатанным куполом, неспешно поднимался вверх.

Кончался 1919 год. Стояла влажноватая, вполне обычная для западного побережья Соединенных Штатов осень, предвещавшая не слишком холодную, но снегообильную зиму.

Сам для себя Эдвард Уильямс Морли давно решил: это будет его последний полет.

Эфирный ветер, который он так усиленно искал, поймать никак не удавалось. Не удалось заполучить его глубоко в подвале, не удавалось засечь высоко в воздухе.

И все же эфирный ветер существовал!

Эдвард Уильямс Морли, бывший короткое время священником и, невзирая на уговоры отца (тоже священника-методиста), ради науки сан с себя сложивший, — хорошо это чувствовал.

Внизу повизгивал кларнетами и погромыхивал барабанами белый диксиленд. Случайно завернувший к Великим озерам «Ориджинал джаз диксиленд бэнд» исполнял одну из неповторимых своих вещиц — «Livery Stable Blues».

Кукарекали петухами кларнеты, ишаком покрикивал тромбон. «Конюшенный блюз» веселил и воодушевлял. Было приятно, радостно.

Однако звуки земные постепенно становились слабей: аэростат поднимался уверенно.

Четыре мощные медные горелки — одна в виде рассеченной надвое головы индейца и три в виде обычных факелов — приятно поблескивали в лучах закатного солнца. Корзину легко — как ту лубяную негритянскую колыбель — покачивало.

Внизу дугой выгнулся южный берег озера Эри. Чуть дальше — по реке Кайяхога — раскинулся неповторимый город Кливленд с превосходным Западным резервным университетом Кейза, в котором профессор Морли когда-то работал и который продолжал считать своим.

Напевая про себя тему из «Livery Stable Blues», профессор Морли прикрыл глаза. Милая сердцу ньюаркская конюшня представилась ему! Брыкливые ишачки, резвые, мокрые, только что приведенные с берега ньюаркского залива или, может, с реки Пассеик лошади, невесть зачем плутающие между столбов конюшни черные овцы, вскакивающие овцам на спину розовые петухи — все они ловко подражали музыке дикси.

Ослы поднимали копытца, кобылы, смешно задирая хвосты, роняли наземь крупные пахучие яблоки, розовые петухи били крыльями, овцы приятно блеяли…

Вдруг второй аэронавт, славянин Ефрем, тихонько дотронулся до плеча профессора Морли.

Эдвард Уильямс Морли раскрыл глаза. Славянин Ефрем, только недавно включившийся в поиски эфирного ветра и часто кидавшийся на любую сопутствующую науке мелочь, указывал куда-то на северо-восток. Мистер Морли одернул полосатый сюртук, выровнял края чуть сбившегося на бок кожаного, тяжелого, с металлическими вставками шлема, скинул на плечо очки на веревочке и только после этого глянул в указанном направлении.

Издалека, с северо-востока, на аэростат летел шар огня. Шар вертело вокруг собственной оси. В полете он испускал огненные стрелы или, точней, длинные огненные струйки.

Размер шара был велик. Диаметр никак не меньше сорока футов. Скорость движения не то чтобы очень высока, но вполне достаточна для того, чтобы через минуту-другую опалить купол аэростата, а потом — вместе с новеньким оборудованием и пассажирами — аэростат сжечь!

Профессор на миг снова сплющил веки. Он думал, видение исчезнет. Но огненный шар не исчез, а, резко сбросив скорость и словно бы забавляясь испугом мистера Морли и его ассистента, завис невдалеке.

Внезапно профессору показалось: шар — живой! Он дышит, пыхтит, даже улыбается…

То же самое, видно, почудилось и славянину Ефрему. Одной рукой он производил конвульсивные движения, а пальцы второй руки, сложив колечком и не разжимая его, перебрасывал из стороны в сторону, словно показывая: глаза, глаза!

Конечно, профессор и безо всякого ассистента хорошо видел: у шара наблюдается некое подобие огромных глаз.

Вдруг шар задымил и двинулся на аэростат.

«Все», — сказал себе полушепотом профессор Морли.

И в этот же миг увидел нечто намного худшее, чем вполне объяснимое передвижение атмосферных огней.

Разинув пасть, к огненному шару летел громадный воздушный ящер.

Слово «летел» здесь не вполне подходило. Эдвард Уильямс Морли, привыкший как ученый к точности, а как бывший конгрегационный священник — к евангельской образности, определил движущееся в пространстве видение так: громадная саламандра с высунутым языком, словно бы передразнивая свои собственные, известные любому ученому очертания, движется скачками на задних лапах! При этом было непонятно, к огненному шару или к тепловому аэростату она движется…

Саламандра была еще далеко, но уже становилось ясно: она не похожа на своих сородичей, изображаемых в альбомах живописи, имеет толстые, непомерно развитые лапы и короткий, наполовину оборванный или кем-то откушенный хвост. Поскольку и хвост, и лапы были частично залеплены острыми перистыми облаками, казалось: эти части тела на концах закручиваются, вихрятся. Хорошо была видна лишь перламутровая рыбья сияющая шкура. Шкура в чешуйках густо переливалась и сразу напомнила про огромные заводи и крокодильи болота великой реки Миссури, по которой профессор Морли любил путешествовать в молодости, проповедуя священные истины воде, холмам, лесам…

Но зато скачущая саламандра как две капли воды — словно ее вырезали из старинных карт звездного неба — походила на свою астрологическую прабабку. Тот же красноватый туманец в хвосте, те же горящие камешки звезд на животе, та же — не крокодилья, а вполне себе собачья, но при этом сильно удлиненная пасть!

Вдруг саламандра ускорила движение и навалилась на огненный шар. Шар, который размерами превосходил и саламандру, и аэростат в несколько раз, тут же потух, стал пеплом и осыпался вниз, на береговую линию ни с каким другим по чистоте и красоте не сравнимого озера Эри.

Тело саламандры из бирюзово-коричневого стало неожиданно пурпурно-красным. Кроме того, она слегка поменяла свой облик.

— О'кей, — профессор Морли попытался успокоить побелевшего как полотно славянина. — Это я объясняю так: миражные явления иногда могут сопутствовать эфирному ветру. О'кей, — профессор закашлялся. — Наше сознание часто создает чудовищ из туч, звезд, воды... Да хотя бы из конюшенных навозных куч!

Слова на высоте приходилось выкрикивать, а для того чтобы набрать побольше воздуху, между ними приходилось делать ненужные паузы. Заглотнув воздуху в очередной раз, Эдвард Уильямс Морли бодро прокричал:

— Сейчас следует ждать... распада... этого миража!

Пока профессор кричал, саламандра на бегу развернулась. Сронив с языка продолговатый сине-прозрачный пузырь слюны и подскакивая в раже, как тот баскетболист-креол, она стремительно понеслась на аэростат.

«Все верно, — промелькнуло в голове у мистера Морли, — еще древние знали... Саламандра холодом тела... призвана гасить огни. Сейчас погасит все четыре горелки... и тогда...»

Пока профессор разбирался с мыслями, саламандра изменилась еще раз.

Она вдруг ясно обозначила свой пол! Под блестками красной чешуи показались великолепные женские груди. А на темной собачьей морде проступили следы обильной бело-розовой пудры. Ноги саламандры сладко вытянулись, хвост сократился до размеров обычного копчика... Вслед за этим проглянул нежнейший, умеренно выпуклый, уже без всякой чешуи, зато приятно затянутый светлой кожей пупок...

«Небесный!.. — выкрикнул про себя профессор. — Пуп небесный!..»

Эдвард Уильямс Морли заставил себя опустить глаза. Славянин Ефрем сел на дно корзины и вжал голову в плечи.

Гулкий ломкий звук, подобный звуку падающего с высоты «Эмпайр стэйт билдинг», раскатанного в лист кровельного железа, цепляющего в полете каменные выступы, стальные балки и гремящего чем ниже, тем сильней, — на минуту оглушил аэронавтов.

Вслед за звуком раздался уже не кровельный — дробножестяной смех. И астрологическое чудище с явными женскими признаками, словно глумясь над научной добросовестностью профессора и его ассистента, изгибом спины, именно тем местом, где был недавно хвост (славянин Ефрем за чудищем вполглаза все-таки наблюдал), толкнуло корзину аэростата.

Посыпались скрепы, болты, одна из горелок погасла…

И все же ученый победил в мистере Морли обывателя: он поднял глаза, чтобы в последние секунды жизни увидеть и уже только для себя самого описать в научных выражениях чешуйчатую женщину-саламандру. А также те части тела, которыми это холоднокровное существо будет гасить три оставшиеся и пока весело гудящие горелки…

То, что мистер Морли увидел, заставило его вскрикнуть. Страх смерти отступил. Профессор неосторожно передвинулся к самому краю корзины и едва из нее не выпал.

Еще один, почти прозрачный, с легчайшим розовым отсветом вихрь необычайно плотного воздуха несся на саламандру!

Вихрь в мгновение ока охватил женщину-ящерицу с головы до пят.

Красновато-чешуйчатое, но все одно прекрасное женское тело стало чернеть. Сперва обуглились ноги, потом подернулось пеплом и лопнуло пузо, вывалились, сгорели и стали опадать угольками кишки. Лапы чудища на миг стали остро-прозрачными. Голова, чернея, дотлевала…

Жили у саламандры только глаза. И они — смеялись!

Но и глаза под натиском вихря вдруг налились изнутри неприятной зеленью и с треском лопнули. Зеленовато-коричневая жижа хлынула вниз…

И здесь произошло нечто странное: воздушный вихрь всосал в себя и останки саламандры, и огоньки давно рассыпавшегося огненного шара, поймал на лету падающие угольки кишок, подхватил все до единой чешуйки, все кожные наросты, коготки…

Ничего не осталось!

Только на мгновенье, словно для последнего запечатления, женское прекрасное чудище, как на дагерротипе, проступило черно-синими линиями сквозь бешено крутящийся вихрь.

Но сразу же — подобно вакуумному скоростному насосу, о котором мистер Морли мог только мечтать, — вихрь контуры саламандры в себя и всосал. А потом завернулся восьмеркой и, показав на миг вместо женщины-саламандры белокожего младенца в люльке, поигрывая легчайшей пеной на краях, унесся на юго-запад, в сторону Аппалачей…

«Это был вихрь эфира? — со страхом спросил себя мистер Морли — и как честный ученый и прямодушный священнослужитель сам себе ответил: — Да, он… Но ведь тут — посягательство на свободу!.. А если эфирному ветру что-то в Кливленде или в Западном резервном университете не понравится? Тогда — что? Все разрушить?»

Вопросы тут же сменились мыслью: «Эфирный вихрь есть усиление постоянного эфирного ветра. Только рискуя жизнью, только подобравшись к вихрям вплотную, можно наблюдать всплески эфира. А постоянный эфирный ветер наблюдать невозможно, нет!».

Впрочем, тревожные мысли были все же откинуты, потому что профессор вспомнил одну утешительную странность: саламандра во время короткой стычки с эфиром на миг разгневалась, стала грозной. А эфир — тот все время шутил, усмехался! Едва слышимая мелодия эфира, как та тема из «Livery Stable Blues», похохатывала, кукарекала, по-ослиному покрикивала. Получалось: эфир шутя саламандру из своего небесного террариума выпустил, шутя позволил ей загасить огненный шар. А потом сам же это женское чудище — и опять-таки посмеиваясь — развеществил.

Жизнь — шутя? Смерть — шутя?

В такое ответственный и серьезный мистер Морли поверить не мог.

Интересным показалось Эдварду Уильямсу Морли и то, что когда саламандра пожирала огонь, сделалось заметно холодней. А когда вихрь эфира пожирал саламандру — и вовсе холодно. Но холод не испугал, а страшно взбодрил профессора. Он вдруг почувствовал себя на двадцать, если не на тридцать лет моложе! Разогнулась спина. Ушла боль из плечевых суставов, из низов живота пропали ненужные складки. Глаза перестали ловить рябь и туман, взгляд очистился, стал острым, чувственным.

И главное, профессор Морли вспомнил одну прелестную и давно позабытую им женщину. Вспомнил, как мял и терзал ее губы, вспомнил и все другое: незабываемое, вечное…

Когда славянин Ефрем пришел в себя, никакого чешуйчатого ящера рядом не было. Не было и завихрений, окутывавших это существо. Только профессор Морли, вцепившись в края корзины, глядел вслед розоватому полупрозрачному облачку.

— Эфир? Это был вихрь эфира?

Мистер Морли на вопрос не ответил, зато дал приказ снижаться.

Славянин Ефрем установил рычаг, регулирующий силу пламени, почти горизонтально, и огонь в медной, рассеченной надвое голове индейца уменьшился. В двух других горелках тоже.

Аэростат плавно пошел вниз. Когда он приземлился, белый диксиленд уже не играл. Кое-кто из музыкантов, отдыхая, сидел на траве, другие выдергивали из тромбонов хорошо скругленные кулисы и медленно выливали из них слюну на еще сочную и зеленую кливлендскую траву. Остальные тщательно протирали трости кларнетов и саксофонов.

Диксиленд не играл, зато на пригорке пел темнокожий хор.

Праздничные афроамериканцы в золотых и синих одеждах яростно, но без единой фальшивой ноты выводили слова волшебного госпела. В этот госпел, в эту евангельскую музыку они вместо положенной хвалы Всевышнему ловко вплетали похвалу профессору Морли:

— О-у, Морли, Морли! О-у, мистер, мистер…

Никакого пепла от женоподобной саламандры ни рядом с афроамериканским хором, ни на праздничном пригорке, ни по дороге на Кливленд не было и в помине.

— Этот полет я запомню навсегда, — наставительно сказал профессор ассистенту Ефрему и разгладил утратившие в небесах прямоту и строгость усы. — А вам, юноша, следует в приличных выражениях этот полет описать. Только не пытайтесь врать. Не пытайтесь выдавать мираж за действительность! Я конечно, сообщу вам подробности своего видения... Но не увлекайтесь поэтическими сравнениями. Научными оборотами пишите, научными! И вообще, запомните: видимых форм эфирный ветер иметь не может!

— А как же то, о чем вы, господин профессор, кричали? Когда пламя и ветер бушевали рядом? — славянин Ефрем с хитрецой улыбнулся.

— Разве я кричал?

— Вы кричали: «Проклятая ящерица! Я тебя поймаю! Я тебе разведу ноги как следует!..». А потом рокотали без остановки: «Проклятье, проклятье! Теперь теорию эфира придется переворачивать с ног на голову!..». А потом уже тише вскрикивали: «И разве только ее?.. Если эфир живой, если он решителен, как пионеры Америки, что тогда про него следует думать? Если эфир есть творец и уничтожитель реальных форм, — кто тогда я? Игра эфирных струй?.. Но я не желаю быть творением ветра, не желаю быть сделанным из воздуха!». Тут вы добавили несколько бранных русских слов.

— Вы, юноша, страшно неопытны. Путь свой в науке только начинаете. Не все, что мы видим, существует на самом деле. О'кей. Мы с вами забудем про мои выкрики. Подготовьте сдержанный отчет: высота, скорость, неудачные замеры... В общем, эфирный ветер не удалось обнаружить и на этот раз. И не пожирайте меня мистическими славянскими глазами. Знаю я вас! Чуть что — вместо науки сразу о сверхъестественном болтать начинаете... Лучше почаще ругайтесь... Как это у вас называется?

— Материться...

— Да, вот именно: материтесь. Это вам, русским, вообще славянам, прекрасно удаётся. Ругательства — ваш козырь. А остальное мы сделаем сами. Теперь проверьте: не повреждён ли малый интерферометр? Возвращайтесь к корзине и сию же минуту проверьте.

— Уже проверил, господин профессор. Все цело и невредимо. Как будто не огненный шар плыл рядом, а...

— А невредимо — и прекрасно. Вы, юноша, должны чётко осознавать: интерферометр, изобретённый моим коллегой профессором Майкельсоном, — очень, очень чувствительный прибор! И чувствителен он в первую очередь к вибрациям. Вот потому-то, — мистер Морли широко улыбнулся — потому-то в начале своей карьеры профессор Майкельсон даже спускал один из первых громадных интерферометров в подвал знаменитой Потсдамской обсерватории. Это было у вас, в Европе... Но помехи — как и в нашем случае — были и там, вибрации были и там...

— Я не забыл, господин профессор, вы упоминали об этом.

— Терпение, мой друг, терпение. Упоминать обо всём в подходящее время — таков мой девиз. И вот: одна пара зеркал не давала возможности исследовать все как положено. Пара зеркал делала оптическую длину световых лучей — короткой, слишком короткой... Но я заболтался. Принесите-ка мне стакан бурбона из ресторанчика... Ну там, на холме, видите?.. Старый Морли глотнет разок-другой. И не надо, юноша, разбавлять бурбон водой!

Евангельская музыка черного хора вдруг мощно, на одном из слогов расширившись, начала стихать.

Славянин Ефрем ушел за бурбоном. А профессор Морли, затихая вместе с евангельской музыкой, все бубнил:

— Да, я старик, старик. Но под струями эфирного ветра — чувствую себя моложе и моложе. Угу-гуй, моя крошка! Я отведу тебя на конюшню! Там протру твой пупочек нежной замшей, а потом — прислоню тебя к сладкопозорному столбу... О «Livery Stable Blues»! O blues and soul...

ЭФИРОЗАВИСИМЫЕ, «ГУБЭШНИК» И ПРОЧ.

Проснулся я поздно. За Волгой, на левой, Романовской стороне, глухо бухнул колокол. На правой, Борисоглебской, нежно отозвались колокольцы мусорщиков. И опять в моей новой, еще пахнущей еловыми стружками гостинице стало тихо, как под водой.

Пора было собираться на службу.

Что-то неясное, однако, не давало мне покоя.

Вдруг я понял: мой русский бунт, который я лелеял в себе все последние дни и недели и который любил, как сотку вискаря на ночь, — стал увядать, никнуть!

Это было ново. Я сел на кровати и задумался. Тут же показалось: чтобы усмирить бунт — я и согласился ловить ветер! Между моим бунтом и ловлей ветра была какая-то связь, но сразу ее уловить я не мог.

Времени на обдумыванье было мало. По-дурацки улыбаясь собственному — не окончательному, но половинчатостью своей очень даже приятному — умиротворению, двинул я на улицу.

По дороге попадались мне все больше пьянчуги и окутанные печалью женщины. Пьянь весело мотало из стороны в сторону. А женщины… Женщины были очаровательны и пугливы! Они мило, по-старорусски, прикрывали края губ платочками. А одна, повстречавшись со мной взглядом, даже натянула платок до самых глаз. Любо-дорого было смотреть!

Хотя скорей всего женщины кутались от ветра. Не слишком в тот день сильного, но сырого, настырного. И вообще: сентябрьской веселинки как не бывало! Все заволоклось сизой дымкой, стало болезненно-хмурым.

Изменение погоды отозвалось во мне колющей болью. Вдруг понял: я ненавижу наше общество — ханжеское и загребущее! Но вот людей по отдельности — тех иногда даже люблю. Мне небезразличны людские страдания. Хотя эти страдания часто и вызывают у меня чувство гадливости…

Тихо бунтуемый несвоевременными мыслями и втайне ими наслаждаясь, в своем праздничном, привезенном специально для встреч с романовскими овцеводами костюме пробежался я по малолюдным улицам и уже через десять минут входил в контору «Ромэфира».

Кузнечик Коля был чем-то озабочен, даже расстроен.

Чуть подволакивая невидимым зеленым хвостом, прикрытым уныло сложенными прозрачными крылышками, он перескакивал от стола к окнам.

Разговор со мной Коля начал с повторения пройденного: снова разъяснил должностные обязанности.

— Первое и основное… — Коля на минуту задумался.

Тут я еще раз выслушал наставления про то, что должен ежечасно снимать показания с приборов, регистрирующих скорость ветра. Ветра простого и ветра эфирного.

Про главный прибор обнаружения ветра — интерферометр — Коля говорил с почтением, но и легкой ненавистью, как о высоко оплачиваемой и высоко взлетевшей даме-чиновнице. При этом называл даму почтительно: «Интера Ферапонтовна».

Про прибор второстепенный говорилось с легким пренебрежением, словно речь шла о помощнике председателя Волжской артели девелоперов. Называл Коля второстепенный прибор панибратски — «эфиркой».

— «Эфирка» — дело десятое, — учил башковитый Коля, — это еще когда он контур эфира вычертит. А вот Интера Ферапонтовна! Глаз с нее, взяточницы, не спускать! Но главней этих двух — «Апейрон-13». Этот не улавливает, этот — преобразует и воздействует! Его еще только недавно распаковали и мне даже притрагиваться к нему страшно. А вам — и совсем необязательно...

Я посмотрел на Колю с обожанием.

Коля в ответ скромно уронил большеглазую голову вниз.

Я изобразил на лице научно-познавательный восторг и показал жест «виктория».

Коля на «викторию» слегка поморщился и снова принялся отрабатывать прыжки кузнечика.

— Еще одно и страшно важное! Вы должны... — Коля еще раз задумался.

Я должен был:

а) спускаться с холма, а потом подниматься на него;

б) смотреть в оба — вдруг над метеостанцией мелькнет что-то вроде осенней грозы;

в) не упустить момент, когда Интера Ферапонтовна даст явный сбой;

г) слушать все указания Лели и Женчика и беспрекословно их выполнять;

д) Трифона — Трифоном не называть! А только Трифон Петровичем;

е) в долгие беседы с Трифоном не пускаться;

ё) а если такие беседы последуют, немедленно звонить Коле или, на худой конец, заму по науке господину Пенкрату.

— А то Трифон Петрович у нас большой выдумщик. Как бы он вас в авантюру какую не вовлек. А вы бы сдуру в нее не вляпались. Поэтому — никаких бесед! Вы не для авантюр, вы для великого дела нужны нам!..

Записав показания, я обязан был спускаться с холма и внимательно, в строго указанных местах, осматривать воду. При повторном восхождении мне предписывалось отмечать малейшие изменения в северо-восточной части неба, какие только замечу.

За Волгой я еще не был. Поэтому поездки на строго охраняемую, по словам Коли, метеостанцию — ждал с нетерпением.

— Всего четыре раза за день туда-сюда и сгоняете. Ерунда! Разминка для уставшего таза и гимнастика для глаз! Кстати, метеостанцией мы зовем наше детище для краткости. Полное название: «Станция эфирометеослежения», а чуть короче — «Эфирометеостанция», — красиво закруглил речь Коля и стал звонить Трифон Петровичу.

Трифон не отвечал.

— Трифон Петрович — главный специалист проекта, — бодро начал Коля, но вдруг прыгать вокруг стола перестал и голос понизил. — Только вот с Трифоном у нас трудности, с Трифоном у нас беда... Я не должен был говорить. Вы человек новый. Но... Трифон Петрович в последнее время...

Здесь вошел Дроссель, и Коля свой дерзостный шепот прервал.

Дроссель молча протянул сухую ладонь вперед, получил от Коли какую-то бумагу и так же молча ушел, а Коля отвел меня от окна подальше и заговорил с болезненной страстью:

— Что бы ни случилось, наблюдений не прерывайте! Что бы Трифон ни отмочил — ведите записи! Это моя личная и настойчивая просьба. Надо дождаться возвращения Селимчика, и тогда он попросит вас об одном одолжении... А записи станут подтверждением вашего тесного вовлечения в проект... Заодно учтите: Дроссель — «губэшник».

— Не понял?

— Ну по губам он раньше угадывал! В известном ведомстве служил. Понимаете? Так что вы рот ладошкой прикрывайте... Вообще-то Дроссель не злой. И не так чтобы часто доносит. Просто его соблазняет сама возможность вывести всех нас на чистую воду. Да-да! Деньги и звания ему не нужны. Здесь он светлей херувима. Зато нужно ему — изобличать и ловить! И потом медленно растирать в порошок... Он может о ваших словах и поступках никому и не сообщать, но сам-то вопьется проволокой... Поэтому при Дросселе про Трифона — ни вслух, ни шепотом! Да, вот еще... Дроссель не верит в эфирный ветер. А я — верю. Сильней Селима, сильней Ниточки, сильней даже, чем Трифон! Я верю, и вы поверите. И, надеюсь, поможете нам. Потому что нет в мире ничего...

Здесь на Колиных ресницах затрепыхалась слеза, и он опять, как большеглазый, но не такой уж ловкий кузнечик, куда-то упрыгал. Наверное, в туалет: умываться, оправляться.

Я поплелся к Леле. Ее комната располагалась в конце коридора у лестницы. Я надеялся возобновить вчерашние двусмысленные разговоры и после них предложить Леле сходить еще раз в кино, а может, и в ресторан. Не все ведь одни «Справки» по вечерам размалевывать!

Однако на Лелином месте сидела другая девушка. Моложе и прекрасней. Девушка была белокурой, коротко стриженной, со слабеньким румянцем на скулах и неправдоподобно яркими, пылающими темным огнем глазами. Нос ее был так мал, что на лице почти не выделялся. Но это полуотсутствие девушку ничуть не портило. Даже прибавляло ей притягательности.

Оглядев меня с головы до пят, девушка вдруг сказала:

— Дайте мне денег в долг.

Я вынул из кармана и молча протянул ей пятьсот рублей.

—Этого мало, — заявила девушка, — дайте еще. Но если, конечно, у вас больше нету… Как-нибудь обойдусь и пятью сотнями.

Сдержанно поклонившись, я вынул и положил на стол вдобавок к пятистам еще тысячу.

Тут девушка вскочила на ноги, оббежала стол и сунула эти полторы тысячи в нагрудный карман моего пиджака.

— А вы, оказывается, ничего. А говорили — жадный старик! И не скелет вовсе… Я вас испытывала. Тут про вас уже наговорили всякого.

— Врете, наверно. Меня здесь толком никто не знает.

— Это как сказать. Планы-то с вами большие связывают. Правда, мне про эти планы особо не сообщают. А звать меня

Женчик. Так с первого дня здесь прозвали… Зарплату мы здесь, — вдруг прерывисто вздохнув, добавила девушка, — чепуховую получаем. Правда, выдают все-таки. Но это потому, что Дроссель наш Путина как огня боится. Он думает, Путин возвратился, чтобы всех сажать. А кое-кого и кастрировать. Но дело, конечно, не в зарплате. Нам на главный эксперимент, на замеры в стратосфере и в космосе — денег не хватает! Ну, опять я про деньги… Поехали — за Волгу. На пароме! Там сейчас хорошо, свежо…

— А Леля? — я постарался придать голосу оттенок равнодушия.

— Леля давно там. У нее ранняя, очень ранняя работа. Росу она собирает. Соберет и в лабораторию… Хватайте портфель — и за мной!

* * *

По узкой лестнице со стороны реки Вицула, Струп и Пикаш поднимались в город.

Шли, кряхтя и поругиваясь. Вицула — в пижаме. Двое других — в трико, в майках и поверх них в расстегнутых черных ветровках. За шею Струпа зацепился и широко болтался из стороны в сторону шелковый зеленый шарф. Волжского холодка поднимающиеся не чувствовали.

— Че, как вчера?

— Не, не выйдет. Уже знают. Как пить дать — все попрятали.

— Поищем — нароем!

— Фиг ты чего просто так, Струп, нароешь.

— Дык мы Вицулу нашего ученого на базар за дурью отправим.

— Мне дури привозной не надо! Нашей, романовской отравы хочу…

— Дык скоро поднесут тебе, Пикаш, понюшку… Успевай только ноздри раздувать!

Выглянуло солнце. Мы с Женчиком стояли за деревьями, у верхнего конца деревянной лестницы, и все хорошо видели и слышали. А поднимающиеся — те нас не видели.

— Это эфирозависимые! — Женчик отступила за дерево, — они меня знают. И если поймают… Бежим дворами!

Мы кинулись наутек. Я на ходу оглянулся.

«Эфиозависимые» ловить нас и не думали.

Сперва я молча, на бегу, негодовал. Однако скакать по обрывистым задворкам то вверх, то вниз становилось все тяжелей. Я свистел и хрипел легкими и наконец, не выдержав, крикнул далеко опередившей меня спутнице:

— Женчик! Мы им по барабану! Да они на нас-с…

Тут я закашлялся. Женчик остановилась.

— Это они делают вид, что по барабану. А сами только и думают… Вы туда, туда гляньте!

Женчик подбежала ко мне и подтолкнула уже к другой лестнице, тоже уступами сбегавшей к Волге.

Чуть в стороне и внизу увидал я мужчину и женщину.

Было далековато, но можно было заметить: женщина, как и вчерашний мальчик-овчар, прогуливалась в калошах на босу ногу. А вот стоявший рядом с ней гривистый (причем грива — ярко-рыжая) мужик, тот был одет как на праздник: распахнутый, но ничуть не мятый синий плащ, в руках шляпа, и вдобавок брюки в полоску…

Женщина и мужчина, ломая шеи, кого-то вверху высматривали. Потом мужчина уронил шляпу, за ней нагнулся, и задирать голову вверх перестал.

— Это им эфирозависимые про нас разболтали. Баба тоже хочет эфиром разжиться... Мы тут эфир концентрированный для парфюмерных нужд выпускать наладились. Селимчик придумал! Небольшое побочное производство... Но выжить позволяет. А и крепкий же!.. Нюхнешь и готово: поплыл на всех парусах. В духи отечественные этот эфир добавлять станем. Лучше французских будут! Только вот мужик этот рыжий... Дайте-ка гляну внимательней... Нет, не знаю, новый какой-то...

Гривистого мужика, к своему удивлению, узнал я.

Неделю назад он ехал со мной из Москвы в ярославском поезде-экспрессе. Как раз по гриве, по характерно выгнутой спине и мерному верблюжьему переступу ног я его и узнал. Только тогда удобно устроился в сорокаместном вагоне, как он, клоня голову и на ходу по-верблюжьи покачиваясь, вошел, сел и лицо газеткой прикрыл. Так всю дорогу мордой в газете и просидел!

Тут Женчик толкнула меня локотком, мигнула, вынула из сумочки и показала по очереди два стальных миниатюрных баллончика безо всякой маркировки. Было, однако, хорошо видно: баллончики прямо с конвейера.

— Вот они, родимые. Запахи сегодня дегустировать будем... А по тем троим и по этой бабе давно наркология плачет! Вот только этот, с гривой... Какой-то он подозрительный. Грива, что ли, слишком роскошная...

— Черт с ней, с гривой! Решили поймать — так поймают. И баллончики отберут. Поэтому предлагаю...

— Сегодня — точно не поймают. У нас внизу, в слободке — моторка. На ней доберемся. А на завтра мы для эфирозависимых сюрприз приготовили. Капкан называется!.. Мне ведь баллончики только на три дня выдали. Потом снова на завод их, на испытания...

— Плохо, моста через Волгу нет. А то б...

— Мост будет! — Женчик как-то слишком восторженно рассмеялась.

Она рассмеялась, а я призадумался. В голову влезла неприятная мыслишка: что, если и спутница моя — эфирозависимая?

— ...ладно, бежим скорей! — толкала и толкала в спину коротко стриженная девушка.

— Дайте еще постоять. Отдышусь хоть... А эти эфирозависимые — они кто?

— Трое раньше у нас на метеостанции работали. Пили, конечно, и нюхали... А баба... Ее эфирный вихрь краем задел. Весной это было. Чуть погодя мужиков уволили, а баба сама в отделение неврологии запросилась. Психушки-то у нас в городе нет. Коля ей и помог. Коля наш только с виду мальчик-кузнечик. А так — сильнее Коли зверя нет!

— Ну и как же эти эфирозависимые теперь?

— Мы своих не бросаем. Нашли им работу. Так нет. Эфиру им подавай... И не только парфюмерного!.. Вам по секрету, как любимцу руководства: мы тут не только эфир парфюмерный выпускать наладились. Настоящий эфир пробуем синтезировать! Пускай он искусственный, пускай непроверенный. И все-таки — это аналог эфира мирового! Сибиряки нам сильно помогли. Из Академгородка, из Красноярска...

— Вон оно как...

— Но ведь такого «непарфюмерного» эфира у нас — и пол-баллончика не наберется. И хранят этот новый газ, как зеницу ока. Никто кроме Трифона и Коли его в глаза не видел, не нюхал, не обонял! А этим… Кто-то из лаборантов про настоящий эфир им проболтался... Может, Столбов. Может, сам Пенкрат… Ну эта эфирозависимая сволочь и вообразила: кто-то настоящего эфиру нюхнуть им даст. Слух-то идет! Мол, что-то новое и необыкновенное тут у нас завелось...

Внизу лопнул и, взлетев, грубо ввинтился в уши долгий хриплый вой. Кто-то из эфирозависимых, плача, заматерился.

— Бежим к лодке!

— Чего бежать, лучше про эфир доскажите.

— Уже одурманило? Что за словцо такое дурильное, ей-бо!.. Ладно, старичок, постоим еще… Про эфир больше не буду, но одно могу сказать точно. Те, кто внизу, — это мы с вами в недалеком будущем. Через полгода такими же станем…

— Это почему это станем? Я никакого эфиру вдыхать не намерен.

— Начнете как миленький, если денег на опытных сотрудников и на переоборудование лабораторий не выцарапаем. А выцарапаем — так и вдыхать ничего не придется. Здесь штука вот в чем… Регистрация эфирного ветра — дело плевое. Зарегистрировал — и расслабляйся на здоровье. Но вот попытки уловить эфирный ветер, управлять им, да еще и готовить образцы искусственного эфира — дело дорогое, опасное. А тех, что внизу, их без подготовки допустили. И вас допустят. Ну а неподготовленных, их к чему тянет? Правильно: к отпаду и расслабухе!

— Чего ж вы тогда носик свой хорошенький в такое опасное дело сунули?

— За носик — благодарю. А сунула, потому что выпускница Московского университета. Дед и отец его кончали. Наука — наше кровное. Начинала под Москвой, в Звенигороде, на биостанции… Потом — сюда. Трифон уговорил. Он убеждать умеет! И вас убедит. Только — софист он. Любую мысль выставить единственно верной при необходимости может!

— Меня убеждать не надо. Я к вам добровольно, по обстоятельствам жизни и творчества, так сказать…

— А убедит вас Трифон в том, что роль ваша в предстоящие месяцы будет важной, архиважной! Только учтите: сам Трифон от дел отошел. Но это, по-моему, для виду… Идемте же! А то я вас с лестницы сейчас столкну. — Темный огонь в глазах у Женчика полыхнул ярче, сильней.

— Я ведь и сам мастак сталкивать.

— Вот как? Вы сможете столкнуть слабое существо, столкнуть женщину?

— Да вы, бабы, все до одной здоровей меня будете.

— То-то Леля предупреждала: старичок наш новенький — тот еще фрукт!

— Еще одно слово — ей-богу, к эфирозависимым отправлю!

— А давайте, — Женчик подбоченилась.

— Ладно, — сказал я раздраженно, — хватит мне на сегодня приключений. Я возвращаюсь в «Ромэфир», а вы тут можете хоть в Волгу кидаться.

Я повернулся и пошел. Женчик осталась горевать и плакать.

Хотел вернуться и приласкать ее, но, плюнув, двинулся дальше.

«РУССКАЯ ДОЛЛИ»

В конторе директор Коля набросился на меня, как на прокаженного. Сказал, что это в первый и последний раз, и что хотя меня здесь страшно любят и ценят, но если я еще раз себе позволю…

Подойдя к директору впритык, я — как и в случае с Лелей — плотно прикрыл ему рот ладошкой.

С этого дня жизнь моя покатилась, как пробитый и с одного боку вдавленный внутрь резиновый мяч: неровно, рывками, то крутясь на месте, то устремляясь резко вперед.

Я продолжал работу в «Ромэфире», но за реку меня теперь не посылали, хотя, как показалось, и директор Коля, и Женчик с Лелей зауважали меня сильней.

Тут я с удивлением заметил: характер-то мой меняется!

Как-то очень быстро, буквально в течение десяти-двенадцати дней, пропала страсть к еде.

Раньше пожирал я огромное количество сыров, окороков, колбас. И не толстел, кстати. Теперь же, как тот заморский диетолог, пробавлялся несколькими глотками воды и овечьим сыром, покупаемым в местном супермаркете по цене неслыханно низкой. А ведь у себя в Москве любил я после вискаря и водочки выпить, и форелькой норвежской умягчить ее не спеша, и ценил это удовольствие превыше всего на свете!

А здесь, в Романове, пугающая трезвость на меня вдруг накинулась.

Аппетит пропал, однако с нежданной силой, с новыми — иногда странноватыми — акцентами проявилась тяга к женщинам.

Не говоря уж про красотку Лелю и более чем привлекательного Женчика-птенчика, стал я еще трепетней всматриваться в незнакомых, мило прикрывавших рты платочками женщин-романовок.

Чем плотней и глуше незнакомки были запакованы, а иногда просто-таки зашиты в осеннюю одежду, тем настырней следовал я за ними в своем воображении: поддерживал, подавал руку, входил за ними в дома и квартиры, следовал на кухни и в ванные комнаты, там помогал от одежды душной, одежды сковывающей, освобождаться…

Кроме женщин-романовок острый интерес стали вызывать во мне козы и овцы. Даже странным показалось: почему это человечество не следует примеру моряка Робинзона, почему не приближает к себе в качестве вторых жен и третьих любовниц всех этих коз-овец?

Подталкиваемый нездоровым любопытством, я выторговал себе свободное утро и съездил на одну из пригородных овечьих ферм.

И хотя по дороге убеждал себя, что просто вспомнил причину своего в Романов приезда, что потихоньку начинаю обдумывать «Историю романовской овцы в ста необычайных случаях, историях и эпизодах» — все это было, конечно, враньем! Диковатое, давно забытое продвинутыми народами влечение к полорогим представителям отряда парнокопытных неясно с чего вдруг на меня накатило.

Даже показалось: теперь я — волк! А они — предназначенные для утоления конкретно моего любовного и физического голода — овцы. Я пасу их и выпасаю и буду дальше их лелеять, ими любоваться… А потом буду на них кидаться, и любить их, и пожирать, пожирать…

Стал я лучше понимать, — а заодно сильней ценить — и волчью голодную повадку. Волка ведь не ноги кормят! А кормит его опять-таки любовный голод. И только потом, как следствие голода любовного, проявляет свою урчащую страсть голод пищевой. Но, бесспорно, именно любовный голод держит волка в форме, дает силу бегать и выть, сообщает его внимательному взгляду почти человеческое терпение, почти человечью ласку…

К счастью, влечение мое к овцам и козам оказалось мимолетным. (Может, просто развеялись эфирные пары из парфюмерного баллончика, который в знак примирения через день после беготни по лестницам сунула мне под нос и позволила два-три раза судорожно содержимое его втянуть Женчик-птенчик?)

С такими чувствами и мыслями ткнулся я лбом в ворота фермы «Русская Долли».

Ферма была расположена невдалеке от деревни Пшеничище. Ворота — заперты, забор — высоченный. Да еще и, как в Москве на улице Матросской тишины, обнесен — сколько хватало глаз — колючей проволокой.

Но меня к братьям и сестрам нашим курчавым не только не допустили, а еще и погнали с фермы прочь. Да и как могло быть иначе! Над воротами высилась крупная, сплетенная из прутиков хмеля и всяких там вьющихся кореньев, вывеска:

«Русская Долли»
Царство овцы

Но ведь таких, как я, литтуземцев и обалдуев ни в какое царство (даже в овечье) просто так, за здорово живешь, никогда не пустят. И кроме того: был я в тот час пусть худым и драным, но волком!

Охранники это сразу учуяли. А может, у них просто приказ насчет праздных посетителей был.

Разодетые, как те карточные валеты: шапки с гребнями, кафтаны на ватине и какие-то огромные, мучительно заостренные орудия пыток в руках, — они не спеша, но без колебаний, спустили на меня двух овчарок.

А сами остались стоять на часах.

Дрессированные овчарки, угрюмо роняя слюну, проводили меня до остановки автобуса. И оттуда, как по команде, потюпали рысцой на ферму.

А на остановке ждал меня сюрприз: там стояла новенькая полицейская машина с мигалкой. Из машины вышел здоровяк-майор. Он медленно скинул форменную фуражку, чуть поводил ею в воздухе, давая темечку остыть, и снова нацепил на голову.

— Далеко собрались, молодой человек?

Ненавижу, когда меня называют молодым. Мне сорок, и я давно мог бы руководить школой бальных танцев или возглавлять министерство высшего образования. Мог, на худой конец, встать во главе ассоциации литературных негров! То-то была бы потеха: протесты всех видных членов всех наших тридцати четырех союзов писателей, протесты американского посольства и ряда развитых африканских стран… И если я таких постов сторонюсь, это не значит, что меня можно унижать обращением!

От возмущения и протеста мне захотелось обернуть майора вокруг собственной оси и дать ему звонкий подзатыльник: чтоб фуражечка в грязь слетела, и чтоб он, задрав свой полицейский задок высоко вверх, долго ее из грязи доставал…

Но я, сдержавшись, буркнул:

— В Царево-Романов, куда ж еще…

— Садитесь в машину, — неожиданно приказал майор.

— Это зачем еще?

— Пару вопросов задать вам надо.

В машине майор помолчал, а потом, сочувственно вздохнув, сказал:

— Тут на вас анонимка пришла. Блогерская. На сайт доверия. Но не к нам, а в прокуратуру. Скажу честно — не любитель я такого чтива. Блогерасты, мать их так! Имен понапридумывали, доносы днями-ночами строчат. И этот туда же… Za jaitsa.ru из себя он, понимаешь ли, тут корчит! Здесь бандосы вовсю лохов разводят! Дурью, опять же, сверх всякой меры приторговывать начали. Но есть в анонимке одна деталь…

Полицейский чин внезапно застыл, задумался.

— Что за деталь? — аккуратно встряхнул я его мысли.

— А деталь такая… Якобы вы тут у нас спецтехникой для неизвестных целей пользуетесь. А пользоваться такой техникой не положено. Вы ведь не из ФСБ? Знаем, что нет… Поэтому плащик ваш позвольте-ка на минутку… И пиджачок. Да вы не подумайте! Все официально. Фамилия моя — Тыртышный. Предписание из прокуратуры имею…

Я был поражен и повержен. Даже придуриваться не надо было. Пять минут ничего ни про какую спецтехнику не мог вспомнить. И пока майор придирчиво осматривал мой плащ и пиджак, а потом попросил снять и рубашку, я сидел, как мешком из-за угла пришибленный. Точней, как обделанный.

— Ничего нет, — задумчиво сказал майор. — Что ж это вы? У себя в гостинице жучок держите? Так это бессмыслица получается. Зачем вам жучок-маячок в гостинице держать, а самому порожняком по району лындать? Нерационально.

Тут я только понял: речь о жучке, подаренном Саввой!

Жучок-маячок этот все время оставался в гостинице. Я его как включил по приезде в Романов, так и не выключал. Но на пиджаке или на майке не носил. Очень нужно, после Куроцапова кидалова!

— Ладно, проедемся к вам в гостиницу, — сказал майор и примирительно добавил: — Вообще-то спецтехникой сейчас может разжиться любой идиот. Закона-то соответствующего про нее нету… Но! Сигнал поступил — сигнал должен быть проверен. И хотя с первого взгляда вы на смутьяна никак не тянете… А прописали про вас в электронке… Боже ж ты мой! И бледный юноша с Болотной, и спецсредства, и смуту приехал в Романов сеять, и акции готовить… Ничего ведь этого нет, правда?

Майор глянул на меня чистыми детскими глазами. В глазах его, кроме детской чистоты, угадывалось еще и любопытство биолога-натуралиста: что там внутри у этого Тимы имеется? Не разрезать ли надвое, не исследовать ли прямо здесь, на поляне, близ остановки?

Я сидел молча. Тыртышный еще раз внимательно на меня глянул, коротко поговорил с кем-то по рации, и машина тронулась.

Вместо того чтобы думать, как сделать так, чтобы майор не конфисковал Саввин жучок, которого мне вдруг стало страшно жаль, я начал думать про то, какая же сволочь меня заложила.

В голову ничего правдоподобного не приходило.

«Леля? Откуда ей знать... Гостиничная администрация? Горничная в белье покопалась? Это — вполне».

Въехали в Романов.

— Времени у меня мало… Придется тут решать… — Майор плавно подвел машину к обочине дороги.

Мы остановились.

— Так на работу или в гостиницу?

«Дроссель! — вдруг пробило меня, как шкворнем. — Кузьмило! Он, как пить дать. В первый рабочий день, пока я с Лелей любезничал, мой пиджак… мой пиджак дорожный… Правильно! Пиджак с жучком-маячком оставался в кабинете. А потом я пиджачишко этот в шкаф гостиничный засунул, во все новое переоделся».

Сам от себя такой дерзости не ожидая, я вдруг выпалил:

— А вы монетку, господин старший майор, бросьте. Орел — на работу. Решка — в гостиницу.

Про старшего майора ему понравилось.

— А что? Тоже способ.

Выпало ехать на работу.

После осмотра моего рабочего стола, в котором ничего кроме Лелиной «Справки» не было, а также после краткой беседы с директором Колей (майор от Коли вышел мордой вверх, животом вперед, словом, очень довольный вышел) Тыртышный хлопнул меня по плечу и сказал:

— Ну все. Сняли вопрос. Они там у себя в Москве всяких дристунов слушают, а мы приличных людей зазря беспокоим. Za jaitsa.ru он здесь хватать, видите ли, всех будет!

«Недомерок! Рогволденок! Вот кто нагадил!»

От нахлынувших чувств я момент прощания с Тыртышным упустил и долго не мог потом вспомнить, подал я майору на прощанье руку или нет.

Через полчаса, отпросившись у директора Коли, поспешил я в гостиницу. Жучок оказался на месте, был включен и работал. Два других Саввиных жучка-маячка тихо грезили в красной коробочке. Малый экран, на который включенный жучок, лежащий отдельно, за телевизором, транслировал убранство гостиничного номера, чуть подрагивал от слабых помех…

Радостно облегчась, упал я на широкую двуспальную кровать. Но тут же сообразил: отдохнуть как следует вряд ли удастся.

А все потому, что последнее случившееся со мной изменение было таким: я перестал спать. Не то чтобы совсем перестал, но урезал сон очень и очень сильно. Словно боялся пропустить что-то важное, боялся: я не увижу и не услышу чего-то такого, без чего дальнейшая жизнь как раз и окажется блеклым овечьим сном! При этом никакого перегруза от работы на метеостанции — а нагрузка там оказалась нешуточной — не чувствовал. Спать же перестал не только из-за боязни пропустить что-то важное, перестал после трех-четырех сновидений, посетивших меня в городе Романове. Как раз после этих снов я и решил окончательно: лучше уж бодрствовать, чем сны такие видеть!

Снами торговать распивочно и на вынос не хочется. Про себя переживать их буду. И никто не посмеет требовать от меня другого.

«А мы требуем! А мы настаиваем! Как это так? Самое подленькое и соблазнительное от нас утаить? Не позволим!

Тем более — все эти ваши Чернышевские-Достоевские свои сны без устали нам в головы вколачивали! А хитрый Менделеев со своей периодической таблицей? А композиторский ученый Бородин с привязчивой химией во сне?» — вдруг хором загомонят читатели-придиры.

Но ведь там другое дело: их сны были вещими! Значит, предназначены были для многих. А мои сны — они точно не для всех. И никакая цензура ни в какую печать — кроме, конечно, негодяйских блогов — их ни за что не пропустит. А жалкий подцензурный лепет — он кому теперь нужен?

Тут прав другой классик, говоривший что-то вроде: какая гадость, господа, эта ваша подцензурная литература!

Гадость и грех, добавлю!..

Но я опять про сон. Не конкретный, а вообще.

Сон ведь — тот же эфир. Может статься, стукнуло мне вдруг в голову, сон — единственно доступная нам часть мирового эфира! Быстротекуч сон и переменчив, и природу, скорей всего, имеет надчеловеческую. Поэтому полную волну сна, в каких-то пространствах и без нас (то есть без сновидцев) обитающего, поймать и передать, как тот волшебный московский стеб, — невозможно!

* * *

Вихри эфира продолжали ниспадать на Землю с севера, из созвездия Льва.

Точки соприкосновения вихрей с Землей были разные. Самые чувствительные располагались в Северном полушарии: недалеко от Великих озер и реки Гудзон, в Померании, близ Валдайской возвышенности, в среднем течении Волги и нижнем течении Енисея.

Села-города, жизнь-смерть, дрожь любовных соитий, печальные процессии, влекущиеся к нешумным погостам, ор на площадях и требования честных выборов, глухой стук орехов, ударяющихся о подмерзшую землю в пропитанных горьковатым запахом рощах, сокотанье сорок, воркотня голубей — все это, попадая в зону эфирных вихрей, звук свой удесятеряло, а потом от счастья обновляемой жизни немело.

И тогда вихри эфира — плотной бесплотностью подобные снам — рассеивались в пространстве, уходили в землю. Чтобы дать место новым вихрям: как две капли воды схожим с предыдущими, но вместе с тем и совершенно иным.

Дальше случалось по-всякому.

В то сентябрьское утро низко висевший над земными трещинками и почвенными углублениями туман — как тот сон — быстро исчез. Блеснуло солнце, стала видна сизая стылая, у берегов с коричневой желтинкой, вода.

Над неглубокими воронками, оставленными на поверхности воды только что вошедшим в нее вихрем (уже не со скоростью 11,29 километров в секунду, даже не со скоростью 3,04 километра, а всего лишь со скоростью 200 метров в секунду вошедшим!), остро сияли радужные мелкие брызги.

Радость ветра на несколько минут оттеснила тоску грубого, материального мира. И принесла надежду: каждый будет, как ветер! Принесла также и понимание: будущий человек — человек-ветер и есть!

Тут же человек-ветер из прибрежного волжского леска и вышел.

102

Сел на поваленное дерево, подтянул за матерчатые ушки по очереди кирзовые сапоги, встал, постучал каблуками о землю, одернул старенький армейский ватник.

Вышедший из леска не знал, что он ветер. Поэтому в повседневной жизни вел себя, как все. Лишь иногда, оставаясь наедине со своей душой — как вот сейчас, на грибной охоте — вдруг он чувствовал необыкновенную легкость в теле. Легкости человек не верил: думал — гипотония. Однако десять минут назад, протянув руку к спрятавшемуся в траве подосиновику, заметил: кисть руки стала прозрачной, рукав ватника просматривается насквозь.

«Опять давление, как оно меня достало», — человек полез за карманным тонометром.

Артериальное давление было в норме. Круглобородый, вострогла́зый, с любопытным носом, в армейском ватнике человек весело вскочил на ноги, и его внезапно приподняло над землей.

Приподнимание и кратчайшее зависание длилось две-три секунды, но человек успел вдоволь наглотаться из резкой, мощной, никогда раньше его не окатывавшей волны счастья. Зашвырнув тонометр в траву и на ходу чуть подпрыгивая, поспешил он из сумрачного леска прочь.

Но лишь ближе к реке, на широком склоне — вдруг окончательно почувствовал себя ветром.

Голову грозно обдуло свежестью. Представилось: дом покинут навсегда, людей на сто верст — ни души!

Острое космическое одиночество, невыносимо-сладостное в своей безнадеге, пробило человека насквозь. Он уронил кошелку с грибами, одна рука его взметнулась вверх, вторую он судорожно сунул в карман. Потом вдруг затрещал обеими руками, как тот ветряк деревянными крыльями.

Но почти сразу руки и опустил. Ему почудилось: на правое плечо опустилась тяжелая мокрая птица. Птица тонко, по-соколиному, крикнула, и человек-ветер от внезапной боли случайно оцарапавших шею птичьих когтей тоже закричал: верней застонал, как стонет от нестерпимо-сладкой боли женщина...

Птица исчезла, как и явилась: одним махом, нечуемо.

И тогда человек-ветер попытался исчезнуть из этой жизни вслед за птицей. Неудачи в любви, беспредел в городах, неприятности на работе, грубое недоверие друзей и полное отсутствие родных — толкали к этому резко, явно!

Однако человек-ветер не исчез и не взлетел, а, широко шагнув вперед, провалился в старательно прикрытую ветками яму.

Это не огорчило, наоборот, рассмешило: «В другой раз получится!».

Именно после этих слов человек-ветер пупырышками языка, высунутого, чтобы слизать корку с губ, снова ощутил порыв необычного ветерка: не особо движущегося, но и не стоящего на месте, набитого, как мельчайший дождь, бульбочками шипящей и лопающейся газировки. Правда, газировки, на лице и на свободных участках кожи влаги не оставляющей.

Ветер был так слабо-силен, так странно закручен, что человек в армейском ватнике сразу потерял ориентировку в пространстве. Ему показалось: еще секунда-другая, и ветер развеществит его, в два счета превратит в круглый нуль и погонит, подкидывая невысоко над землей, как ту траву перекати-поле, далеко, в неведомый край!

Когда человек в ватнике пришел в себя, странный ветер уже стих: отдаленный вздох, чуть слышимое шевеление воздуха, едва различимое любовное бормотание реки...

Вихрь эфира, которого человек в армейском ватнике ни языком, ни кожей лица больше не чувствовал, ушел в воду, а затем глубоко в землю: чтобы воздымать из нее горы и новые города, раздвигать литосферные плиты, насылать, когда надо, потопы-землетрясения, а потом снова блаженно реять над землей, становясь вечным и единственным для нас успокоением, которое всегда приходит после суровой и необходимой кары...

ПЛЮС САВВА, МИНУС РОГВОЛДЕНОК

Савва с делами в Коломбо справился быстро. Купив кой-чего по мелочи — несколько чайных плантаций и одну чаеразвесочную фабрику — сразу отбыл восвояси в Москву.

А прилетев, встретился с писателем Кобылятьевым, который вместо историй про нелепую овцу обещал сочинить для Саввы поэму в прозе про русские горечи: хрен, редьку и всякие иные-прочие.

Однако встретившись с писателем всамделишным, Савва тут же и разочаровался: Рогволд Арнольдович показался ему дурак дураком.

—Все твои предложения, — вознегодовал Савва, выслушав Кобылятьева и подумав несколько секунд, — отстой и жесть.

Кобылятьев взметнул узкие бровки.

— Да, жесть! — повысил голос Савва. — А я ведь из-за твоих наущений от романовской овцы отказался и человека хорошего зря обидел!

— Какого хорошего? Негр — он не человек! Негра, Савва Лукич, обидеть нельзя.

— Негр, говоришь? А он уверял, что блогер...

— Ваш «хороший человек» — литнегр и никто больше!

— Ты язык-то попридержи. Чтой-то я в нем ничего такого черножопистого не приметил. А вот смотрю я на тебя: так это ты скорей из негроидной расы вышел. Только плюгав больно. Негры-то — они все-таки повидней будут. И зачем только я тебя призвал?

— За авансом, Савва Лукич, за авансом!

— Так я авансов недомеркам не выдаю.

— Савва Лукич! Я писатель, член союзов. Вы крепкое русское словцо любите — и мне оно близко, вы блогерню ненавидите — и я б их всех на рудники урановые!..

— Тебя Сивкин-Буркин кличут?

— Кто так звал — сильно пожалел!

— Так вот, Сивка-Бурка, вещая каурка! Если ты член, то к членам своим и катись. А мне тут детской порнографии даром не надо.

— Причем же здесь порнография, да еще детская?

— А притом. Тебе сколько годков, опу́дало?

— Ровно сорок.

— А на вид — так совсем пэтэушник. И вот на лобике на твоем на пэтэушном извращенчество крупными шрифтами впечатано.

— То, что я небольшого роста, ни о чем, Савва Лукич, не говорит! Наполеон тоже не особо виден был. Опять же — Владимир Владимирович, он, как бы это поточней выразиться...

— Зря Наполеона тревожишь. Надюх, а Надюх! — Савва нажал кнопку на столе, — выдай Рогволд Арнольдычу десять пачек цейлонского чаю. И баранок выдай. Да в графе

«Расходы» не забудь записать: дано на чай опупку Кобылять-еву столько-то и того-то.

Вошедшая Надюха ласково поманила писателя к себе.

Кобылятьев уходить не собирался.

— Я тут, знаете ли, до получения аванса посижу. Не станете же вы охрану звать. Скандал, пресса, пятое, десятое...

— А это ты правильно решил, опупок: второго пришествия здесь дожидаться. Сиди сколько влезет. Я покуда в Сочи смотаюсь. Надюх, господин Кобылятьев свой мобильник охранникам сдал?

— Это уж как полагается, Савва Лукич.

— А сдал — и молоток! — Квадратный Савва проворно вскочил и кинулся за дверь. — Откроешь ему, Настюха, когда от аванса откажется, а телефоны все отруби, — послышался уже из-за дверей голос Саввы.

Дважды щёлкнул замок.

— Туалет у меня в смежной комнате, справный! И кровать в комнате отдыха имеется... Только не дергай ты, Христа ради, на окнах решетки. — Голос Саввы зазвучал из-за дверей громче, отчетливей, скорей всего он приставил ладонь трубочкой к замочной скважине. — Решетки тоже справные! И дзурилкой своей стены в туалете мне не поливай! Отверчу!

Савва Лукич внезапно смолк. За дверью комично прыснула Надюха.

Вселенский денежный проект Рогволда Кобылятьева терпел мучительный крах.

— Ну нет, — уже на второй день к вечеру, когда все охранники, секретари и помощники привыкли к тому, что в кабинете у Саввы живет настоящий писатель. — Ну нет, — сказал сам себе Рогволденок, — этот зайчик так не поскачет!

Он стал думать и гадать, как бы поцарственней из Саввиной норы выбраться. Подойдя к двери, тихонько лягнул ее. Дверь была крепкая.

Вдруг услышался ему за дверью негромкий голосок.

— ...и представляешь! Только два дня пробыл в Сочи! И уже домой засобирался. Черт их поймет, богатеньких! Сам поехал, а сам назад. А я тут еще ничего и не сделала по его заданию. Нет, нет! В Москве недолго пробудет. Ага, да... Вроде в Романов собирается...

Рогволд Арнольдович Кобылятьев страдал синюхой. Синим было его маленькое, стянутое в узелок личико. Синевой посвечивали ногти на пальцах рук. Даже интимные места отдавали ненужной, отпугивающей посетителей элитных московских бань хуже любой заразы синюшностью.

Но в тот миг он просиял и сильно посветлел лицом. Да и никакая синюха, если честно, не могла помешать Кобылятьеву наслаждаться собственными расчетами, собственным умом и собственным — надо признать, шумным и длительным — успехом у читающей публики.

Рогволденок радостно потер руки: он любил смачно чавкающую жизнь и дерзко-развязные метафоры, с такой жизнью связанные. Любил также иносказания и возвышенные обороты речи. Услышав новость про Куроцапа, он негромко произнес вслух:

— Ну ты, Арнольдыч, бля! Чуть не влопался, как цыпля... А Куроцап в это время городишко Романов — цап! Через рот пропустит, через анал выпустит. Надо помочь городок ему переварить!

После этих слов, походив, все сильней возбуждаясь, по огромному кабинету, Кобылятьев вдруг заорал благим матом:

— Отопритеся, отворитеся! Я больше аванса не требую!

Радостная Надюха уже через пять секунд стояла на пороге…

Рогволденок решил услышанное от Надюхи проверить и перепроверить. И уже через два дня точно знал: миллиардер Куроцап отложил, к чертям свинячьим, все важные поездки и готовится посетить захудалый Романов. Тут Сивкин-Буркин снова дал краткое определение и загребущему Куроцапу, и его новым планам.

— Будет вам, россияне, Романов в безе и в кляре!

И само известие, и собственное о нем иносказание встряхнули писателишку всерьез. О планах Куроцапа следовало узнать как можно подробней. Но помощница депутата, давно используемая Рогволденком для получения внутридумской секретной информации, познаниями по этому вопросу делиться не желала, расположение своего депутата — Куроцапова другана — берегла, как белка шишку. Слушая кобылятьевские наводящие вопросы, она от радости обладания никому не доступными сведениями — лишь повизгивала в трубку. Даже пыталась надуть, пискля: мол, Савва Лукич теперь, может, в Норильск махнет, а то и северней…

Неясная тревога вдруг охватила Кобылятьева.

На краткое время он задумался.

Правда, тут же в порохе и опилках тревог обнаружилась мысль здравая: есть место, где помогут! И место это — не госдума, не штабец политической партии, не Общественный совет при Президенте (в совет этот Рогволденок до недавнего времени хаживал, как к себе домой, но работой совета был недоволен: никаких тебе закулисных историй, ничего смачненького, с кайенским перцем или польским соусом!).

Не тратя времени даром, Рогволд Арнольдович собрался и поехал в одно из ближних подмосковных мест, где можно было по-настоящему прояснить Куроцаповы планы и оценить его намерения, каждое из которых сулило огромную прибыль не только самому богатею, но и тем, кто Савве Лукичу в составлении таких планов мог поспособствовать. Там же, на месте, следовало разработать меры воздействия на Куроцапа.

ПСЫ ДЕМОСА И «МАРШАЛ СТУКАЧЕВСКИЙ»

Трактир «Стукачевский» плыл и стучал, стучал и плыл.

Волнообразное движение неоновой вывески и легкий перестук, из трактира доносившийся, скорей пугали, чем приманивали редких прохожих и случайных посетителей. Да их здесь и не было почти, случайных! А для посетителей постоянных стук и волны имели тайное, сладостное, но до поры скрываемое от всех значение…

Название трактира в последние годы несколько раз менялось.

Сперва именовался он загадочно и гордо: «Маршал Стукачевский». Потом проще и человечней — «Михаил Стукачевский». Чуть позже совсем уж простецки — «Михал Сергеич Стукачов». И наконец, резко и без длиннот: «Стукачевский».

Однако в последние дни — дни размышлений о путях демоса и кратоса в России — было вновь подновлено и очищено от гнили старое забойное: «Михаил Стукачов».

Правда, пока такая вывеска над трактиром не красовалась. Ждали чьей-то команды. Но это ожидание никак не

110

влияло на работу заведения: с 10 вечера и до 10 утра — в таком режиме продолжал развлекать, кормить и поить посетителей славный трактир.

Наружной отделкой «Стукачевского» особо не занимались. Едва заметно выпирал он деревянными ребрами из ряда домов на одной из подмосковных окраин, ненавязливо освещая кусок ярославской дороги, отбрасывая слабый отсвет на подходы к станции Тайнинской и на таджикский невольничий рынок, — видно, не желая конкурировать с набором красок и блеском ума придорожных реклам и растяжек.

Но зато, попав внутрь, посетители прямо-таки физически ощущали всю необычность трактира, ощущали погружение в волны бытия и выныривание из них.

Умельцам из Турции удалось сымитировать скольжение по волнам жизни и утопание в них — лихо, круто: трактир слегка подрагивал, слышались сладкое урчание и легкий плеск. Ну а дробный стук, тот вообще никогда не прекращался — во всех углах заведения на мшистых натуральных стволах, сидели крупнотелые механические дятлы.

Дятлы долбили без отдыха. Именно они своим стуком создавали в заведении плодотворную барабанную тревогу и особую, почти военную, обстановку бдительности, так привлекавшую некоторых посетителей...

Из-за стука дятлов и «утопания» в волнах те, кого приглашали в трактир впервые, слегка обалдевали. Но потом без этого перестука, без ныряния и песен: «По волнам, по морям, нынче здесь — завтра там», «За тех, кого любит волна», «На острый камень напоролся "Коста Браво"», «Ты стучи, мое сердце, стучи» — обойтись уже не могли.

Кроме песен почтение внушали и косо процарапанные на стенах надписи, вроде такой: «Стук и слив, слив и стук. Это главное в жизни, друг!»

Надписи, выполненные в стиле тюремной графики, должны были по-особому, по-камерному очерчивать ритмическое пространство заведения.

Но не дятлы!

Не дятлы, не надписи тюремного типа и даже не скольжение по волнам жизни составляли главную ценность трактира. Главными были необычные склонности его посетителей.

А собирались в «Стукачевском» люди тертые, люди знатные!

Здесь были настучавшие на своих родственников и получившие в награду за решительность и мужество громадное наследство. Были — вовремя сообщившие о происках одних силовых органов в другие силовые органы и за это снискавшие весомую похвалу третьих. Попадались устроители подпольных игровых залов, ставившие себе целью эти залы продать федеральным или муниципальным чиновникам, а потом чиновников этих — резко, с потрохами, сдать.

Бывали в «Стукачевском» шустрые наушники и дохловатые сексоты, изредка приплывали в роскошных «Бентли» «сливные бачки», которым за «слив» (из-за статуса неприкосновенности) по закону ничего не полагалось, наезжали звонкие рупора общественности, на всех четырех приползали сочинители мелких газетных напраслин.

Но самой мощной и в то же время остро-нежной прелюдией к завтрашней жизни звучали голоса новых российских сикофантов.

Собака, разгрызающая лиловую смокву, из которой брызжет густая и тоже лилово-алая смоквенная кровь — была их символом.

Символ этот в виде живописного полотна висел над входом в отдельный зал трактира.

Новые сикофанты гордились истоками.

Истоки были действительно серьезными, были древними и на 50% греческими. Именно в Элладе времен Сократа и Критона во время одной из тяжких голодух измученные греческие жители стали срывать и поедать священные фиги, или смоквы. На срывающих стали доносить, получая за это приличную мзду. Мздоимцев прозвали сикофантами, то есть фигодоносителями («сикос» — фига, «фантос» — доношу).

Сутяги, клинические кверулянты и профессиональные ябедники — валили в трактир валом. От этого иногда казалось: наветы, наушничества и угрозы вздорных кляуз — летают глухими ночами над Тайнинкой, как сдуваемые ветром с крыш и срываемые охапками с деревьев осенние листья!

Этот коричнево-желтый сор грозил долететь до самой Москвы! Ведь никто не грозил новым сикофантам — как в той Древней Греции — смертной казнью. Наоборот! Они чувствовали себя фигурами общественно значимыми, деятельность свою считали освежающей, мысли — очистительными...

Возбуждая судебные процессы против несовременных, по-дурацки щепетильных людей, сики получали огромные отступные. Чтобы прекратить процессы или скрыть хоть на время компромат — брали отступные еще большие. Многие профессиональные сикофанты состояли на жалованье у российских олигархов и у крупных чиновников.

— Мы маршалы российской жизни, командиры неписанных кодексов — заявляли особо удачливые. — Народ относится к богатым с завистью? Мы тут как тут. Народ с недоброжелательством относится к чиновникам? Мы опять воспользуемся моментом: пересажаем всех не берущих чиновников! Чтобы просторней было работать с берущими.

Несмотря на шелест, ропот и растущее осознание того, что борющиеся с коррупцией сикофанты истинные коррупционеры и есть, — сами они продолжали лихо стучать кружками и постукивать серебряными ложечками в любимом трактире:

— Мы служим обществу, мы день и ночь на страже интересов! — выкрикивали в осеннее пространство окон российские сики.

— Так ведь под этими интересами всегда скрывается личная месть или серьезная выгода! — слабо попискивали в ответ обиженные.

— Мы друзья российского демоса и слуги российского кратоса! Охраняем их от гниения. Мы выведем на чистую воду всех! Схватим за нежное место каждого!

— Собаки демоса, вот вы к-х-х... кто! — кашляли сикам в ответ только что вышедшие из тюрем отсидевшие по ложным обвинениям, бывшие некогда честными, а ныне измазанные в дерьме с головы до ног граждане.

Как утыканные иглами змеи, ползали сикофанты по Красной площади, топтались у площади Болотной и близ других трепетных мест, выдавая власти оппозиционеров побогаче, а оппозиционерам похищней сливая данные на еще остающихся у власти честных людей.

Мрачные и необщительные, но по временам заходящиеся от заливистого смеха, псы демоса являлись всюду, где были возможны кляузы, шантаж, подглядыванья в щелку!

Они не любили театр на Малой Бронной и театр «Около дома Станиславского»! Им по барабану были «Песни и пляски смерти» Мусоргского и рок-оперы Уэббера! Им на фиг не нужны были «Большой балет», неизвестные страницы Андрея Платонова и мило-старомодные шуточки седых кавээнщиков!

Зависть и вражда, раздор и плесень запечатлелись на их сикофантских мордасах!

Собаки демоса чаще кидались на богатых или слабых, но могли загрызть любого: не угодил, не понравился, не принял сучьего закона?

И вдруг тяга российских сикофантов к тайному полновластию в стране ослабла. Дело было в том, что в последние месяцы сикофантов классического типа стали теснить сики-блогеры. Это породило рык недовольства среди нешироких, но плотных сутяжно-каловых масс.

— Настоящее стукачество выродилось! — ворчали старые, заслуженные стукачи хрущевско-ельцинского замеса. — Где ночные вызовы на Лубянку, где перестук в Централах: Александровском и Владимирском? Где, еханый насос, наушничество под мостом в Барвихе? Где не оглашаемые вслух, но вовсю используемые письма и наводки «доброжелателей», жадными стайками летящие на радио «Немецкая волна»? Где использование тайны исповеди в личных целях? Где готическая заостренность и завораживающая необъяснимость внутрисемейного стука?

— Все верно, — подпевали вторыми и третьими голосами чуть менее заслуженные, — стукачество стало слишком гласным. Интернет-доносы все портят! Дух форм ушел из системы доносов...

Из-за смены общероссийской сико-парадигмы держателями заведения снова, и уже в который раз, был поставлен вопрос об изменении вывески над входом в трактир. Но здесь к согласию не пришли.

«Душеед Стукачевский»? «Продажные шкуры»? «Собаки демоса»? «Сикось-накось», в конце концов?

Все это одобрения не вызвало.

Решили придерживаться старых проверенных вариантов. А для возмудевшего и похужавшего племени интернет-запроданцев организовали отдельный Голубой зал.

Там-то все новые вывески по очереди как раз и использовались.

Кроме тогось!

Хотя был «Стукачевский», по сути, закрытым общественным объединением, и попасть туда стороннему человеку было попросту невозможно, — отказываться от жанрового обозначения «трактир» в пользу какого-то ночного клуба хозяева заведения ничуть не желали...

И ведь правы оказались!

Мелкая сволочь, морщенными слизняками ползавшая по кремлевским спускам и Воробьевым склонам, жалко клубившаяся в низинах департаментов и федеральных агентств, зябко ежившаяся в Доме Пашкова, в Гнесинке и других пристойных местах, — в «Стукачевском» ухарски расправляла плечи, выкатывала грудь колесом, по-трактирному пьяно кичилась орденами, выхватывала из кейсов почетные грамоты, перла на установленные в залах заведения там и сям трибуны, произносила речи!..

Рогволд Арнольдович Кобылятьев час почти потратил на регистрацию и разрешение войти в трактир. Но когда вошел и прошелся по залам, увидел: тех, кто мог бы ему пособить, в трактире нет.

Мелким воробьиным шагом пересек Рогволденок пространство трактира еще раз, заглянул в кабинеты верхние, сунул голову в комнаты нижние. Никого! Тогда он решил спросить про нужных людей у кельнера, которого здесь по-старинному звали «половой».

Половой Юрген на все вопросы лишь встряхивал, как тюлень, сизой в пятнышках головой, щурясь, спрашивал: «Вам когось?», да так подозрительно, что Рогволденок засобирался уходить.

Тут подступил к нему некто Столыпчик. Странно лыбясь и крутя пуговицу на собственном кителе, Столыпчик спросил:

— «Стукнуть» собрался?

Столыпчика Кобылятьев немного знал. Тот по паспорту носил простоватую фамилию Стулов. Сильным же историческим именем, с игривым окончанием, был прозван для смеха и потому, что когда ни приди в трактир — всегда он за столом, всегда над бумагами. Да еще малолетнего сына (что вообще-то запрещалось) с собой в заведение для науки водит!

Но правдой было и то, что внешность Столыпчика к смене фамилии сильно располагала: лысоват, породист, явный чадолюб, скрытый библиофил… И какой-то менторско-прокурорский китель синенький всегда на нем. А на кителе орденок, еще царский, трепыхается! Вот только стеснителен и конфузлив был Столыпчик не в меру. Так стеснителен, что к утру в трактире, бывало, без единой пуговицы на кителе оставался. Все обрывал, все, нежно лютуя, откручивал, ронял на пол, на стол!

А все потому, что высасывал Столыпчика — как громадный кенийский паук беззащитную муху — сутяжный синдром!

Рогволд Арнольдович заколебался. Нужда «стукнуть» была неотступной, сверлящей. Нужен, однако, был не просто «стук». Нужно было сложное музыкально-ритмическое действо, с негромким запевом-выкриком и несколькими внятными отголосками в ответ. Словом, нужен был «перестук».

А для «перестука» требовался серьезный «дятел». Потому как стучать надо было не только туда и сюда, но и в третье, и в четвертое место. И отовсюду получать благожелательное согласие, а не равнодушное «поглядим, посмотрим».

Столыпчик для такого дела не годился.

— Не знаешь, Горби-Морби здесь?

— Только что отвалил. Но если ты по делу — могу пульнуть ему на «мыло». Может, вернется.

— Пульни, родимый, пульни!

Пока Столыпчик пулял, Рогволд сел, огляделся, сделал скромный заказ и задумался о превратностях российской судьбы и жизни, все никак не утверждающей в правах новых псов демоса…

Тем временем творческие эксцессы в «Стукачевском» не прекращались ни на миг! Внутренне радио без конца передавало репортажи с готовящихся демонстраций славных своих завсегдатаев:

«Вот идут, — вкрадчиво пела радиоточка, — лучшие люди российской сик-культуры: ябедники и керулянты, мастера откатов и мошенники, рейдера́ первого уровня и мастера нашептываний восьмого ранга!»

Радиоточка пела, дятлы стучали. Под пение и стук неплохо решались дивно-запутанные вопросы. Необычным было лишь то, что решали их не братки или депутаты, а новая ветвь российской элиты: через социальные сети, через блоги и просто так стучавшая на тех и на этих, сообщавшая гадкие сведения и открывавшая личную жизнь каждого, до последней завязки на исподнем! До трусов и глубже! До потаенных мыслей и не оформившихся еще желаний, до тщательно скрываемых и никому не доступных душепотемок!

Козыряя силой извращенной юриспруденции и продажного журнализма, собаки демоса, «люди изнанки», «люди стука» — часто оказывались сильней людей из преступных сообществ и ублажаемых ими людей власти.

Что, кому и про кого сообщать, какие именно сорвать с оповещаемых и рассекреченных суммы? И в виде чего? В виде облигаций? Или швейцарскими франками, нефтеносными участками в Конго, плантациями колумбийской коки?.. Все это требовало неусыпного внимания и выверенного математического расчета.

А еще — нужна была защита авторских прав сикофантов!

За авторские права сик-меньшинств Рогволденок стоял горой. Думал даже через знакомого депутата проект закона продавить. Но пока медлил.

«Составить донос — не повестуху слепить! В доносе — стиль и язык, в нем теплота интонации и выверенность тембра, и закрученный, как в хорошей новелле, сюжет в нем.

Причем сюжет, возникающий с конца и лишь позже приглаживающий к этому блистательному концу скромненькое такое начало!»

Несмотря на трепетную зависть и нежнейшую злобу ко всему чужому, Рогволоденок признавал: сикофантские сюжеты — зачитаешься! И результат таких сюжетов — не гонорар нищенский, а заводик, а плантация, а креслице в совете директоров!

Как было, к примеру, не залюбоваться авторским сюжетом заслуженного сикофанта Вынь-ко?

Этот самый Вынь-ко пульнул как-то одному уральскому вахлачку на мыло: ваш завод собираются посетить рейдеры. А рейдерам дал наводку: целый месяц уважаемый шкаф будет держать охрану и ОМОН наготове, а потом ему надоест, потом он поймет: подстава. И охрану он снимет, а ОМОН отпустит заниматься своим прямым делом: разгоном митингов… В этот-то миг, миг отдохновения и расслабы, рейдера его и накроют!

А бывали и круче сюжеты!

К примеру, «люди изнанки» вдруг сообщали: едет реставратор! Новый то ли Габсбург, то ли Гогенцоллерн — из сияющих недр Европы по российскому бездорожью уже, спеша, катит! Катит реставрировать и карать, вешать и благодетельствовать! То есть, говоря другими словами, будто бы уже в июне будущего года в России готовится непривычная, ни с какими европейскими не схожая заварушка. Сообщалось об этом хитро, подделывались сайты «Викиликса» и других уважаемых организаций. Следом, без всякого перерыва, сообщалось: тех, кто собирается встречать Великого Реставратора, уже гноят без суда и следствия в Бутырской тюрьме.

И поначалу собакам демоса, поначалу псам из «Стука-чевского», конечно, не верили. Но они только на это и рассчитывали. Сразу и беспрерывно начинали капать на другую плешь: внешняя разведка бездействует! Опять двадцать пять! Снова ФСБ момент реставрации профукает, а мы потом их головотяпство четыреста лет расхлебывать будем…

И летели головы, и ширился стук, и звучал весенней капелью мелодичный слив. А трактирная биржа набирала влияние и вес.

Правда через некоторое время, как и любая серьезная организация, подпольная эта «биржа» начинала сдавать своих доносителей за хорошие деньги всем интересующимся. Псы первой волны почти исчезли.

Но за первой волной накатила вторая, за второй — третья!

Однако какие бы волны на трактир «Стукачевский» не накатывали, нужно отдать должное его хозяевам: они никогда не забывали о классиках и предтечах общего дела сутяг и сикофантов.

Легендой и примером для всех псов демоса был некто Алгебраист. Про его подвиги по виртуозному «стуку» туда и сюда, про сдачу через посредство такого «стука» полутора десятков бывших российских губерний в аренду невесть кому (не жителям и даже не теперешним правителям этих бывших губерний, а сидящим где-то далеко, в еще лучших, чем трактир «Стукачевский», местах таинственным, могучим и отнюдь не сказочным карликам) — ходили невероятные слухи.

Подлинная же история Алгебраиста была известна лишь двум-трем людям в России и двум-трем за бугром.

Правда, как ни пытался Рогволденок заполучить материалы для документальной эпопеи, которую думал назвать «Подвиг Алгебраиста», как ни старался выяснить источник и направление смертельно выверенных доносов — ничего из этого не вышло. Кто-то крепко, очень крепко прикрывал архивы Алгебраиста!

Три года назад в поисках бумаг Алгебраиста Рогволденок сюда, в подмосковный трактир, и затесался…

И как раз теперь, три года спустя, в дымно-туманный вечер осени, в который угораздило Рогволденка сунуть мордашку в пасть «Стукачевскому», — новый набор сикофантов и происходил!

Впрочем, ни о каком наборе Кобылятьев так ничего и не узнал. Да и кто б ему, писаке сраному, сказал про это.

Рогволденок просто ел и грезил. Но вскоре спохватился: грезы следовало гнать поганой метлой. Нехотя Рогволденок встряхнулся…

Тайного сикофанта Горби-Морби все не было.

Бра и настенные лампы давно горели вполнакала, механические дятлы стучали тише, неоновые волны колебали трактир не так грозно, скорей — интимно. Ночь-ночара вступала в свои собственные, а не чьи-то чужие права!

Рогволденок решил снова пройтись по трактиру и вскоре набрел на странную кампанию.

В отдельном кабинете, не за игорным столом, а за деревянным, очень чистым, некрытым, выскобленным до блеска — сидели несколько игроков. Кобылятьев знал их по оперативным псевдонимам, а по фамилиям, конечно, не знал.

Преф, Кинг, Покер и Пьяница — все четверо подтянутые, темноволосые, голубоглазые. Правда, Кинг с рассеченной кровавым рубцом щекой, а Покер с вытекшим левым глазом, но в остальном-то — парни хоть куда!

Игроки при виде Рогволденка недовольно зашевелились, спины у всех четверых напряглись. Но потом, видно, решили: чужие сюда не ходят. Спины — расслабились.

Проходя мимо стола, Рогволденок как бы случайно заглянул через плечо самого скромного из мощной четверки, чуть сгорбленного и все время накручивающего на палец колечки синеватой бороды Префа.

Накрутив одно колечко на палец, Преф тут же бросал его. Но следом накручивал второе, за ним третье. Такие «накрутки» Рогволденка как-то сразу успокоили, настроили на философский лад.

На столе перед четверкой лежала карта Москвы и Средней России. С первой прикидки было видно: карта необычная. Поэтому на всякий случай Рогволденок решил отойти от стола подальше.

Но совсем не ушел, а, опустившись в кожаное кресло, притворно сплющил веки.

Кресло стояло метрах в шести от стола с картой. Кинг, Преф, Покер и Пьяница особо не таились, делились наболевшим вслух:

— ...Так что задачка простая, — говорил Кинг, — незаконность всех действий нашего государства начиная с XVI века — очевидна. Вот к XVI веку, когда закон еще кое-как соблюдался, мы и обратимся. Ты, Покер, стуканешь по своим каналам в Совет Европы и в комиссии Конгресса: Россия, мол, готова вернуться к границам XVI века. В обмен на выгодные условия для нынешней элиты.

— Они спросят: кто стоит за элитой?

— Называй кого хочешь, тузов называй.

— Чтобы поверили — нужны доказательства, факты.

— А мы их обязательно предоставим.

— Нужен какой-то исходный документ.

— Дурила ты, Пьяница, он есть уже!

— И какой же у тебя исходник?

— Завещание генерала Власова.

— Разве такое существовало?

— Конечно нет.

— А теперь что — появилось?

— А ты, кувалдой тебя в бо́шку, как думал?

— И чего в завещании?

— А в нем — от имени Высшего совета освобожденной России…

— Освобожденной от народонаселения?

— Не перебивай, Преф… А в ней — согласие на ужатие РФ до границ XVI века. И генеральская заповедь: главное для нас, россиян, собраться в переделах Валдая, в пределах Средней Руси…

Услышанное Рогволденку неожиданно понравилось.

«А чего? Бремя территорий… Столько веков тащим. Пора на территориях этих наколку делать, как на ногах у зэков: "Они устали!". Все равно ведь от территорий — ни дарственной в рамочке, ни — "благодарим покорно"! Не те времена. А вот приманивают территории многих. И обширность их сильно окрестные княжества раздражает. Ну а сожмемся, глядишь, и оставят в покое. Им славно — и нам свежо: под ракитовым кусточком, да под тихую молитвочку, да в прохладе, да с водочкой и красными девицами, — так оно даже и в границах века четырнадцатого перекантоваться можно.

124

И уж этих-то границ не позыбль… Не позыбля… В общем: никто на такую малость не позарится…»

— Ну хватит дурака валять, — сказал неожиданно Преф и встал. — Дело срочное есть на сегодня. Давно решить не можем. Готовь колоду, Пьянь.

Скромный Преф прошелся вокруг стола, и Рогволденок подивился его шагу: ломко-стремительному, широкому, аистиному…

Пьяница высмыкнул откуда-то из-под стола засаленную колоду. Она оказалась значительно толще обычной. И размером раза в три больше. Пьяница хотел перед сдачей карт послюнявить пальцы, но колоду в одной руке удержать не смог, и она рассыпалась по столу.

На рубашках карт были опять-таки картографические изображения.

«Республика Алтай» — с трудом прочел Рогволденок на ближней и увидел причудливо извивающиеся красные границы, сизые реки, острые пики гор.

На другой карте была Псковская область. Изображений на остальных рубашках рассмотреть не удалось.

— Ты… безрукий! — крикнул Преф, — карты в руках удержать не можешь.

— А ты сам попробуй восемьдесят три субъекта в одной руке удержать.

— Ничего, — успокоил Кинг, — скоро их станет меньше, легче будет в руках удерживать.

— Ладно, зови тех двух лохов, сейчас с ними в подкидного на будущий статус обременяющих территорий сыгранем. Кидай, какие выпадут…

Пьяница метнул. Выпали Казань и Петербург.

Тут легконогий Преф уже совсем не по-аистиному скакнул на стол и дурно-пронзительным павлиньим голосом крикнул:

— Как знал! Как приказано! Ай, Пьянь! Ай, мощага!

Здесь у Рогволденка резко завизжала мобилка, и он подхватился на ноги. Пора было валить от греха подальше! Игра в территории показалась ему подозрительной. Одно дело — продать за сходную цену, другое — в подкидного проигрывать. Так можно и кое-что нужное проиграть!

Мобилка продолжала визжать. На мобилку свою Сивкин-Буркин поставил музыку работающей бензопилы: пугать жену. Жена делала вид, что пугалась, Рогволденок делал вид, что пила в мобилке — только преамбула к приключениям настоящим…

Сейчас мобилка мешала. Рогволденок быстро из штанов ее выдернул, нажал на кнопку, сунул назад. Однако четверо игроков звук бензопилы, конечно, услыхали и тут же задергались, а потом и заговорили все разом…

Выбегая из кабинета, Кобылятьев краем уха уцепил новый поворот в разговоре четырех сикофантов:

— …а про ветер стучать будем?

— Не. Обождем, опасно…

— Во-во! Как бы ветерок наш крышу кому не снес!

— А пущай сносит! Заодно все вокруг до горы раком поставит…

В штанах опять задергался мобильник. Голоса остались далеко позади.

Звонил Горби-Морби:

— Ну че? Дело есть? Перетрем. Нет — пиши свои мемории. Я дома, адрес знаешь. С утреца и подваливай.

Уже выходя из трактира, Рогволденок вдруг почуял какое-то томящее неудобство и оглянулся.

В спину ему смотрели Столыпчик-отец и Столыпчик-сын.

Малец семи-восьми лет, крупноголовый, ясноглазый, как две капли воды схожий с отцом, застенчиво улыбался. Одной рукой он вертел пуговицу на гимназическом кителе, а другой внизу, у самого колена скручивал маленький, скромный, какой-то удивительно бледный кукиш...

ВОРОХ СОМНЕНИЙ. РЫЖИЙ ШПИОН

Тима я, Тима! Эх, Тима, Тима я...

После поездки в Пшеничище и беседы с майором Тыртышным стал я задумываться еще чаще.

Что-то в романовской истории шло не так, как надо. Я переворошил собственные действия, перетряс скрытые от посторонних глаз, изрисованные закорючками, испещренные ругней страницы моего русского бунта — и ахнул! Ничегошеньки от бунта и не осталось!

Мне, конечно, давно было известно: малые города старорежимны, косны, жизнь в них затягивает, как речной ил, делает граждан тусклыми, остылыми. Но вдруг это не городок Романов так на меня подействовал, а сказки про эфир, которого, может статься, не было и нет?

Захотелось ясного, точного и притом постороннего взгляда на происходящее. В дурацкой надежде на проясняловку позвонил я в Москву Надюхе. Куроцап еще не вернулся, а Надюха мне по телефону нахамила.

Раздосадованный, набрал я было Рогволденка, но вовремя номер скинул. Сволочь он, Рогволденок! И, как пить дать, мое незавидное положение использует, чтоб зауздать покрепче. Да и блогерский донос писал он, а не кто-то другой!

Кризис доверия к самому себе вырос передо мной, как провинциальный официант на пороге гостиничного номера. Кризис помахивал салфеточкой, фальшиво лыбился, требовал незаслуженных чаевых и дополнительной платы за наводку на места отвратительных проказ и противозаконных удовольствий, которые якобы могут способствовать очищению моего сознания…

Тут я спохватился. Что за буря в стакане воды? Жрачки — навалом. Над головой не каплет. Так что — бунтуй не бунтуй, а придется быть веселеньким, современненьким, придется лакействовать и обманывать себя дальше!

Тима, я Тима! Эх, Тима, Тима я…

Наговорил тут всякого-разного и почувствовал себя дико неловко.

Затуркал меня совсем Рогволд Кобылятьев! Занегритосил, сволочь! Собственное направление мыслей было мною в Москве под его руководством потеряно. От такой потери лживое «ячество» наружу, как флюс, и попёрло. А уж от «ячества» завелось в мыслях про эфир и про нашу жизнь что-то чужое, непереваренное: у Лелищи стибренное, Женчиком близ крутых лестниц навеянное…

Но тогда — вдруг понял я — не от моего, пусть и лукаво-хитрющего лица следует дальше вести разговор в этой истории!

Сахарная патока про городок Романов, вкрадчивая брехня про «науку» влипли в губу, как тоненькая шкурка от сливового варенья.

А тогда к чертям ее, эту шкурку! К чертям все двоедушное и для пишущего выгодное. Я отмою свое негритянское лицо! Я перестану думать о том, что выгодно другим!

Вот потому-то говорить от первого лица я сейчас кончаю...

От такого решения сразу почувствовал себя уверенней. Картина города и мира стала чище, правдивей. Ушел на цырлах ложный столичный пафос, налегла томительная, но и сладкая романовская грусть!

И теперь я уже не обнюхиватель чужих мыслишек, не оценщик уксусных дамских истерик! Не рассвирепевший от обрывчатости мира монтажер, склеивающий порванные пленочки бытия и с гадливостью выкидывающий громадные мотки подпорченного материала!

Теперь я — это другой!

Я хочу слышать, как фраза ломает жизнь. Не моя фраза! Фраза, возникающая прямо из Хода Вещей, из плеска эфира.

Хочу слышать, как рачья кожура жизни хрустит и дробится под крепкими челюстями этой фразы! Как сама жизнь делается при этом иной.

Но легче справиться с жизнью, чем с крутой и норовистой фразой. Легче совладать с судьбой — чем с историей про эту судьбу!

Да и не вытянуть одному такую историю! Нужны помощники, возникающие из самой материи текста.

Конечно, я и сам — с остервенением и восторгом — мог бы свести все подлинное и неподложное в некое подобие целого. Смонтировал бы на пять баллов. Но не буду. Хорош жадничать! Надо передать оценку действительности — как того и требует реальный закрут — другому рассказчику.

Может, Женчику, может, директору Коле. А то и Леле! Или, в крайнем разе, Кузьме Сухо-Дросселю. Передать, обозначив только начала и концы, обозначив, как все шло до того поворота, когда майор Тыртышный...

Стоп! Нашел!

Я вдруг понял, кому можно передать рычаги управления беспристрастными оценками действительности! Понял, от кого можно — если надо, то и по суду — требовать настоящей, а не поддельной объективности.

Страшно торопясь, набрал я номер майора Тыртышного. Тут же последовал ответ: «абонент в сети не зарегистрирован».

Тогда я кинулся на улицу, рассчитывая связаться с майором по дороге.

Однако набрав сообщенный Тыртышным номер раз восемнадцать, слышал я все тот же ответ.

В раздражении набрал 02.

— Дежурный слушает.

— Мне... Мне майора Тыртышного... Срочно!

— А кто его спрашивает?

— Это его информатор, — соврал я.

— К сожалению, Виль Владимирович с сегодняшнего дня в отпуске. Может, с нами потолкуете?..

Я отключился.

Не зная, что делать дальше, не желая выпендриваться перед самим собой или идти на службу, пошел я к автобусной остановке и встал зачем-то в хвост очереди. В хвосте, от отчаяния, плюнув на бунт и мысли о нем, решился-таки на крайность. Уговорил себя еще раз продаться Рогволденку. С потрохами! Решил продать ему саму темку и на эту темку повесть или эпопею для него написать. И тогда — гуляй, эфир, по белу свету!

«В последний раз продамся, — уговаривал я себя. — Только разок еще! Пусть эта тварь перед камерами премиальными поизворачивается, поотвечает невпопад на вопросы. Все равно главного про эфир я ему не скажу, а сам он не допрет, не уцепит. А я… Как владеющий тайной рукописи, а значит, владеющий кобылятьевской душой, я исподтишка и в охотку понаслаждаюсь. Чем? Да хотя бы тем, что…»

Как обкуренный, стал я блуждать взглядом по людским лицам, уныло-весело-уныло бликующим на остановке.

Хвост очереди слабо волновался. Люди ждали автобус давно.

В самом углу автобусного загончика, вжавшись в новенькую стенку из оргстекла, читал газету какой-то мужик. Он читал газету так, что ни лица его, на макушки, ни даже волосочка…

«Рыжий! Из экспресса!» — взвизгнул я про себя, и вся дальнейшая история приобрела другой оборот: соблазнительный, невероятный! Потому что ни для самого себя, ни для Рогволда Кобылятьева я бы не решился написать то, что будет изложено ниже.

Подошел автобус. Я сделал вид, что сажусь. Рыжий, теперь уже только наполовину прикрытый газетой, выступил из тупичка…

Тут я с ним как следует и познакомился.

То есть я сперва оттащил Рыжего подальше от остановки и враз — откуда только силы взялись — схватив за грудки, прижал к стене.

— Савва тебя послал? — зашипел я ему в подбородок. — А может, Рогволденок?!

— Какой Савва? Какой Вогвол…

Я придавил рыжего сильней.

— А ты знаешь, что у меня майор полиции здесь в друганах? Тыртышный ему фамилия. — Я на всякий случай назвал фамилию подлинную. — Мы с ним тебя вмиг расколем! Говори! Для кого шпионишь?

— Пустите, больно же-э-э, — неожиданно заблеял Рыжий. — Я ничего такого… Я товговый агент… Ну ховошо, товговый шпион я. И что? Тут у них эфив в… в… в вазливе… А может, веселящий газ. Пустите! Я честный человек, а что шпионю — так за конкувентами глаз да глаз нужен!

Рыжий обиженно, но и гордо тряхнул головой. Волосы его при этом чуть съехали на сторону. Стало ясно: торговый шпион нацепил парик.

Это разочаровало, а потом рассмешило. Я-то уж было представил Рыжего агентом ФСБ или даже организации похуже. А он всего-навсего…

— Так ты не за мной в экспрессе… Ну в поезде — не за мной следил?

— Очень надо.

Тут — осенило:

— Так я тебе, пожалуй, помогу эфиром разжиться. Только — услуга за услугу. Идем в гостиницу, там скажу!

В гостиничном номере я, не говоря ни слова, вкол Рыжему (он опять нацепил парик) в лацкан пиджака работающий жучок-маячок и показал ему небольшой экран-телефон со спецсигналом.

— Скажи что-нибудь, — предложил я ласково и отошел с телефоном в сторону.

— Да идите вы…

Тут же на экране спецмобильника отразился нехитрый текст, секунду спустя проклюнулся и звук.

— Ого! — заинтересовался Рыжий. — Это что ж? Можно кому-то нужному такую штуковину впендювить?

— А то. Вот тебе второй жучок-маячок. Впендюривай кому хочешь, но только из «Ромэфира».

— Уж я знаю кому!

— Значит, договорились? Ты тут в Романове и за мной приглядишь, и других послушаешь. Только ты жучок ни на минуту не выключай. Мало ли чего. А за это для твоей фирмы... Как она, кстати, называется?

— «Мив эфива»! — исполненным величия жестом представил фирму Рыжий.

— А за это ровно через две недели обещаю достать для твоей фирмы баллончик с новейшим средством: с парфюмерным эфиром. Идет? — честно и дружелюбно глянул я в глаза Рыжему.

То, что я в глазах его увидел, не воодушевило.

Ему, как и мне смертельно надоела и московская, и романовская жизнь.

Он, как и я, хотел сменить обстановку, «сбросить» тему, обмахнуть с кончиков губ пыльцу примелькавшихся персонажей, отшвырнуть привычные способы шпионско-промышленной обработки жизни!

— Идет, — после паузы ответил Рыжий.

И тогда я вколол другой жучок-маячок себе в трусы. А Рыжему еще раз бегло объяснил, как Саввиной спецтехникой пользоваться.

Рыжий ушел, пообещав пробыть в Романове ровно две недели.

Забегая вперед, скажу: Рыжий оказался толковым малым. И агентом — хоть в МОССАД!..

Но жучки-маячки решили только полдела. Оставалось мое собственное нутро, с которым в непривычной обстановке справиться я никак не мог.

Идя в «Ромэфир», я еще раз объяснил самому себе, кто я есть и зачем здесь обретаюсь.

Получалось нескладно: приехал в Царево-Романов, чтобы начать самостоятельную работу, изменить житье-бытье. А сам только и делаю, что цепляюсь за старое, приукрашиваю жизнь и ее заглаживаю. Хотел бунта, а пекусь лишь о том, чтобы не загреметь в полицию. Даже не смог горделиво соврать Тыртышному про Болотную площадь: мол, я там был, мед-пиво пил, по усам текло и все такое прочее…

Но ведь я не заглаживатель житьишка! Я распространитель сладкого соблазна! И соблазн этот называется просто: рассказать мир, как историю. И таким образом мир вторично овеществить!

Мир ведь, как ветер. Не поймаешь дуновение вовремя — пиши пропало!

Тут размышления пришлось прервать.

В «Ромэфир» влетела асимметричная Леля:

— Женчик-птенчик ждет тебя у второй лестницы. Только не вздумай, прохвост, выкинуть позавчерашний фортель!

Часть II

ЛОВЛЯ ВЕТРА

ТРИФОН

Левая сторона Волги — Борисоглебская — в тумане. Правая, Романовская, освещена солнцем. Сизая туча зависла над рекой. Но туча небольшая, она скоро уйдет.

Двое — женщина и мужчина — бегут дворами и уступчатыми лесенками вниз, к реке. Осень, листва, золотые пустотинки… И сладковатый запах прели: словно разломили гигантскую раковину, раскрылись створки перламутровой гнили, и порхнул из створок пьянящий, порочный, но и нежно ласкающий, миазматический дух.

Вдруг откуда-то сбоку истошный крик:

— Убё-ё-о-гли!

Слабое «ё-о-о-о» сносит эхом к воде.

Женщина и мужчина меняют направление движения. Не взбираясь на ближайшую из лесенок, они прямо с обрыва по кочкам, по траве кубарем скатываются к воде.

Суетясь, ищут лодку. Лодки нет.

Вдруг из-за длинного высокого причала выскакивает дюралька с навесным мотором. Ручку допотопного мотора с надписью «Вихрь» держит человек в армейском ватнике. Человек улыбается в редкую — по моде последних лет наполовину выщипанную — бородку.

Лодка утыкается носом в песок. Туча сползает на юг. Выходит солнце. В бороде у лодочника вспыхивает с десяток солнечных капель.

Человек в лодке — Трифон. Трифон Петрович Усынин, известный романовский ученый, доктор наук.

Трифон щурится на солнце и еще с лодки кричит:

— Так и нырнул бы! Прямо в одежде! Да уж ладно… Ну хоть бороду побрызгаю. — Он с наслаждением набирает алюминиевым черпачком воду, льет ее, брызгаясь, себе на голову.

—У-фф! Залезайте, поехали!

Женщина взбирается первой.

— Ой, я, кажется, подол намочила. Видели, Трифон Петрович, как они за нами кинулись? А это наш новый сотрудник: его зовут…

— Знаю, знаю!

Через пять минут на другой стороне Волги, загнав моторку меж двух таких же дюралек, Трифон говорит:

— Ты, птенчик, валяй к зондам. Валяй, валяй с миром… А мы на метеостанцию. По дороге и потолкуем. А ты, Женчик, на станцию потом возвращайся, перекусим.

Женчик-птенчик согласно кивает.

Двое мужчин направляются к метеостанции.

Станция — полузаброшенный пионерский лагерь. Всего-то — двухэтажный корпус и три-четыре развалившиеся беседки по краям. Постройки стоят на окраине города, в глухом, удаленном от шума и гама месте. Обсажены кряжистыми ивами. Заросли бурьяна — по самые окна.

Метрах в шестистах от станции, прямо на маковке невысокого волжского холма — еще один, двухэтажный новый домик. Рядом размером с крону десятилетней яблони — зонд. Выкрашен в царственный пурпурный цвет. Зонд едва заметно подрагивает от ветра. Тут же вкопаны длинные столбы с металлическими подносами на верхушках. Есть еще какая-то диковинная бетонная тренога высотой метра в четыре, с продолговатым ящиком, укрепленным на ней.

«Подносы» смахивают на кормушки для гигантских птиц. Ящик зеленый на треноге — точь-в-точь как для армейского оружия: для карабинов, а может, и для переносных зенитно-ракетных комплексов «Игла».

— …про эфир вам тут уже всякого, наверно, наплели, — слышится ясней и ясней голос Трифона. — Так я толочь воду в ступе не буду. Никаких экскурсов в историю! Просто вы должны усвоить: эфирный ветер в миллион раз сильней, продуктивней и, к сожалению, опасней ветра обычного.

— Все это я понимаю плохо. Я чайник, лох. Короче, не из вашей оперы!

— Знаю, знаю… Так вот. Ветер эфира идет не рывками, не волнами, — он перемещается странным манером и с неслыханной скоростью. Он — там, а потом сразу — здесь! Но при этом эфирный ветер умудряется оставаться вязким газом. Только запомните! Эфир — это сущность и состояние мировой материи, а не какой-то пар и туман. В общем, эфир — quinta essentia! Пятая сущность. Так когда-то называли эфир греки. А эфирный ветер — результат мирового, всюду сущего эфира… Греческим Богом — я имею в виду, конечно, Бога тайного, а не всяких там витринных властителей — был Бог-Эфир, Бог-Апейрон…

— Да ну?

— В христианстве тоже есть упоминания об эфире. Но сам эфир, как и сам Господь Бог, в руки никак не дается. Так что, кроме как за эфирный ветер, — нам и зацепиться пока не за что.

— Так чего и цепляться?

— Есть чего! И, как раз в связи с вашим дурацким вопросом, сообщаю последнюю новость: все, что происходит вокруг нас, — чушь и пустота! Видимость и тлен! Потому что в мире нет ничего, кроме вихрей…

В штанах нежно бурлит мобильник. Трифон с досадой его отключает, потом смеется.

— Улетел наш с вами эфир! И разговоры о нем тоже. Ладно. Теория — потом. Сейчас — практика…

В полузаброшенном с виду доме все оборудовано и устроено по высшему разряду. Сразу ясно: дом умышленно закамуфлирован под разрушенный, чтоб никто не позарился.

В комнате, выходящей окнами на холм, прибрано, светло. Кроме компьютеров на стене — огромная старинная, со зверушками и диковинными человеческими фигурками, карта звездного неба, северного его полушария.

Особо — разными цветами — выделено Созвездие Льва.

— Все, что надо, вам объяснит Женчик. У меня просто времени нет. И вообще: я скоро могу отсюда улетучиться…

Трифон закуривает. Дым от сигары — плотный, едкий. Приходится сразу же проветривать.

Помолчав, Усынин говорит:

— Я, знаете ли, бросил курить. Но сигарами иногда балуюсь. Так вот. Проект наш мне очень, очень дорог. А ваше личное в нем участие может оказаться бесценным.

Приезжий москвич делает удивленное лицо. Трифон это замечает и, гася сигару, чуть более нервно продолжает:

— Да, бесценным! Людей мало, каждый на счету. Поэтому все политбеседы проведут с вами другие. А я спрошу вас вот о чем. Вы когда-нибудь имели сверхчувственный опыт?

— Какой-какой?

— Сверхчувственный. Вижу, что нет. Тогда — опять к практике. Как у вас в смысле находок? Деньги, ну хотя бы монеты десятирублевые, часто находите?

— Вообще не нахожу.

— А нужную страницу в книге с какого разу открываете?

— Мне книги читать ни к чему. Я, знаете ли, сам их пишу.

— Это жаль. Я вот, к примеру, из волн эфирного ветра научился вылавливать разные полезные образы. Причем — в редких, правда, случаях — образы эти достаточно плотные. Не какой-то мечтательный морок! То ветер вербочку иерусалимскую занесет, то с кладбища уральского, играя, табличку закинет...

Трифон встает, разминает ноги, потом руки.

В движении его кряжистость превращается в атлетизм, а ширина плеч навевает мысли о добром и скором окончании всех дел. Устремляясь вместе с телом вперед, кругло-простоватое лицо делается по-настоящему пытливым. Длинноватый и немного смешной, с кончиком в виде крохотного прямоугольничка, нос говорит не о праздном любопытстве, а о том, что нос этот можно воткнуть, как штекер, в любой разъем.

Борода Трифонова не похожа на запущенные бороды ученых из фильмов. Она умело подстрижена, облепляет лицо с изящной небрежностью, и, словно у дикаря, доходит до внешних уголков глаз.

— Вы учтите: если переуставить глаз, можно научиться видеть не только образы и предметы — даже сам эфирный ветер. Эфирный ветер — сродни сну! Но сну особому: двигательно-моторному. Такие сны — с моментальным, но хорошо осязаемым забросом в неизведанные места, с легким полетом и тяжелым, драматическим возвращением — посылались, наверное, каждому. Вам, думаю, тоже. И хотя природа снов не разгадана — непредсказуемостью движений они во многом подобны эфирному ветру... А уж чего только в этих — подобных снам — эфирных потоках не проносится! Однажды целый город пролетел. Пролетел, знаете, и рассыпался. Но затеси после себя оставил. Вот, гляньте.

Трифон сбрасывает пиджак, закатывает рукав выше локтя и показывает правую руку. На плече тремя вспухшими кровавыми рубцами, сантиметров по десять каждый, горит знак или символ, отдаленно напоминающий греческую «альфу».

— Вы... Вам же в больницу надо!

— Я тоже сначала так думал. Лечить, бинтовать... Но рубцы эти сильно нам пригодились. Они, словно кости у ревматика! Приближение особо мощных эфирных вихрей лучше любых приборов чувствуют. Только это не все...

Трифон лезет в стол, вынимает обломок дерева.

— А это, прошу любить и жаловать, обломок старинного корабля. Да что там корабля — ковчега! Да-да. Я возил в Москву, и там возраст обломка определили быстро: 6000 лет. Как раз — время потопа. А вот еще...

Усынин вынимает из стола, подбрасывает на ладони и подает приезжему небольшую статуэтку.

Статуэтка блескучая, наилегчайшая, выплавлена из синеватого металла и по виду напоминает голого с головой собачьей человека. Область паха прикрывает чуть бугрящаяся металлическая повязка, и поэтому окончательно понять, мужчину или женщину изображает статуэтка, невозможно.

Приезжий пожимает плечами. Трифон встряхивает головой.

— Но это все ранние и случайные находки. Когда стали заниматься небесной археологией вплотную… А не только горная и равнинная археология существует. Есть и небесная! Во всяком случае, я ее так для рабочих нужд прозвал… Так вот, когда занялись небесной археологией вплотную, когда сумели запустить один из вихрей эфира в заданном направлении — а только один слабенький вихорек подманить и сумели — вдруг из него выпала и по земле побежала… Вы думаете кто?

— Овца-ца-ца-ца! — без раздумий выцокивает языком приезжий.

— Дались вам всем эти овцы! Никак без шуб романовских обойтись не можете. Не овца! Выпала и по земле побежала — сгущенная струя эфира. Как расплавленная платина, с розовым отсветом она была! Как черт знает что!.. Побежала и ушла в Волгу! Это и была quinta essentia, пятая сущность. Такая, какой ее греки и латиняне представляли, даже круче…

Трифона внезапно начинает ломать и корчить. Лицо его напрягается, темнеет. Приезжему даже кажется: сейчас рассказчика вывернет наизнанку и он по-старинному широко и криво, как деревенская баба, зарыдает.

— Я, видно, и вправду не совсем здоров. Но об этом позже. Идемте на замеры, на маковку. Леля давно там. Женчик, наверное, тоже…

От слова «дуть» произошло великое — Дух.

От Духа и его дуновений родилось в мире все остальное.

Дух веял, где хотел, но при этом не забывал для веселья тихонько поддувать в музыкальные инструменты.

Дух дул в космическую дуду. Дух играл и пел. А не только ваял, поучал и брюзжал.

От такого дуновения заводился всемирный пляс: пляс Галактик.

Музыка пляса была поразительной! Она кружилась, взлетала и падала, была вроде беспорядочной, хаотичной. Но не хаос, а новая ткань мирового мелоса, творящая за звездой звезду, за жизнью жизнь, вызревала в этой музыке духа!

Фигуры в пляске — а среди пляшущих планет и созвездий просматривались не только ангельские, но и человечьи, и птичьи, и звериные фигурки: барашки с младенческими головами, ослицы, выцокивающие копытцами задних лап, как те дамы каблуками, бородатые козлы в профессорских, наглухо застегнутых костюмах, лошади, танцующие вальс и регги, — фигуры в пляске менялись, а вот дудки Духа, те продолжали едва зримо висеть в воздухе, на своих, навсегда им определенных, местах.

Дудки были разными.

От нежно плюющих в синеву небесных тромбонов до сдавленных страстью фаготов, от мягких лесных рогов до пронзительных корнет-а-пистонов. Прикладываясь по очереди к инструментам духа — пролетавшие фигурки созвездий испытывали, как видно, неслыханное наслаждение: отдудев, они кувыркались и скатывались с небесных косогоров колбасой, а потом, наполнившись в движениях новой энергией, стремглав исчезали...

Вдруг фигурки созвездий и планет ушли полностью. Космический пляс кончился. Все уменьшилось, приобрело человеческие измерения.

И тогда вышел на приволжскую горку дурак.

Дурак был голый, но в колпаке с бубенчиками и притом с влепленным косо в область паха червовым тузом. Дурак поднес к губам инструмент, называемый аморшаль: медную валторну с клапанами.

Дурак заиграл, и музыка его оказалась отнюдь не дурацкой.

Тут же высыпали на поляну перед горкой десятки умных узкобородых старцев, стали, приплясывая, ходить, стали качать головами. Потом, как те запорожцы, пошли вприсядку. А после, как воронежцы и тамбовцы, заплясали «барыню». При этом все показывали на дурака пальцем, восхищаясь им, кричали:

— Господин Аморшаль, господин Аморшаль! Только твоей дурацкой дудки нам тут и не хватало!

Один умный по ходу пляски даже просверлил себе буравчиком дырку в голове. Чтоб мозг лишний вытек. Чтоб можно было, подобно дураку, радоваться уханью аморшаля и диковатому танцу планет.

Но мозг не вытек. Может, и вытекать было нечему.

А дурак, чтобы добавить музыке красоты тембров, полез рукой в раструб валторны-аморшаля. И сперва музыка в раструбе под его рукой завизжала и захрюкала, как свинья, сжимаемая за нежное место, а потом — ничего: выправилась, зазвучала чище, лучше!

И полетела пляска шире, музыка духа зачастила быстрей!

Как та труба архангела, — но не пугающая, а слегка шутовская, только для минут пляски и предназначенная, — продолжала звучать блескучая эта валторна.

Под ее звуки сам Дух стал принимать форму музыкального ствола, с наверченным вокруг диким хмелем планет и созвездий.

А затем Дух стал обретать смысл единого эфиро-звукового потока...

Тут дурак свой аморшаль отложил и запел спертым голосом:

— Зеленое ты мое виноградье...

Глупое и дурацкое становилось умным, нужным! Поэтому господин Аморшаль луженную свою глотку прочистил и продолжил:

— Когда вострубят трубы — встанет столпом травяная земля. И каждый дурак станет виден насквозь. И любой человек будет, как текучее стекло. А дух земли — тот очистится и осветлится, и направит свою струю от Волги строго вверх, к созвездию Льва...

Здесь дурак внезапно смолк, а вихри эфира продолжили соединяться с Духом Вселенной и Духом Музыки.

АЭРОСТАТ, СЕЛИМЧИК И ВСЕ ТАКОЕ

Доведя приезжего москвича до метеорологического домика, обставленного с четырех сторон столбами, Трифон куда-то исчезает.

Леля встречает приезжего нежными колкостями.

Женчик просит Лелю быть повежливей.

Приезжий лопочет что-то по поводу волжской воды и летучих парфюмов. В общем, бодяга.

Поработав в новеньком домике на холме, все трое спускаются вниз, в полуразрушенный с виду особняк. Во втором этаже, с окнами, повернутыми к лесу — а не к Волге, как хотелось бы москвичу, — его снова усаживают за стол, дают толстую тетрадь: смотри, сличай, записывай. Скорость, ее уменьшение, особые замечания и прочую иную статистику.

Леля и Женчик-птенчик то уходят, то возвращаются: бумаги, чай, зеркальца. Помада, бумаги, опять помада...

Однако здесь нетерпеливо-трепетное ожидание конца рабочего дня, всюду в России к 18 часам густеющее, как облако дождя над сухими полями рабства и принудиловки, облако с каждой минутой все сильней наливающееся, где неизбывной тоской, где ожиданием чуда — вдруг рассеивается Трифоном.

Трифон входит, громко стукнув дверью. В руке — молоток.

— Кто... с... стекло? — захлебнувшись слюной в середине фразы, — стекло кто разбил? — кричит Трифон.

Можно не спрашивать. Никто ничего не знает.

Женчик «листает» компьютер. Леля румянит щеки. Приезжий москвич силится понять, чем бы заняться дальше.

Оценив равнодушие, Трифон устало бухается в кресло.

— Что-то пропало? — без особого беспокойства спрашивает приезжий москвич.

— Пару зеркал из интерферометра сперли. Интерферометр не главный, не лазерный, но важный, нужный... Видно, опять «эфирозависимые» к нам повадились!

— Как же они у вас в эфирную зависимость попали?

Тут Леля и Женчик мордашки свои хорошенькие опускают. Обе разом. Как балованные кошечки в сметану. Кротко опускают и ласково. Трифон же, перед тем как ответить приезжему, почесывает бороду у самых глаз, долго кашляет.

145

— Здесь все виноваты. И в первую очередь, я сам. Мы ведь поиск эфирного ветра ведем в трех средах: в воздухе, в воде и в самом человеке. Под воду спускаемся в скафандрах. Там укрепляем приборы, их перенастраиваем, караулим, чтоб течением не унесло. А потом, на земле, делаем расшифровку записей. Теперь — воздух. Тут поднимаем интерферометры — и еще один прибор новейший, его называть не буду, — на аэростатах. Хотя нам, конечно, — и об этом кому надо тысячу раз говорено — самолет-разведчик с лабораторией на борту нужен... Теперь про человека. В самом человеке эфир исследовать — это уже наша, российская, точней романовская идея...

Трифон встает, глаза его загораются хищным желтоватым огнем.

— Вам гастроскопию делали? Ну зонд с телевизором в желудок опускали?

Приезжий утвердительно кивает.

— Ну тогда быстро сообразите. Такой же зонд, только с особой системой зеркал, мы одно время спускали в желудок добровольцам. Внутри у них измеряли скорость эфирного ветра. На первый взгляд ересь. Но результаты — поразительные! Как показали замеры, внутри у человека эфирный ветер резко угасает. Скорость его там — не 11,29 километров в секунду, как в ионосфере, не 3,04 километра в секунду, и не 200 метров, как у самой земли. А каких-то жалких 6 метров в секунду! При этом характеристики эфира внутри у человека тоже меняются. Почему — непонятно. Вот мы и решили... Кх-х-м...

Теперь на ноги вскакивает приезжий.

— Так вы меня решили эфиром продуть?

— Тёма! Можно я буду называть вас Тёма? Вы и похожи страшно…Только без собачки Жучки. И длинноваты для Тёмы малость. Но зато любопытны, как мальчик. Даже прядка от любопытства у вас приподнялась на затылке… «Тёма без Жучки», а? Похоже?

— Он на ежика похож! — кричат почти разом Леля и Женчик, — особенно со спины, — добавляет Женчик.

— Пусть Ёжик. Все-таки лучше, чем дикобраз. Но тогда — через два «ж». Ёжик, а внутри у него — ЖЖ. Живой журнал, я имею в виду…

Трифон улыбается, жужжит, втыкает себе в голову воображаемые иголки. Потом вдруг становится серьезней.

— Так вот, Ёж-жик. У вас другая задача будет. Мы в драгоценное ваше нутро не то что гастроскописту с эфиром — ни одной вредной эмоции влезть не позволим! Вас ждут высшие достижения науки и фейерверки чувств… — Трифон опять смеется, потом, скорчив серьезную мину, наводит палец пистолетом на окна, а после на приезжего москвича: — Так что — к аэростату! На старт, внимание, арш!

* * *

Селим Симсимыч подзадержался в Европах. А именно: во Франкфурте-на-Майне задержался он на некоторое время.

Хотел сразу в Америку — и приглашение лежало в кармане, и американцы визу, хоть с неохотой, но открыли. Однако отложенный рейс позволял на несколько дней задержаться. А тут нежданно-негаданно — какой-то немец, в кафе «Одиссей», во франкфуртском пригороде, на Веберштрассе.

Немец как немец: церемонный, аккуратный, лет пятидесяти и неулыбчивый. Но по-русски лопотал сносно.

Разговорились. Селим Симсимыч рассказал про бухгалтера Дросселя. Немцу такая фамилия была издавна знакома.

И пошло-поехало. Случайный знакомый благосклонно обещал поискать инвестора для российской науки, просил только господина Селима задержаться на денек-другой.

Тот и задержался. Сперва на пару деньков. А потом пробыл целую неделю.

В эту неделю Селим Симсимыч сумел-таки заняться настоящим делом! Аккуратный немец нашел и безвозмездно предоставил в распоряжение русского организатора науки копии бумаг того самого профессора Миллера, который вместе с американцами Морли и Майкельсоном когда-то начинал «эфирное дело».

Селимчик засел за бумаги. Помогала ловкая переводчица. Переводчица была мила и обстоятельна. Она водила пальчиком по коже Селима и сразу отыскивала на его теле эрогенные зоны, а в тексте нужные места.

Тут — открылось! Многие достижения профессора Миллера — в определении скорости эфирного ветра и некоторые другие важнейшие характеристики — были кем-то намеренно искажены, а в некоторой своей части даже уничтожены.

Сочный бухарский еврей и русский патриот Селим Семеныч срочно перелетел из Франкфурта в Ляйпциг.

Там тоже кое-что было найдено. С помощью все того же немца, оказавшегося выходцем из России, и нежно-обстоятельной переводчицы Ульрики Штросс отыскались куски, не вошедшие в опубликованную папашей Миллером в 1933 году итоговую статью.

Из ляйпцигских бумаг проглянуло нечто новое: оказалось, чудный немец пошел дальше своих американских коллег!

Получив новые данные и неопубликованные куски из статьи чу́дного немца, Селимчик понял: домой он вернется, может, и без денег, но отнюдь не с пустыми руками.

* * *

Под аэростатом тихо гудит пламя. Его струи бьют из всех четырех горелок вертикально вверх. Солнце — спряталось. Погода серенькая, как перед ненастьем. Но в общем сносная. Начинается подъем.

На стыло-коричневую, грустновато веселую Волгу смотреть одно удовольствие. За вычетом криков Трифона, все идет великолепно.

Трифон в воздухе преображается. Некоторая изнеженность и периодические приступы лени мигом его покидают. Он выбрасывает за борт вонючую сигару и продолжает орать во всю глотку.

Впрочем, по временам замолкает и Трифон. Но потом снова резко вскрикивает, толкает приезжего москвича локтем в бок, просит быть повнимательней.

— Смотрите на шкалу! Сюда, сюда, Ёж-жик! — тыкает приезжего носом в приборы Трифон. — Вы должны, вы обязаны хотя бы поверхностно оценить наши эксперименты! И затем — помочь нам.

— Чем я могу? Следите лучше… А то ветер… Мотает сильно. Грохнемся — костей не соберут!

— Аэростат, конечно, старенький… Но у нас с вами, если не откажетесь помочь, будет пять новейших аэростатов! Десять! Двадцать пять! И вы из корзины каждого сможете окрестными лесами любоваться!

— Бросьте говорить загадками!

— Когда спустимся, Коля вам кой-чего объяснит… Потом приедет Селимчик, и вы поймете все окончательно! Но сейчас — завтра, послезавтра, в течение двух-трех недель — я хочу, чтобы вы уяснили, какое великое дело — эфирный ветер! А уяснив, с легкой душой и совершенно сознательно помогли нам…

Аэростат тихо дрожит, покачивается, но никуда не летит. Как белая послушная овца, висит он на привязи над лесами близ Волги.

Трифон, замолчав, припадает к интерферометру. Приезжий улыбается.

Вдруг откуда ни возьмись налетает ветер, погода окончательно портится. Длиннющий трос натягивается струной, а потом неожиданно лопается. Аэростат несет куда-то в сторону и вбок, он быстро снижается, его сносит дальше, дальше, к приречным лугам…

На краю луга аэростат цепляет корзиной одинокое дерево и мягко, как на видео, оседает куполом в землю.

— Денег на хороший трос и тех нет, — бережно открепляя дорогой интерферометр, урчит Трифон. — Слава богу, так все закончилось… А мог бы и вас, и себя запросто угрохать!

При посадке Трифон ушиб руку и теперь досадует, хандрит.

Приезжий не ушиб ничего и поэтому счастлив и весел. Лишь иногда удивленно вскидывает брови, про себя соображая: чем бы это таким он мог романовским ученым помочь?

НОЧЬЮ НА МЕТЕОСТАНЦИИ

— Тебе сегодня в ночь, — улыбается в седьмом часу приезжему москвичу, успевшему после падения аэростата умыться и причесаться, красавица Леля, — ночное дежурство тебе сегодня впаяли. Трифон распорядился.

— А ты? Ты со мной дежурить будешь?

— Мне, негодяй, за Волгу пора. Но ты не отчаивайся. Вечером приедет Ниточка, наша лаборантка. Ее специально сюда на моторке перевезут, часов в восемь. Может, она скрасит. Хотя с ней ты вряд ли повеселишься.

— Это почему еще?

— Задумчивая она стала...

Несоразмерная Леля, накинув плащ, уезжает. Приезжий ждет задумчивую Ниточку и от нечего делать снова листает Лелину «Справку».

А там — неожиданность! Там, не замеченная с первого разу, мелким почерком и на последней странице запись.

«Милые вы мои и ненаглядные!

Ну кто не знает, что все галактики нашей Вселенной вращаются вокруг одного центра!.. И что? — спросите вы. А то! Когда подсчитали общие массы галактик (а это и американские, и европейские, и наши расчеты), слишком легкими галактические массы оказались! По всем законам физики весь этот галактический хоровод должен был давно рассоединиться и к чертям собачьим разлететься. Но он не разлетается!

Тогда выдвинули теорию: во Вселенной существует "темная материя", которую нельзя увидеть и пощупать. Что это за "темная материя" — до конца не ясно. Зато стало ясно другое: она-то, "темная", все в мире на своих местах и удерживает! И еще про эту материю достоверно известно: масса ее составляет 90% массы всей нашей Вселенной!

Только мне вот что непонятно: почему эту материю "темной" назвали?

И тут я вас, дорогие мои, спрошу: не есть ли эта "темная материя" — наш с вами светлый, радостный и, вполне возможно, Божественный — эфир?!»

* * *

Эфирозависимые Вицула, Струп и Пикаш сумели проникнуть на метеостанцию лишь в полночь, когда ушел спать наружный охранник.

На Романовскую сторону они переправились еще на шестичасовом пароме. Податься им здесь было особо некуда, и они до самой ночи просто слонялись по окрестностям. Все трое устали и были обозлены донельзя.

Разбитое окно за прошедшие сутки так и не застеклили.

Вицула, Струп и Пикаш в окно это, чертыхаясь, влезли, стали на цырлах по запасной лестнице подниматься на второй этаж…

Медицинский кабинет был опечатан. Дежурного врача в этот час на метеостанции не было и быть, конечно, не могло. На первом этаже двое из внутренней охраны вяло кидали кости. Мелкий перестук костей был в пустых коридорах хорошо слышен…

Оператор Женя Дроздова и ее начальница Леля Ховалина давно уехали. В компьютерном зале дремала одна практикантка Ниточка.

Струп тихо пошел к дверям компьютерного зала.

Вицула вовремя поймал его за шкирку.

— Тебе бабы нужны или эфир?

— Б-б-бабы с... с эфиром...

— Хватит базлать! А то гастроскопию делать не буду.

— Да ты, Вицула, поди все перезабыл! Сколько годков прошло, как тебя из медицинского турнули?

— Восемь прошло. Только не забыл я... Вам зонды введу как надо. А вот себе... Черт... Себе, себе! Вы же, придурки, меня угробить можете!

— Тогда жди доктора настоящего.

— Не могу, ломаст... Хочу, чтобы сквозь меня сию же минуту эфир пролетел!

— Че? Брось! Какой эфир? Никакого эфира нету. Одно внушение. Я ничего почти и не чувствую... Так, за компанию с вами сюда приполз. И у меня — прикинь, Вицула, — четыре бутылочки в кармане...

— Чего ж ты раньше молчал, урка долбанный?

— Календула, Пикаш?

— Она, родимая.

— Так может и не надо гастроскопии? Телескопа этого — не надо?

— А вот сейчас решим...

Звук трех ловко отколупнутых пластмассовых пробочек подряд. Три страстных глотка в темноте. Три выдоха с шумом, со свистом.

— Еще есть?

— Одна только.

— Давай! Для души настой ноготков — лучше любого эфира.

— Верно, Вицула! Теперь точно вижу: ты медик, а не педик... Эй, Струп, ты че?

Тихий удар чем-то пустым и объемным. Скорей всего, хмельной башкой о стену. Легкий звон бетона. Урчание нутра,吃吃булыканье в горле.

— Очнись, падла, ну! Чего это с ним, Вицула?

— Голодный обморок. Тащи за угол, в подсобку. Я ему одну штуку в нос вдую...

* * *

Лаборантка Нина (все звали ее Нитка, Ниточка, и только засушенный австрияк Дроссель — Нинорка) замкнулась в себе, после того как ее бросил и в город Питер навсегда свалил поклонник-одноклассник. Случилось это давным-давно, два года назад, и пора было одноклассника забыть!

Поначалу Ниточка забывать и стала. Но забывала как-то медленно, с остановками, с длительными заплывами в прошлое. За два года она так вошла в роль покинутой и одинокой, что и выходить из этой роли никакого резону уже не было.

Однако тоненькая в талии, хрупкая в плечах, но когда надо и неуступчивая, даже колкая, в разговоре всегда вопросительно поднимавшая милое личико с толстыми детскими губами и вытянутыми в нитку бровками — Ниточка имела свойство в серьезные минуты принимать правильные решения.

Нынешним вечером Ниточка как-то встряхнулась и приободрилась. При этом серо-зеленые и слегка удлиненные глаза ее, с «рыбьими хвостиками» в уголках — китайцы называют их «глазами феникса» — засияли новым, отнюдь не рассеянным, а веселым и плотным блеском.

Приезжий москвич в девять вечера заглянул к Ниточке в компьютерный зал и представился. Сказал:

— Будут вопросы по теме — я через дверь.

Ниточка задремала. Глубокой ночью ее разбудил стылый бетонный звон. Потом послышался хруст раздавленной пробирки.

«В медицинском? Конечно! Где ж еще…»

Ниточка крадучись пошла к отворенной двери.

По коридору ей навстречу ступал на цыпочках приезжий москвич. В полутьме — чуть не стукнулись лбами.

Ниточка тихонько в смех:

— Вы не в ту сторону… Это в медицинском, за поворотом…

— Может, охрану?

— Ой, только не этих. Сегодня Педя-Гредя на страже. Пара — неразлейвода. Болваны еще те. Подымут шум, полицию вызовут, нас с вами допрашивать станут.

— Так, может, нам самим полицию вызвать?

— Зачем это? Я и так знаю, кто тут… Эфирозависимые пожаловали…

— Женчик говорила — страшные они люди.

— Женчик сама у нас… Ну, в общем, слишком она впечатлительная. Думает: пьяный — значит дрянной. И что тихо пьяных, что запойных — на дух не переносит. А они ведь не все дрянные…

— А вы, значит, переносите?

— Не то чтобы переношу, но худо-бедно понимаю. Сама одно время употребляла.

— Не боитесь случайному человеку — такие подробности?

— А чего вас бояться? Приехали-уехали… А мы тут навсегда. Да и романовское бесстрашие наше не убить. И тоску нашу не развеять. А если сложить все вместе — бесстрашие, терпение, тоску, — то дают они в итоге какое-то странное, радостно-печальное чувство. В общем, царствует тут у нас «романовская грусть». Идемте к ним. Да не робейте! В обиду не дам…

* * *

Застигнутые врасплох эфирозависимые — пригорюнились.

Нинка-Ниточка была своя: вместе пили когда-то. И эфир парфюмерный Нинка нюхала. Правда, всего один раз. Сразу бросила. Но зла на нее за то, что стала теперь чистенькая и умытая, — не было. Другое дело приезжий. Ему по шее накостылять — милое дело… Правда, если шевельнуть мозгой, — зачем приезжего бить? Можно подоить слегка.

Пошушукавшись, Вицула с Пикашом решили:

— Вы охрану сюда не вмешиваете и нас отпускаете. Мы тихо линяем. И Струпа с собой уносим. Ты, Нинка, не думай! Он живой. Просто календула ему в мозг шибанула.

— Знаю, бывает.

— Анафилактический шок это, — расправил плечи Вицула. — А только пускай за мир и дружбу москвичек нам пару сотен отслюнявит.

Приезжий тут же помахал в воздухе пятисоткой.

Сидевший на корточках Пикаш, почти не разгибая коленей, подпрыгнул, поймал пятисотку губами, и они с Вицулой неловко, но без особого шума поволокли обморочного Струпа по ступенькам к черному ходу.

— Весь сон из-за паразитов этих пропал.

— Мне тоже спать перехотелось.

— Так, может, виртуального эфиру глотнем? В смысле, я могу показать вам на компьютере то, чего вы точно знать не можете. И расскажу кое-что... Ну, к примеру, про «космическую погоду» или про «страшную радиацию». Мы ведь здесь по договору с ИЗМИРАН в первую очередь «космической погодой» должны заниматься. У нас и подвал, залитый свинцом, есть... Но от «страшной радиации» и свинец не спасает.

— Страшные сказки на ночь — мое любимое развлечение, Ниточка.

— Какие сказки, коллега...

* * *

«Се ветры, Стрибожьи внуци, веют с моря стрелами...»
Издревле ветры прозывались внуками Господними.

И неважно, имелись в виду ветры наши — видимые, чуемые, или ветры эфира — слабо ощутимые, неосязаемые. Все ветры, все вихри — внуки Господни. Так было всегда. Так — теперь...

Но кое-что ветры обычные и ветры эфирные разнило: эфирные, долгими тысячелетиями летевшие над Волгой, в отличие от ветров обычных, на круги своя не возвращались: основным потоком уходили глубоко в землю.

Кроме того, вихри и ветры эфира в самом своем строе, в своей скорости и своем значении несли нечто превышавшее человеческие мысли о веществе и составе жизни, о существовании и сверхсуществовании.

Но то ветры эфира! А что же наши: привычные, атмосферные, на Бофортовой шкале по силе воздействия точно распределенные? А вот что.

Не только стрелы и завывания несут Стрибожьи внуки: несут радость, нежный трепет и предчувствие жизненных перемен.

Скоро, скоро налягут на волжские обрывы плечиком-плечом, а потом и всем ветровым телом Погодица и Похвист!

И Погодица принесет метели со снежными бурями.

А Похвист свистнет по-богатырски, и свист этот перевернет кверху дном множество стоящих на приколе лодок-дюралек, выдернет с хрустом недостроенные причалы, толстенные провода на заглохших электростанциях пооборвет.

Но как ни высвистывал Похвист, как ни прижималась Погодица к окнам домов, как ни обнажалась, ни доводила до нервных всхлипов, до озноба и гусиной кожи тех, кто приход ее чувствовал, — не эти действия ветров, не их нежность и радость, а печаль о чем-то недостижимом разливалась в городе Романове в те осенние ночи.

Печаль рождала голос. Голос рождал заговоры-заклинания.

И тогда слышались, как сквозь сон, чьи-то неясные бормотанья:

«Встану я и пойду в чисто поле на восточную сторону.

А навстречу мне семь Ветров буйных.

— Откуда вы, семь Ветров буйных, идете? Куда вы теперь пошли?

— Пошли мы в чистые поля, в широкие раздолья, сушить травы скошенные, леса порубленные, земли вспаханные.

— Подите вы, семь Ветров буйных, соберите тоски тоскучей со всего света белого, понесите к красной девице в ретивое сердце; просеките булатным топором ее ретивое сердце, посадите в него тоску тоскучую, сухоту сухоточную...»

ПРИЯЗНЬ, ЕЕ ПЕРВЫЕ ПРИЗНАКИ

Усынин Трифон Петрович ученость свою демонстрировать не любил. Но и он взорвался, когда засушенный австрияк Дроссель попенял ему на отсутствие явных научных результатов.

— Отсутствие всякой научной перспективы, — скрипел Сухо-Дроссель, — подрывает наши финансовые возможности. Никакого же, ёксель моксель, маневра! Возьмите «Роскосмос». Возьмите ИЗМИРАН, коллег наших умных из Троицка... Огромные деньжищи огребли, да еще и по мелочам, ёксель-моксель, ежеквартально получают! А нам, как пасынкам, — крохи да объедки.

В разговор вмешался директор Коля.

Он заявил о несвоевременности внутренних «наездов» и разборок.

Трифон Петрович, в свой черед, поведал о невозможности работы со скупердяями и набитыми тырсой чучелами.

Величественно вступивший в комнату зам по науке Пенкрат — рослый, дородный, с отвисшим животом, но с истощенным лицом и почему-то в капюшоне — осудил критику Альберта Эйнштейна, с его классически ясной общей теорией относительности, но вместе с тем выказал понимание причин, по которым такая критика возникает.

И пошло-поехало.

Итог подвел австрияк Сухо-Дроссель:

— Я — в отпуск. А если Селимка денег не привезет — так и в отставку. Лучше карасей из Волги таскать, чем вас, остолопов, из финансовой пропасти выуживать.

Пенкрат в капюшоне высказался в том смысле, что — да: именно так Кузьме Кузьмичу давно поступить и пора.

Директор Коля Пенкрата строго призвал, но и тут же его по-человечески попросил. Призвал — к порядку, а попросил — заткнуться.

Совещание «Ромэфира» шло в обычных тонах строгой научной взыскательности и сердечного человеческого участия.

Здесь Усынин Трифон Петрович свою неожиданную речь и толкнул:

— Я это дело открыл, я его и закрою. Ну нет у меня больше сил! Идей тоже. Поэтому — ухожу. И не просто ухожу, а как один из учредителей «Ромэфира» завтра же поставлю вопрос о нашей с вами ликвидации.

Это было нелепо и возмутительно.

Дроссель Кузьма Кузьмич срочно отложил возможный отпуск.

Кузнечик Коля, подпрыгивая, побежал к окну, стал по-директорски осматривать величавую Волгу.

Трифон двинул к выходу.

И тут позвонил Селимчик! Тут позвонил истинный друг эфира и господин верного пути, надежда женщин и опора стариков — Селим Семенович!

Директор Коля включил громкую связь. Все услышали дальний, мгновенно ставший родным голос Селимчика.

Далекий Селим, радуясь, крикнул:

— Операцию «Наследник» можете начинать хоть сегодня! Хр-р-ры-х-х...

— Ты, Селим, из Америки говоришь, — заворковал директор Коля, — ты там бурбон насасываешь, икрой и авокадами давишься. А мы тут...

— Я не в Америке, я в Ляйпциге.

— В Лейпциге?

— Нет, через букву я... Колюнь! Я нашел записи профессора Миллера! Скажи Трифону: он миллион раз прав! Через неделю буду назад. И про наследника выяснил. Мать моя была женщина! Он! По всем признакам он... хр-рры-х-х...

— А доказательства? Говори ясней!

— ...хр-рр... с денежками Куроцапа и бумагами Миллера — мы эфир, как хлебный квас, в двухлитровых бутылках, а то и в бочоночках через год поставлять будем!

Здесь Селимка внезапно отключился.

— Эфир в бутылках — кощунство. Профессор Миллер — класс. Но, как бы там ни было, я все равно ухожу. Во-первых, не хочу участвовать в этой дурацкой операции «Наследник»...

— Что за операция такая? — зам по науке скинул капюшон, показал залысины.

— Ты же обещал, Трифон! — заломил руки директор Коля.

— Сдуру и пообещал... Теперь обещание назад забираю. И вообще: эфирный ветер — это, как теперь все ясней представляется, — один соблазн и больше ничего.

— Что это ты, как отец Василиск, вдруг заговорил?

— Ну, может, я тоже на клиросе петь собрался!

Трифон плотно прикрыл за собой дверь.

— Без «эфирки» он долго не протянет.

— Ясно, как божий день.

— А мы пока и без него справимся, — резко выступил на первый план пока не посвященный во все тонкости дела, но уже явно его одобряющий дородный Пенкрат и снова нахлобучил капюшон. — И у меня, и у других наших ученых мозги еще не отсохли. Да и Селимка, хоть он в коммерцию и ударился, питерский физтех вряд ли забыл.

— Тогда и я погожу в отпуск. Звоните Леониле Аркадьевне! Пускай срочно выдвигается к москвичу. А то он сильно к Нинорке прилипать начал. Пускай поподробней биографию выведает. Что, когда, с кем. Он ведь по паспорту — Савельич? Ну и ясно все, ёксель-моксель! Селимчик его сразу просек. И Куроцап, говорят, к нему как к родному. А что не Саввич, а Савельич… Так хитрый Куроцап просто слегка изменил мальцу имя в метрике. Но на всякий случай далеко от настоящего отчества отклоняться не стал. Хитер, бурлак!

Директор Коля набрал в рот воздуха для уточнений и поправок, но только и смог выдохнуть:

— Уфф! Погнали!

* * *

Савва Лукич крупно вздрогнул. Острое любовное воспоминание пронзило его короткой стальной проволокой.

Воспоминание увело к годам юности.

Вспомнилась окраина Москвы, Лосинка, вспомнилась высокая немногословная женщина, все время курившая и смотревшая в окна.

— Чего она там искала? — удивился Лукич и, мигом выпрыгнув из-за стола, пошел к окнам собственным.

Смоленская площадь напомнила ему кадры старой хроники.

— Только раскрасили маненько, — улыбнулся Савва, — а так все как было: суета и гам, базар и склока. А как зовут соседа или того, кого локотком толкнул…

Тут Савва Лукич с испугу закрыл глаза, вдруг сообразив: имени высокой, томно-страстной, медлительно глядевшей в окна женщины он не помнит!

* * *

Примерно в то же самое время или буквально десятью минутами позже, с отключенной мобилкой и растрепанными мыслями, Леонила Аркадьевна Ховалина (Леля) шла, еще не получив никаких указаний, на собственный страх и риск, к приезжему москвичу в гостиницу «Князь Роман».

Сказать приезжему она собиралась о многом. Но, войдя, сказала про самое болезненное:

— Ты уже знаешь? Трифон собирается закрыть проект. Не сегодня завтра объявит. Может, даже через газету.

Приезжий москвич ничего такого не знал. Он готовился к встрече с Ниточкой, и все остальное ему было — совой об сосну.

— Так что, мил друг, назад в Москву тебе улепетывать надо. И там на площадях болотных высказывать накипевшее. Может, и мне заодно с тобой двинуть?

Добрая Леля пришла в гостиницу «Князь Роман» очень рано, то есть тогда, когда утро еще только начинало свою разбежку, и приезжий москвич пустил ее в номер без всякой охоты.

Приезжий стоял и ждал, пока Леля наговорится и уйдет.

Но Леля не уходила, а красиво сидела на подлокотнике гостиничного кресла. Поговорив про всякую копоть, а потом понизив голос до шепота, она внезапно зашипела:

— Я тебе покажу Ниточку... Я вам всем покажу, что имею! Я вам устрою берлинскую биеннале и венецианский карнавал! Враз оцените! Я не научная формула. Я — живая! Я...

Тут Леля скинула плащ, вслед за плащом блузку, потом схватилась за молнию юбки. Молнию, как назло, заело.

Не дожидаясь предкарнавального показа, приезжий кинулся из номера вон: только пятки засверкали!

Леля в растрепанном виде, пленяя персонал нижним бельем, выставив вперед, как бы в страстной мольбе, тесно склеенные ладони — по коридору, за ним.

Со времен князя Романа и Григория Ефимовича Распутина, который посетил-таки разок неповторимые романовские места, — не знал раскинувшийся по обеим сторонам Волги город такой завлекаловки и соблазниловки!

Гостиничного коридора Леле показалось мало.

Не страшась волжского холода, насмешек и прочего, кинулась она вслед за москвичом из гостиницы на проезжую часть.

Но тут и в самой природе, и в жизни города Романова что-то круто изменилось. Налетел резкий ветер, от желтовато-сизой тучи, закрывшей выглянувшее было солнце, еще сильней потемнело, а на горизонте замаячил директор Коля.

Коля борзо-резво допрыгал до остановившейся на минуту Лели и, не обращая внимания на белоснежное белье, зашептал вертихвостке в ухо:

— Начинаем, как договаривались! Ты — тоже в доле...

Леля непонимающе оглядела свои руки-ноги и резко вздрогнула. Горько бубня: «Не мог, дуботряс, сказать раньше», — побежала назад, в гостиничный номер.

Скромности и благородству быстро одевшейся Лели не было границ. Выходя, она душевно пояснила ошалевшему от всех этих утренних пробежек администратору:

— Это я в знак протеста. Так я протестую против нашей научной нищеты. Меня тут для одного московского телеканала снимали. Скрытой камерой, если ты, негодяй, конечно, понимаешь, что это значит… Так что, — снова по-змеиному зашипела Леля, — не болтай по городу лишнего: нос отломаю, ухо отъем!..

* * *

Новое любовное увлечение подкралась к Ниточке тихо и незаметно. Оно закрутило девушку, как вихрь зеленоватой, березовой, приятной на вид, но все-таки сорной пыльцы, а после стало укалывать тысячью и тысячью острых речных брызг…

Иногда это любовное увлечение вызывало досаду, однако чаще — унося из Романова прочь — кружило над землей, а после с легким звоном, как хорошо надутый мяч, о землю ударяло.

Ниточка и приезжий стали встречаться в городе, напрашивались на заволжские ночные дежурства. Однажды случилось им ночью дежурить на Романовской стороне…

Запершись в медицинском кабинете — благо доктор за реку ездил нечасто, — они сперва поговорили об эфирном ветре.

Но внезапно тела их, словно став эфирными и вылечившись до невозможности, сами собой притянулись друг к другу. Причем изнутри (так показалось Ниточке, так показалось и приезжему) тела засветились, даже засияли…

Горит настоящий эфир или кипит, если его подвергнуть термической обработке, — сказать про это пока нельзя.

Но то, что ставшие на час эфирными человеческие тела дрожат крупной дрожью и свободно перетекают из одного в другое, а потом, возвратившись к себе, одновременно остаются частицами в другом теле, — это забравшимся в медицинский кабинет стало ясно сразу…

После объятий, острых ласк и неожиданных поз Ниточка несколько минут не могла произнести ни слова.

Приезжий тоже помалкивал. Потом сказал:

— Прям дух захватило… Может, рванем отсюда?

— Нельзя, мы же на рабочем месте… И потом… Чем тут плохо? — Ниточка, до этого лежавшая на узкой медицинской кушетке свернувшись калачиком, легла на спину, потянулась, положила руку под голову.

— Тут лучше, чем везде, — сказал приезжий и в свою очередь потянулся к кушетке. — А знаешь, странное дело… Мне все бунтовать хотелось, а теперь — хрен с ним, с бунтом!

Вихрящиеся, розовато-белые и теперь уже не так плотно связанные со светозарным эфиром тела еще раз напряглись, потом, слабея, успокоились.

Вскоре Ниточка и приезжий — оба на левом боку, «тандемом» — уснули.

В те же сладко тающие в расплавленном золоте и славе дни сентября, ближе к его исходу, в музее романовской овцы начали полугодовую подготовку к февральско-июньским торжествам, посвященным четырехсотлетнему юбилею дома Романовых. Составился Оргкомитет. Назначили первое заседание: пока в узком кругу.

Возглавить Оргкомитет предложили ставосьмилетнему ветерану Пенькову, который, будучи рожден в 1904-м, мог символически, как мостом, соединить собой трехсот- и четырехсотлетний юбилеи.

Но Пеньков, брызгая руганью, отказался.

— Сиськами прут, а не знают! — бодро выкрикивал ветеран в лицо Лизоньке, меланхоличной и хорошенькой сотруднице музея, посланной для переговоров, — сиськами прут, а спросить забыли… Пеньков — не монархист! И Пеньков скорей анархист, чем коммунист. Скорей народоволец, чем комсомолец! Ты приперлась, а не думаешь, как народ отнесется! А вдруг он, народ, это дело — четырехсотлетием дурдома Романовых обзовет? Привыкли у себя в музее с чучелами чмокаться… О народе вспомните, таксидермисты хреновы!

Про Пенькова в Оргкомитете сразу было решено: из памяти изгладить и навек забыть!

Зато вспомнили вдруг о приезжем москвиче, который некоторое время назад азартно интересовался историей романовской Долли (так он сам пару-тройку раз в разговоре назвал овцу благородных кровей).

Романов-городок был невелик. Многие знали: в Москву приезжий возвращаться не торопится — закрутил роман с Ниточкой Жихаревой. Решили позвать их вместе.

В музее, во втором этаже, накрыли оргкомитетовский — скромно-достойный — стол. Народу явилось немного. Лица — до боли привычные, надоевшие. Не было изюминки, не было новых, благородных, значимость события стопудово подтверждающих особ.

Это, конечно, если не считать диакона Василиска, который еще с улицы стал возглашать Дому Романовых многая лета.

— Четыреста раз возглашу. Лишь после этого за стол сяду, — заявил с порога отец диакон и с готовностью прокашлялся.

А вот приезжий москвич — тот на заседание не явился.

Истолковали по-своему, по-романовски: взглядов этот самый москвич наверняка новоболотных. Тонкошерстной породой интересовался для виду. Стало быть, до конца значения возрождения в стране — и именно в высокоторжественный год — качественного овцеводства не понимает.

«Вся Россия должна ходить в романовских шубах! Тогда, глядишь, — через шубу и шерсть, через ум овечий, ум покладистый, однако сноровистый — и ум государственный к носящим шубу вернется!»

Таким был общий вывод первого заседания. И, конечно, неприбытие двух маловажных людей ничего в подготовке к исторической дате не изменило.

Вот только понапрасну корили «болотностью» приезжего москвича! Ниточку вертижопкой зря называли! Не было возможности у них прибыть в назначенный срок на оргкомитетовское застолье! Потому как в первый предъюбилейный вечер занимались они совсем делами другими.

Приезжий, но уже не с Ниточкой, а с Лелей, ближе к вечеру поехал в Пшеничище.

Ниточка осталась за Волгой и тихо на рабочем месте всхлипывала.

Она вспоминала отца-пьяницу, его обидную долю и говорила себе: и моя доля может оказаться горькой, страшно горькой!

Правда, приезжий москвич, к дикому Лелиному возмущению, очень скоро научные дела в Пшеничище послал куда подальше.

Проткнув ножиком один из зондов (вроде случайно, но, как, топая миниатюрным ботиночком, уже на следующий день настаивала Леля, «чтобы всех нас довести до белого каления»!), подался он назад, к Ниточке.

При этом, как стало известно некоторым романовцам, заплатил непомерные деньги водителю случайной машины, а потом — и тоже за весомую плату — нанял катер на подводных крыльях.

Но хотя москвич и уехал быстро, успела произойти в Пшеничище, в тесной полутораоконной лаборатории, неприятность.

Случилось вот что: кто-то стер все записи в регистраторе, где фиксировались редкие и не всегда достоверные контуры эфирных вихрей.

Вместо цифр и специальных значков на экране регистратора красовались два полушария чьей-то здоровенной задницы, по самому низу игриво укутанной голубоватым памперсом.

После удаления непристойная картинка возникала вновь. Причем возникновению ее все время предшествовала надпись: «А они похожи!».

— Кто с кем? — наивно спросил у Лели приезжий москвич.

Леля в раздражении пожала плечами. Надавили на клавишу еще раз. Выскочило: «А они похожи — моя жопа и ваши рожи!».

— Это про вас с Трифоном, — сразу отгородилась от записи Леля.

Приезжий москвич что-либо говорить на этот счет поостерегся.

Но мало дурацкой картинки и еще более глупой надписи!

Там же, в полутораоконной лаборатории, как-то быстро и непоправимо сломался дорогой П-образный лазерный измеритель.

Зачем было держать измеритель в Пшеничище, в десяти километрах от основной романовской базы, никто не знал. На все укоры Дросселя, считавшего каждую копейку, Трифон лишь загадочно улыбался. Объяснилось позже: Трифон хотел иметь удаленный от своих же научных сотрудников прибор, с контролируемой только им одним базой данных...

ОПЕРАЦИЯ «НАСЛЕДНИК»

Тем же поздним вечером (лишь час или два спустя), выслушав сбивчивый доклад про Пшеничище, скачущий Коля и Пенкрат в капюшоне, в полном согласии с престарелым Дросселем, отправили Лелю спать, а сами постановили: наследника поберечь, самостоятельных заданий ему не давать, случайностям не подвергать, в Пшеничище и другие места не посылать. И, конечно, не доводить до нервных срывов, до протыкания ножом зондов и тому подобной хренотени.

В связи с новыми обстоятельствами и для более тесной привязки «наследника» к «Ромэфиру» было выдвинуто предложение: сорокалетнюю Лелю держать пока на запасных путях и воспользоваться не ею, а Ниточкой Жихаревой.

Правда, зная Ниточкино туповатое бескорыстие и ее болезненную честность, использовать девушку решили втемную. При этом, испытывая провинциальные чувства стыда и унижения от собственных мыслей, вслух эти мысли старались не произносить. Объяснялись, как немые, знаками.

Происходило это стихийно, без уговора.

Директор Коля выставлял большой палец вверх, что означало: все идет неплохо, но могло б и получше.

Кузьма Кузьмич австрияк Сухо-Дроссель скидывал решительно конторские железные очки на веревочке на перхотливое свое плечико, и это указывало: пора двигать Ниточку смелей.

Пенкрат в капюшоне разводил руки в стороны, и это без всяких слов сообщало: наследник до сих пор не обработан, нужно спешить, нужно действовать! Пока Ярославская овечья фабрика или «Волжское общество защиты зверей и птиц» его к себе не переманили!

Однако постепенно — в немых объяснениях и помимо них — выступило вперед одно неприятное обстоятельство: наука в «Ромэфире» стала отходить на второй план.

О ней попросту стали забывать. Само содержание работ подернулось зеленоватой тиной, какая бывает в затонах Волги поздним летом и ранней осенью. И хотя ни вихри эфира, ни даже обыкновенный волжский ветерок зеленой тиной схватиться никак не могли — именно такой образ стал с некоторых пор заволакивать глаза главным сотрудникам «Ромэфира»…

И ведь понятно, почему романовская наука так грубо тормознулась!

Трифон — исчез. Говоря по-современному, слинял. И хотя замеры продолжались, статистические выкладки итожились, делалось это вяло, через пень-колоду. Ждали предзимних волжских бурь, ждали Селимчика, который должен был вернуться с ксерокопиями статей профессора Миллера. Ждали, наконец, грядущего четырехсотлетия дома Романовых, которое одним своим великолепием могло сдвинуть с мертвой точки многие начинания, помочь бесплодным усилиям, прояснить назревшие за сто лет вопросы, включая малодостоверную теорию эфира…

«Царь приидет — эфир будет!» — шептал вполголоса уже не жалкий бухгалтер Кузьма Кузьмич, а шептал герр Дроссель, крупнейший финансист, подданный дружески настроенной к Империи Российской — Империи Австро-Венгерской.

Из-за всех этих обстоятельств неприятная научная пауза и произошла. Но никого особо она не смутила.

Только все тот же Сухо-Дроссель, тоскующий о гармонии рассыпанных ветром империй — все равно каких: англо-нидерландских, австро-венгерских, немецко-русских — вопреки собственному ожиданию светлых дней, назвал эту научную паузу зловещей. Кузьме Кузьмичу припомнилось начало эфирных экспериментов, и он запечалился по слепому подчинению и сословной иерархичности в творческой работе.

Эта сословная тоска привела к результату неожиданному: австрияк Сухо-Дроссель вдруг на все плюнул, раскрепостился, или, как он стал говорить, «опоэтизировался». Финансовая туповатость была отброшена в сторону, и Кузьма, становясь в позу Бисмарка, по временам начинал рисовать псевдонаучную, но в общем не лишенную приятности картину.

— Господа, представляете? Настает четырехсотлетие дома Романовых. И мы к славному юбилею… Словом, мы именно к этому времени начинаем добывать эфир, а затем… Затем посредством эфирного концентрата начинаем воздействовать на крупнейшие банки. Не в смысле массовых отравлений, воровства авизо или чего-то подобного. Ни-ни! Просто мы нефтедоллары заменим эфиродолларами. Усекаете, ёксель-моксель? Наш министр финансов приносит президенту папочку. И там не акции нефтедобывающих предприятий, а новые государственные казначейские обязательства, обеспеченные тысячами гекалитров сырого эфира!

Арабские шейхи — хлоп и наземь!

«Бритиш Петролеум» — скок и в гроб!

Почешет за ухом даже «Газпром»: щелк-пощелк своей зажигалкой — и в кабак, надираться с горя! Обама сам себя схватит за нос, нефтедобывающие платформы и нефтеналивные танкеры сольют сырую нефть в море и просигналят прощальной сиреной…

Сила эфиропотоков станет важнейшим платежным средством в мире и, кроме прочего, важнейшим энергоресурсом! Не золотой запас России, а розово-серебристый и нежноплатиновый запас эфира станет главным столпом и символом нашей экономики!..

Финансовые фантазии Кузьмы Дросселя вызывали чувства двоякие.

Дородный Пенкрат крутил пальцем у виска.

Леля приятно ржала, а перестав ржать, томно произносила:

— А вы, оказывается, прохвост, герр Сухо-Дроссель!

А вот кузнечику Коле картинки Кузьмы Кузьмича нравились. Правда Колю от научных грез многое и отвлекало: то неполадки с зеркалами и зондами, то непредсказуемое поведение приезжего москвича, то письмо о погашении арендной задолженности, хитрым Дросселем прямо во время научно-популярных баллад втихаря в карман директору сунутое...

Отвлекало ромэфировцев от чистой науки и другое.

Однажды, когда Леля Ховалина костерила почем зря Москву и вспоминала про научную бедность, изо рта у нее выпорхнуло и по Романову-городку запрыгало в последнее столетие как-то потерявшее блеск и денежно-вещевую наполненность словосочетание: Настоящий Наследник!

(Именно так, именно с прописных букв!)

В считанные дни словосочетание стало наливаться крутыми бараньими мышцами и обрастать буйной шерстью: городок Романов посетит Настоящий Наследник российского престола!

И это, ясно дело, будет не наследник давно забытого князя Романа или, допустим, Грозного Ивана!

А будет это наследник крепкий, наследник патентованный: немецко-грузино-польский, без единой капли русского холопства, татарской грубости и еврейской хитрости в крови. Словом, Наследник из Наследников!

Такого слабо запятнанного и такого необходимо нужного Наследника разболтавшейся без фухтелей и шпицрутенов России, никак не желающей понять, на кого именно ей сегодня нужно горбатить, — давно следовало отыскать!..

Поначалу словосочетание парило в воздухе невесомо: как та кленовая осенняя крылатка. Но вскоре стало словосочетание и погромыхивать — подобно жестяному обрезку водосточной трубы, висящей на одном из старинных приволжских домов. А иногда глухо и грозно, словно сама матушка-Волга, перед тем как ей сковаться тяжкими льдами, урчало...

Кстати, о двух городских районах, раскинувшихся по двум берегам Волги. Они уже тогда, во мнении о грядущем управлении Россией разделились: Борисоглебская сторона склонялась к народно-демократическим фантазиям, унаследованным от князя Романа. Ну а сторона Романовская стеной стояла за автократию или по-старинному — за самодержца всероссийского.

В те осенние дни это разделение резко в глаза еще не бросалось. Но вот месяц спустя не было волжанина, который бы с досадой о такой раздоранной надвое любви не вспомнил!

Правда, в тот осенний день, который начался ветром, а кончился поездкой Лели и москвича в Пшеничище, ничего больше в городке Романове не случилось. Только отец Василиск, выйдя после вечерней службы во двор храма, вдруг снова возгласил слышимое даже в отдаленных кварталах города «Многолетие»!

В час возглашения близ одного из малых, но великолепных романовских храмов слушателей не наблюдалось. Пел и возглашал отец диакон исключительно для собственной утехи. Но, возможно, и для того, чтобы заглушить шум резко усилившегося ветра.

Отцу диакону, как он признавался позже, уже тогда казалось: неурочным пением он первый начал восстанавливать равновесие между двумя частями города Романова. Ведь отсутствие равновесия, нарушаемого неумными действиями правобережных и левобережных жителей, могло привести к неприятным, с точки зрения Василиска, последствиям.

Так же думал, а потом и говорил вслух друг диакона мирянин Власков, завернувший вечером в церковь, чтобы отдать холостому диакону нежность своей души и жар своего сердца, а ближе к ночи, выпив по рюмочке, обсудить все те неприятности, что случились в последние дни в Москве и Питере.

О них отец диакон и мирянин Власков говорили не таясь, от всей полноты чувств...

— Ныне матушку-церковь никто не поддерживает бескорыстно!

— Да, прошли времена, — соглашался с отцом диаконом мирянин Власков, — то ли дело конец 80-х! Только крикни: на храм! Сейчас тебе и деньги, и подарки, и картины живописные «На берегу священных вод»! Снова народ изверился, что ли?

— Не изверился — исподлючился! Немедленного вмешательства Бога в мирские дела возжелал!

— Ну, тут не дождутся, — радостно потирал руки Власков, — а то у Господа без нас, азинусов брыкливых, делов нет!

* * *

Сделанное — лучше несделанного. Проявленное — лучше непроявленного. Лучше сделать ошибку, чем не сделать ничего, чем уклониться от дела. Лучше сказать со смыслом: «прыщ» или «есанбляхаунзем» — чем не произнести ни звука.

Все это и многое другое было ведомо струящемуся эфиру, было заложено в нем изначально.

Эфир и был создан, чтобы проявить до конца суть и назначение Вселенной!

Человек же был создан, чтобы проявить сущность земли.

Но человек стареет и дряхлеет. А эфир молод, эфир вечен.

Дряхлость человека, духовная и телесная, эфиру (а может, и самому Творцу) становится все неприятней. Неприятными по истечении многих веков кажутся и многие другие свойства человека глиняного, человека земли...

Так понемногу стало выясняться: нужен обновленный телом и умягченный душой человек — человек эфира!

А если говорить проще, человек разумный должен постепенно слиться телом с эфиром. А эфир — намного сильней, чем раньше, — очеловечиться.

Человек эфира и очеловеченный эфир...

Это кажется сказкой и будет достигнуто не скоро. Но достигнуто будет обязательно!

* * *

Медленность ловли эфирного ветра кое-кого из людей, исподтишка за всем этим наблюдавших, подталкивала к тому, чтобы или остановить, или, наоборот, раскрутить дело с новой силой.

Некий ушло-мудрый турист — в красножопых штанах, в светлокожей куртке и в бейсболке с вензелем, — уже с месяц любующийся красотами Романова, предпринял следующее.

Трифону Усынину был — пока устно — предложен страшно выгодный контракт, который предстояло воплотить в жизнь вне пределов России.

Трифон обещал подумать, но согласия пока не давал.

Ну а один из работников «Ромэфира» — тот поступил по-иному: написал два электронных письма и отправил одну телеграмму. В «Роскосмос», в ИЗМИРАН и в Российскую Академию Наук. В письмах и в телеграмме сотрудник сообщал о гемостазии (то есть о полном завале) в научных изысканиях, об упадке и мертвечине, об устранении от дел доктора физико-математических наук Усынина и других безобразиях.

Сотрудник «Ромэфира», скрывшийся за литерами B. Z., рассчитывал на определенный результат. Он рассчитывал: письмо прочтут, приедет комиссия, начнутся перемены и перетряски, опытные образцы концентрированного эфира спрячут от глаз подальше…

Тут ими и можно будет приторгнуть!

Трифон о письмах ничего не знал, но предчувствие дурных перемен в душе его вдруг шевельнулось…

* * *

В последний день сентября, после почти трехнедельного отсутствия, Селимчик приземлился в Шереметьеве. Сели благополучно, но вдруг произошла неприятная заминка на выходе, и организатор науки уже битый час плевался у таможенного терминала…

В последний день сентября Савва Лукич, проснувшись ни свет ни заря, снова вспомнил молодость и сильно возрадовался, а потом запечалился…

В последний день сентября приезжий москвич с утра пораньше сходил в магазин подарков и отвез Ниточке за Волгу огромную куклу в русском наряде. Ниточка плакать перестала. Кукла была торжественно установлена в компьютерном зале...

А в «Ромэфире» в тот день продолжилась привычная свара.

— Что нам нищие Романовы? — бушевала дошлая Леля в ответ на предложение Дросселя обратиться с научными нуждами не только в правительство, но и в царский дом. — Все их богатства теперь можно уместить в один бабушкин сундук. То ли дело Савва! Только он способен нам помочь. Потому как в приобретении богатств давно опередил всех вместе взятых лейб-медиков и камер-фрейлин бывшего царского двора. Да и весь двор — если брать даже чохом четырехсотлетнюю историю — тоже опередил.

Опоэтизировавшийся Сухо-Дроссель отечески Лелю наставлял:

— Нужно быть почтительней к свергнутой династии. Да и в смысле денег — не так бедны Романовы, как кое-кому представляется...

Рассудил всех директор Коля, разъяснивший: и династию Романовых, и Савву Куроцапа можно легко если не совместить, то хотя бы сдвинуть потесней.

— Это как, прохвост?

Игривая Леля ущипнула директора за мочку уха.

— А это так. Савва Лукич (слыхал от знающих людей) на самом деле никакой не Куроцап. Куракин он! Род ведет от удельных князей, не от воришек мелочных...

— От кого именно стало известно?

— Земля слухом полнится. Мне Селимчик про скрытое княжеское достоинство еще месяц назад сообщил. Подслу-

шал он. На том самом вечере, в Москве, в отеле «Карлтон».
Осведомленные люди говорили…

— Савва — ястреб! Савва — коршун с когтями смертельными!

— Пусть ястреб. Все птица княжеского рода!

— А я Селимке не верю. Что-то шибко верноподданный он стал! — дородный Пенкрат снял с Колина рукава белую нитку и, намотав ее на палец, добавил: — Хотя чем черт не шутит, когда азиат языком чешет…

МЕЛЬНИЦА ВЕТРОВ

Отстраненный от дел и предоставленный самому себе, приезжий москвич слонялся по Романову просто так.

К Ниточке он теперь приезжал только по вызову и в конце рабочего дня, на часок. Оставшееся время было в полном его распоряжении. Но оказалось: распоряжаться-то и нечем!

Вдруг стало ясно: время — это в первую голову люди, а не новости, параграфы или даже распоряжения правительства. Вот только приятных людей и связанных с ними событий в последние три-четыре дня случилось до обидного мало.

Ниточка сегодня в ночь не дежурила, сидела дома с отцом. К ней было нельзя, и приезжий слонялся по предвечернему городу без надежды хоть на что-то, слегка отодвигающее в сторону серую слоновью скуку.

Тихо завибрировал вколотый в трусы жучок.

Как начинающий наркоман, пугливо перед принятием дозы озираясь, вошел москвич в общественный туалет, переколол жучок на майку, вынул спецтелефон с экраном.

Поступило письмецо от Рыжего. Тот сообщал:

«Узнал случайно. Молодильная мельница! Трифон — скрывает. Тема не наша. Вам пригодится. Адрес: левый берег, за Моторным заводом, на реке Рыкуше. Жду эфира, как соловей лета. Ры. Шпи».

Долго раздумывать было нечего. Так складно врать Рыжий просто не мог. Да и зачем ему? За флакон парфюмерного эфира на все готов ведь...

Сыроватый вечер подступил вплотную. Погода портилась. Но через Волгу перевезли быстро. На маршрутке москвич доехал до нужной остановки, дальше пошел пешком.

По дороге пару раз оглянулся. Показалось: за ним движется полицейская машина, с выключенной мигалкой и одной зажженной фарой. Приезжий вспомнил, как придирчиво осматривал фары своей машины майор Тыртышный, перед тем как проследовать в здание «Ромэфира». А вспомнив, резко развернулся...

Единственная фара погасла, машина дала задний ход, мягко потонула в полутьме. Приезжий пошел быстрей, почти побежал.

Река Рыкуша оказалась неширокой, но шумноватой, мельница — старой, полуразрушенной. Рядом со старой стояла современная, трехлопастная, на длинной железной ноге, европейская мельница. Или, как выражался Трифон, «ветрогенератор». Лопасти генератора бесшумно вращались, и приезжему казалось: сквозь густеющий сумрак он видит синеватые струйки гонимого этими лопастями дыма или ветерка.

А старая мельница-толчея — та стояла бездвижно. Рыкуша ловко обминала спущенное вниз, пообломанное временем мельничное крыло...

Вдруг на старой мельнице раздался срежет, заполошно взлетели вверх — как из костра, который спешно гасят, — три-четыре искорки.

Приезжий двинул на искры. Но никакого входа на мельницу не нашел. Сколько ни плутал во тьме — ничего.

Внезапно выше неработающего, висящего над самой речкой крыла мелькнула полоска света, рыпнула дверь. На короткое время осветился избура-желтый прямоугольник пространства, затем блеснуло серебром, и кто-то, ругнувшись, полновесно выплеснул в реку содержимое цинкового ведра. Тут же дверь захлопнулась. Чуть погодя лопасти старой мельницы дрогнули, заурчал далекий, словно спрятанный в глубинах земли, мотор...

Нужно было спешить!

Не разбирая дороги, кинулся приезжий москвич к хлопнувшей двери. По дороге он два раза упал, измазав лицо и руки в осенней холодноватой грязи. Это не остановило.

«Если Рыжий написал правду... Надо воспользоваться! Если они не только эфир ловят, но и молодильными делами занялись — тут нельзя пропустить...»

В последние недели вопрос о старости и молодости взволновал приезжего не на шутку. Чувствуя себя в сорок лет вполне здоровым и крепким, он вдруг засомневался в прочности не сегодняшней, а вот именно завтрашней жизни.

«Мне теперь сорок, Ниточке — двадцать три. Вдруг через год-другой она кого помоложе затребует?..»

Так бормоча, москвич потянул ручку двери на себя. Та поддалась. Входя, он споткнулся обо что-то мягкое и снова упал.

Первое, что увидел приезжий, поднявшись, так это собственную перепачканную грязью мордашку и вздыбленные на макушке волосы.

Правда, три громадных зеркала, установленные на полу буквой «Н», — два зеркала параллельных и зеркальная перегородка меж ними — отразили не только черную мордочку, но и дерзкий вызов на ней.

Отражение — приободрило. Да и бояться приезжему, собственно, было нечего. А вот невысокий, в цветной кацавейке и подштанниках голубоватых мужичок с бороденкой — тот перепугался до смерти.

— Ты зачем это? — крикнул мужичонка. — Лицо, спрашиваю, зачем изукрасил? Думаешь, и так бы не догадался, кто ты?

— Я тут… В «Ромэфире» я числюсь…

— Брось заливать! Да я тебе! Гляди какой! И сюда пролез… Но ты пойми, тупило: я не Фауст! Я не по этому делу. Мне что Гретхен, что мальчики без надобности. В эфирных полях какой смысл за детскими попками и юбками волочиться? Золото тоже мне ни к чему. А… Понял! Ты за молодилкой пришел… Но тебе ее не взять… Хрен ты получишь, а не молодилку! А ну вали отсюда к своим глюкам подлючим!

Приезжий москвич вынул платок и старательно вытер им лицо. Потом сделав несколько шагов вперед, осмотрел себя в зеркале подробней. Лицо оттерлось, но по краям щек и за ушами и после вытирания оставалось неестественно белым. Белыми оказались также плечи и рукава плаща.

—Это мука, простофиля! Нет, ты, наверно, не бес… А физия и плечи белые — потому что мука тут уже лет сто кружится. Сыплется отовсюду! Никак не выведем… Мельницу эту когда-то как крупорушку строили. Мельница-толчея она называлась. Но потом стали муку молоть. Голод и все такое, — уже спокойней проговорил мужичонка и кинулся вприпрыжку за брюками.

Вернулся он уже в брюках и кацавейку цветную застегнул на все пуговицы, но подозрений полностью не оставил.

— Так ты точно не из трубы? — спросил он и ловко намотал на палец кончик длинной и узкой, кощеевой бороды.

— Говорю ж… Взяли на работу, а работы и нет.

— Кто взял-то?

— Трифон Петрович.

— А кто у них там сейчас еще работает?

— Директор Коля.

— Юный оболтус с чистыми глазками. Еще?

— Пенкрат Олег Антонович.

— Даже комментировать не стану. Еще!

— Женчик-птенчик.

— Она все еще здесь?

— Бодрее Женчика у нас нету. Но и вредноватая она…

— Ну это я не знаю. Она, если хочешь… Ну, в общем, про нее потом. Столбов — работает?

— Вроде да. Но я его не видел, чем-то он занят сильно.

— В Столбове и в Трифоне вся сила. Ладно, я вижу: ты не из трубы и не подослали тебя. Садись, поболтаем. Меня зовут Порошков.

— А меня «приезжий».

— Неужто даже имени нету?

— Есть. Тима я.

— А чего сюда, Тима-Тимофей, прибыл?

— Овец живописать…

— Овечек, овцематок! — Порошков захохотал так, что где-то вдали замяукала кошка. — Кошка здесь просто необходима, — вдруг посерьезнел Порошков, — она всю дрянь на мельнице распугала и ужей вывела. Только вот корм для кошки Трифон редко привозит. И сам редко приезжать стал. Чует мое сердце, закрыть он мельницу хочет. А зря! У нас, брат Тима, тут такие научные открытия вдруг замерцали. Москва — сдохнет! Америка вместе со своими Скалистыми горами и гористыми скалами — в океан рухнет. А мы…

— Сидели мы у речки у Рыкушки! Сидели мы в двенадцатом часу!.. Золото мелете? — бешено крикнула вставшая в дверях Леля, — или у вас тут похуже дела творятся? От гражданского общества опыты прячете? Ты, Порошков, вместе с Трифоном скоро доиграешься.

— Трифон ни при чем. Трифон — ребенок. Почти святой. Как это?.. Чудодей, чудотворец... Не в курсе он. Ему эфиром тешиться — не натешиться. А я ломовая лошадь. И я, Леля, Трифона давно обскакал.

— Ну и дурак. Зачем скакать дальше Трифона? Он и так далеко заехал. Вас обоих в дурдом определить надо. В отделение интенсивной медикаментозной терапии.

— Опять явилась меня испытывать? — крикнул Порошков. — А ну марш отсюда!

— Ты негодяй, Порошков, — сказала Леля, — и скоро все твои художества выплывут наружу. Я тут полицейскую машину неподалеку видела.

— Ох, мать, не пугай, — мы здесь чертями мельничными пуганные, ветерками эфирными притравленные... Но даже их не шибко испугались. — Порошков подмигнул приезжему.

Вдруг потянуло холодом. Потом — сильней, сильней.

— Чего съежились? — крикнул Порошков. — Я вам сейчас кровь морозцем очищу. Заодно мозги охолонут. Ты думала, мы золото тут перемалываем, наркоту трем? Дура ты, Лелища. Золото на мельницах только в сказках мелют. А наркота — не наш уровень. Иди, чего покажу…

Порошков зашел за зеркало. Леля осталась у стола, потом села, закинула ногу на ногу и как-то мирно, чуть даже смущенно сказала:

— Да я не за этим, Порошков, пришла.

— А не за этим, так чего языком зря молотишь! Сядь и сиди, пока мы с Тимой глянем, чего тут у нас делается…

Порошков пошел куда-то за зеркала. Приезжий москвич — за ним.

Метрах в трех за зеркалами — это сооружение приезжий узнал сразу — стоял двухметровый, обшитый белой сосной, крестообразный интерферометр. Под ним, в глубоком проеме, едва слышно плескалась вода. Гофрированный рукав тянулся от интерферометра к мельничному жернову, спущенному в реку. Другой рукав уходил через потолок вверх.

Слышался странно булькающий, с легким прихрустом звук: словно не крупу рушили — воздушную кукурузу толкли в ступе.

— Глянь-ка сюда, — Порошков поволок Тиму куда-то за возвышавшийся метра на полтора над уровнем мельничного настила интерферометр, — такого ни у Миллера в Америке, ни в лаборатории Гельмгольца, ни у нас в России отродясь не бывало…

За интеферометром, на одном из береговых выступов краем проходящей под мельницей реки, стояла огромная ступа с металлическим пестом. Пест непрерывно двигался.

К ступе проводом была присоединена здоровенная стиральная машина. В ней все было, как в обычной, только круглое окошко — размером с корабельный иллюминатор.

— Кочерга есть? — снова с подозрением спросил Порошков. — А поворотись-ка, сынку.

Приезжий москвич послушно повернулся.

Порошков быстро задрал ему плащ, потом, чуть помедлив, сказал:

— Нету… Ну, теперь тебе окончательно верю. А то все думал, ты — чертов кузнец. Или сам нечистик-мефистик.

— Какой нечистик? Негр я… Ну, говоря культурней — «гуталин». Тима-туземец я литературный!

Приезжий, обозлясь, пошел с мельницы вон. Но вдруг обернулся. Порошков стоял сзади с кочергой в руке и собирался ею кого-то огреть.

— Ты, «гуталин», не бойся, — засмеялся длиннобородый, — ты сюда глянь.

Он подскочил к стиральной машине и что есть мочи стукнул по ней кочергой. Машина заработала.

— Смотри! — крикнул Порошков. — У нас никакой чертовщины! А для нужд медицины — пожалуйста. Молодим дряхлеющих! Юним — престарелых! В самой-то эфиросфере ни старость, ни молодость значения не имеют, ни к чему они. Но покамест мы все тут, в обычном мире вожжаемся — нате вам, пожалуйста!

Приезжий подступил поближе.

Порошков снова огрел стиральную машину кочергой, и та завертела валиком раза в два быстрей.

Нежданно-негаданно за стеклом иллюминатора показалась голая рука. Дряхлая, морщинистая, в пигментных пятнах, в седеньких волосках. Рука в отличие от самого барабана бешено не вертелась — тихонько повертывалась… Пальцы руки свел писчий спазм, ногти от собственной длины аж загнулись. При этом рука — так показалось — все норовила сунуть кому-то под нос костлявый старческий кукиш. Но кукиш никак не складывался…

Пест застучал громче, машина стиральная взвыла сильней, сверху густо сыпануло мукой.

«Как снег», — подумал приезжий и обморочно прикрыл веки.

Когда он их разлепил, в барабане стиральной машины, медленно и величественно вращалась уже другая рука: мужская, мускулистая и перстень квадратный на пальце. Однако по расположению пигментных пятен и родинок москвич сразу определил: рука все та же, только налилась краснотой, плотью!

— Рука — что? — кричал, перекрывая шум ступы-толчеи ученый Порошков. — Рука — плевое дело! Нет, ты попробуй сперва по частям, а потом целиком всего человека омолодить. Вот, к примеру, печень. Ну как ты ее моложе сделаешь? В камнях она, в гематомах, кисты отовсюду, опять же, свисают…

Порошков трижды стукнул кочергой по машине, барабан завертело с невообразимой скоростью, и почти сразу стала видна за стеклом кровавая, безобразно шевелящая жирноватыми желто-коричневыми краями печень алкоголика.

Рвотный спазм был так силен, что приезжий москвич даже не успел прикрыть рот рукой. Чтобы не видеть собственной блевотины и летящих к машине брызг и комочков пищи, он снова наладился бежать.

— Да погоди ты! Сейчас — главное! Я мозг твой отсыхающий продую! Враз омолодишься! Стой! Куда?

— Ах ты, членовредитель хренов! Ах ты... — ворвалась на зады мельницы Леля. — Так вот куда бомжи с кладбища пропадают!

— Ты дура, Лелища! Тут все искусственное! Только кровью свинячьей сбрызнутое!

— Врешь, негодяй! Это ты с кладбища на своем горбу и мертвых, и еще живых таскаешь! Я ночью видела!

— Хворост это был, хворост! А кладбищенская земля... Необходима она для опытов... Остальное — папье-маше!

— Я тебе сейчас дам папье! Я тебе по морде — маше!

— Вон ты как, — Порошок отступил на два шага от Лели и, надсаживаясь, крикнул: — Полудух, полутело — явись!

И тогда из густого моторного шума выступил однорукий, едва втиснувший себя в зеленые бермуды гигант.

— Ну моя рука, — сказал он примирительно, — ну подлечил меня доктор! А вот ножки ваши, мадам, если я их сейчас выверну, уже никто не излечит...

Леля отступила назад.

— И твой затылок, щенок, мы на раз поправим! Где мой красный топор, доктор?

Тима-Тимофей ринулся с мельницы вон.

— Стой! Куда? — кричал ему в спину Порошков, — ты однорукого не бойся! Это глюк, глюк! Тут они иногда от эха зеркального случаются... Вернись, Тима! Омоложу!

— Ты себя, кощей, омолоди, — дергая дверь, на ходу огрызался москвич.

Правда, перед тем как вывалиться во тьму, он еще раз мимовольно оглянулся.

Глюк с красным топором и в зеленых бермудах пытался весь целиком, с головой и ногами, влезть в стиральную машину.

— Боже ж ты мой, — причитал Порошков, — хоть ты объясни ему, Лелища!

— Кому? Тиме?

— Да нет, глюку этому, Порфириону! Глюк-то искусственный… Просто вымышленное существо — и все!.. Глюк искусственный — да топор у него настоящий!

Приезжий выпал во тьму. Ночь ударила его, как узкоглазый тайский боксер: молниеносно, по лицу открытой перчаткой.

Тима-Тимофей с трудом перевел дух.

Слева плескалась темноводная Рыкуша. Сзади сквозь оставшуюся открытой дверь долетали слова и возгласы.

— …ну, негодяй, теперь, когда глюк этот убрался, займемся настоящим омоложением, — налегала на Порошкова Леля. — Ложись на спину! Быстро!

* * *

На следующий день, переправившись вместе с другими ромэфировцами через Волгу, приезжий москвич скучно смотрел на реку. Делать ему ни черта не разрешали, да и неохота было.

Он вспоминал речку Рыкушу и кацавейку Порошкова, жалел, что не выдержал, позорно сбежал.

Нехотя наблюдал он, как директор Коля и зам по науке Пенкрат спускаются под воду в скафандрах сами и спускают туда же научную аппаратуру. От этих наблюдений приезжему стало холодно, неуютно.

Снова вспомнилась мельничная толчея-крупорушка, а потом сразу, без всякого перехода, — ночная, тихо шумящая Москва. Веселое мелькание огней за окнами, бойкие постукиванья по клавишам, пляски вокруг компа в стиле охреневшего от счастья литературного негра… Как же! Выполнил авторское задание в срок! Вспомнились и неплохие деньжата, которые платил повелитель рабов и секретарь какого-то там писательского союза Сивкин-Буркин. Вспоминались слова, которыми после дрыгоножества, танцев-шманцев и первобытных жестов они обменивались.

— Ты плантатор, Рогволдище!

— Я не курю план, раб.

— Я не раб, Рогволдище…

— Так значит — крепостной села Горюхина! Дай мне, радость моя, тебя расцеловать!

— Нет, барин малорослый! Нет, барин синий! Ты сам себя в свою синюшную задницу чмокни. Если, конечно, достанешь…

Воспоминания взвинтили и раздергали. Приезжий москвич даже оглянулся: не видит ли его из окна метеостанции Ниточка?

Однако Ниточка Жихарева была полностью погружена в работу.

Еще два дня назад, все в том же медицинском кабинете, она сказала приезжему:

— Тут у нас какое-то суетливое безделье наступило… Работать все перестали… Верней, работают, но делают совсем не то, что надо. А суетятся так пуще прежнего. К чему-то готовятся, что-то от меня и от тебя скрывают. И Трифона нет… — На Ниточкиных ресницах опять задрожала слеза. — Мне даже кажется: я одна наше эфирное дело люблю. Понимаешь? Одна и по-настоящему. А остальные — они только притворяются. Трифон Петрович и тот... Он вообще для меня человек-загадка!

Вспомнив колкие Ниточкины слова про любовь к эфирному делу, москвич стал внимательней смотреть в спецбинокль на Волгу.

Бинокль был устроен так, что показывал и то, что над водой, и то, что под водой. Надводное и подводное пространство разделяла в окулярах узенькая оранжевая черта. При этом подводная часть была окрашена в зеленовато-серые тона.

Ни над водой, ни в ее толщах ничего интересного не происходило. Коля и Пенкрат, стоя на илистом дне, медленно устанавливали приборы. С лодки все необходимое им на тросах спускал рабочий без имени: дергающий головой, долговязый. По виду — прямой кандидат в эфирозависимые.

Перед окулярами бинокля проплывали водоросли. Мелькнула стайка рыб, что-то угревидное, сверкнув матово-серебристым телом, пронеслось, исчезло...

Постепенно приезжий тратить внимание на текущую работу перестал, стал думать о возможностях эфира, а также про то, что же такое на самом деле наша проклятая и обожаемая жизнь? Может, она и впрямь, как уверяют романовские ученые, одно только усиление или ослабление потоков эфира?

Вдруг рабочий с лодки заорал благим матом:

— Одного оторвало! Со всеми, на хрен, трубками!..

От неожиданности приезжий москвич выронил бинокль.

РАЗГОВОР В ЛЕСУ

Ветер, ветер, ты не один на белом свете! Но ты один в нашей жизни чего-нибудь да стоишь, один по-настоящему что-то значишь.

Ты всегда — обещание и скорость! Обещание ухода от утомиловки и скудоумия жизни. И бешеная скорость, переворачивающая вверх дном и потопляющая в глубоких водах все, что стало избыточным, косным...

Хруст корней и зубовный скрежет, грязь и сор, ошметки и лушпайки — ждут не дождутся эфирного дуновения! Все обалдуи и христопродавцы, все недомерки и недоумки — они тоже полны сладостного ожидания: вот сейчас ветер эфира продует мозги, прочистит сосуды, соскоблит наросты с сердечной мышцы!

Упыри, уроды, сутяги, сикофанты — эти опять-таки исступленно ждут, чтобы синюшные их языки, выставленные навстречу ветру, были очищены от скверн и проклятий.

Вот, к примеру.

Катится по России — с запада на восток, а потом через всю страну с юга на север — голова с крыльями.

Только голова! Ну, еще из морщинистой шеи крылышки летучей мыши — торчком! Катится она, обрызганная кровью, катится голова умная, но ненужная. А ведь могла бы летать! Но голова, как тот надутый, а потом проколотый бычий пузырь: боком, с остановками и запинками, собирая вокруг себя мелочь и сор, — катится и катится.

И хочет эта упрямая голова, чтобы ее очистили от скверны, хочет, чтобы нашелся для нее постамент пошире и повыше!

И потому никак не успокоится: то выставится бородкой округлой из интернета, то очками пакостными, без дужек заушных, блеснет в кинозале, то из статейки похотливый нос покажет!

Только не хочет эфирный ветер продувать скорбную эту голову!

И потому нет голове крылатой, лишенной туловища, рук и ног и чем-то явно напоминающей голову Льва Троцкого, но по временам смахивающей и на голову собачью, — и секунды покоя! Череп расколотый покинуть нас и укатиться куда-нибудь на чертову мельницу ей мешает, что ли?..

А хорошо б она укатилась! И где-нибудь на чертовой мельнице перемололась в муку, и была бы засеяна в поле, и вместе с собой похоронила приготовления к мятежам, революциям, войнам, а потом взошла чистым колосящимся злаком!..

Но теперь, после целого века ошибок и несовершенств, — может, уже недостаточно и голове с крыльями, и нам всем вчерашним — перемолоться в муку?

Может, нужно поменять — и как раз при помощи эфирного ветра — само нутро человека? Может, нужно, чтобы вместо этого поганенького, порченного-перепорченного нутришка в человеке вызрело нечто новое, неповторимое? Чтобы наполнил человека кружащий голову эфирный разум и духоподъемный покой наполнил?

Вот только где такого эфирного ветра-разума наглотаться? Как подступиться к нему, у кого купить?

Волжская вода бурлит. Рабочий в лодке орет благим матом.

К воде кидается лаборант, делавший замеры на берегу, кидается приезжий москвич… Напрасно!

Оторвавшегося Пенкрата, закрутив водоворотом, уволокло в подводные пещеры и ямы.

Вскоре выныривает директор Коля. Ему помогают свинтить шлем со скафандра, и он, задыхаясь, кричит, а потом показывает руками:

— Коряга плавучая! Во-от — такая! В бок его! Р-раз!

Вызванная по Колиной команде речная полиция, а вслед за ней и «Скорая помощь» прибывают очень быстро.

Вскоре отыскивается и сам Пенкрат.

С виду он здоровехонек, но говорить почему-то не может, только трясет головой и по-идиотски мычит, пуская слюну пузырями.

— Ничего страшного, у нас в горбольнице мертвого из гроба подымут. А потом пострадавший все вам и расскажет, — утешает молоденький врач расстроенного Колю.

Директор Коля отскакивает от врача, как от заразного, и начинает звонить Трифону.

Трифон долгонько не отвечает, а ответив, сразу начинает на Колю орать. Тот намеренно врубает громкую связь, чтобы были свидетели разговора:

— …бя предупреждал! Я всем вам по сто и по двести раз объяснял! Грубые проникновения в эфиропотоки, да еще через воду — опасны! Ну хватит уже ветер в воде искать, в телескоп воду лить!.. Онемел, говоришь, Пенкрашка? Так мы все тут скоро онемеем и опупеем. Если не перестанем двигаться по путям, которые давным-давно исхожены, избиты и ведут на свалку! Имею в виду свалку науки…

— Трифон! Я тебе обещаю: оборудование будет. Опять же, Селимчик кое-что привезет. Брось демагогию, приезжай сюда. Христом Богом тебя прошу! Глянешь, что тут и как…

— Не в оборудовании дело! Аэростаты, скафандры, интерферометры… Пора эти причиндалы — в утиль. Лучший прибор — человеческий глаз! И наши тактильные ощущения. А Селимчик… Ну привезет еще один микрогенератор. Ну притащит записки папаши Миллера, в которых, скорей всего одна старческая глухота и слепота… Ты ишак, Коля!

— Спасибо на добром слове…

— Ишак, потому что не понимаешь: нужен наш, отечественный подход к разработке эфирного ветра. Поэтому ишак не только ты! Ишак я, ишак Пенкрашка… Зачем ты его только на работу к нам приволок?

— Пусть я ишак. Но я прошу тебя, Трифон: давай съездим к Пенкрату в больницу. Такого выражения на лице я ни у кого никогда не видел! Какая-то маска ужаса. Но самое неприятное: маска-то — саркастическая! Издевочный ужас намертво в лицо ему впечатался!

— И что?

— А то…

Не дожидаясь окончания препирательств Коли и Трифона, приезжий москвич спешит на метеостанцию любоваться Ниточкой.

Лицо Ниточкино прозрачно, как родниковая вода, а сама она — даже склоненная над записями и приборами — кажется парящей в воздухе.

— Сейчас, сейчас... — мягко унимает москвичеву прыть Ниточка, — только программу новую проверю.

— Медицинский кабинет нам с тобой, Ниточка, пора проверить...

— Какой ты скорый. Дай записать сегодняшнее!

От Ниточки приезжего отрывают быстро и отрывают грубо, и не кто-нибудь, а Трифон.

— Ни в какую больницу я не поеду, — говорит Трифон с порога, хотя вопросов ему никто не задает. — Мне сорок три, уже на больных насмотрелся, — добавляет он специально для Ниточки, вскинувшей удлиненные глазки с едва заметными складками в виде маленьких «рыбьих хвостов» в углах.

Трифон манит приезжего пальцем:

— Идемте в лес, прогуляемся. А Нина Ивановна самописцы пока проверит. Я тут одну здоровскую поляну знаю.

С трудом отодрав себя от Ниточки, все еще возбуждаемый воспоминаниями о превосходно оборудованном медицинском кабинете, о нежности и податливости Ниточкина тела, приезжий нехотя плетется за Трифоном.

Однако по мере углубления в осенний лес настроение москвича меняется. Возбуждение покидает, сердцебиение почти унялось. Спокойствие и смирение с каждым новым шагом ковшами и малыми ковшиками вливаются в ему в душу.

Приезжему даже кажется: еще самую малость, еще с десяток шагов — и прямо сейчас, в первый день октября, повалит крупный киношный снег. И занесет неудобья и страхи, завалит по крыши дома, отрежет пути в столицу. Не надо будет выбегать на скользкие улицы, не придется наблюдать встревоженно орущих людей, любоваться на дележи и захваты, ощущать кожей наращивание капиталов и замышляемые у всех на глазах банкротства. И, конечно, отпадет необходимость кидаться сорными словами, спорить и кричать про богатых и бедных, про зеленых, красных, белых, желтых!..

Трифон отыскивает поваленное дерево, садится, указывает приезжему на гладкий высокий пень и сразу берет быка за рога:

— Говорю с вами только потому, что мне и обратиться здесь не к кому! Да, я ездил в Москву, да, говорил со знающими людьми. В Университете, в Академии наук, в ИЗМИРАН, в Институте Иоффе. Но они даже рта раскрыть мне не дали.

— Да бросьте вы.

— А представьте. Все зациклились на теории Эйнштейна, как Зюг-Зюган на ленинизме. И теперь меня слушают — этого не скрою — одни лохи и чайники! Такие, как вы, к примеру. Только не обижайтесь. Про лоха — это я грубовато, но по существу верно.

— Ладно, переживу. Меня в Москве тоже, как ту псину бездомную, пинают. А чаще, как хомячка: то тискают, то по носу щелкают, то из клеточки в клетку пересаживают…

— Про хомячка — это вы чик в чик, это вы сверхточно…

— Никакой сверхточности тут нет!

— Не скажите. Битая скотинка понятливей. Умученная — тоже… Но про умученных и битых — потом. Сейчас про главное! При начале работ меня слушали многие. Но как только уразумели: немедленной пользы от эфирного ветра ждать нельзя, — сразу отвалились… Как пиявки от старческих коленок. А другие — наоборот. Хотят идеи мои своровать, а потом их по-своему использовать. Может, и Селимчик из таких. Точно не знаю. А вы… Если вы правильный чайник, то обязаны меня не дыша слушать. И не вздумайте перебивать, — Трифон оглянулся и понизил голос. — Таких кренделей навешаю… Вот вам крест!..

Приезжий приподымается с пня, дует, пыхтя, несколько раз в воздух, потом звонко смеется.

— Я уже и пар, как настоящий чайник, выпустил. Так что валяйте, просвещайте!

Трифон тоже улыбается, но криво, с печалью.

— Не обижайтесь. Какие обиды, если я вам суть мира приоткрыть собираюсь? Завтра мне, может, и говорить не с кем будет… У вас мобилка на запись работает?

— Уже включаю…

— Тогда — главное. На земле в последние сто — сто пятьдесят лет происходит черт знает что. Но что именно — в начале обозначенного периода — знали всего несколько человек: Морли, Майкельсон, Тесла, Таунс, Чижевский. Догадывался, конечно, Флоренский. Вот, пожалуй, и все, кто хоть что-то знал тогда. А теперь… Теперь количество знающих даже уменьшилось. Конечно, сегодня каждый лапоть может отозвать вас в сторонку и, закатывая глаза, сообщить: причиной многих катастроф, войн, революций и других деструкций является сам человек. Как это ново, как позитивненько… Хотя, с одного боку, так оно и есть. Но! Как бы мы ни обвиняли американцев в пожарах, возжигаемых в наших лесах из космоса, как бы американцы, в свою очередь, ни обвиняли нас в землетрясениях и торнадо, регулярно насылаемых на Штаты, — все эти обвинения происходят от научного и человеческого бессилия.

— Так вы ведь сами…

— Не перебивайте. Не в Думе!.. Если продолжать уклоняться от понимания: кто это на человека так воздействует, что он все вокруг себя рушит… Или наоборот: кто это никак не может до конца подействовать на человека, чтобы он прекратил все вокруг себя и в себе разрушать… Если сейчас же не ответить на вопросы о первопричинах… То нечего, конечно, и думать разобраться в следствиях!

Ниже по реке долгой, срывающейся на кашель сиреной обозначает себя теплоход или сухогруз. Приезжий ежится от холода. Трифон всем корпусом подается вперед.

— Если снова не включить в научный и философский обиход понятие пятой сущности, то есть понятие эфира и эфирного ветра — ничего в сегодняшней нашей физической и духовной жизни по-настоящему понять нельзя! Но и в будущей нашей жизни, в посмертном существовании (а оно реально!) без эфира — не разобраться. Но про будущее потом…

Сирена звучит еще раз: короче, глуше.

— А пока должен сообщить вас на первый взгляд не касающуюся, но на самом деле отвратительную новость: наша теоретическая физика в тупике.

— Да ну!

— А представьте. Как слон в зоопарке, топчемся мы на одной и той же подстилке, в одном и том же тесном слоновнике! То же самое — мировые религии. Практически все они, — а я очень высоко ставлю научную и нравственную ценность религиозных прозрений, — так вот: практически все религии предлагают нам в последние века не новые, очищенные от догматических наслоений и отвечающие современным вызовам откровения Божии (такие современные откровения есть, их не может не быть!), а учат совсем другому: рабскому повиновению, тихоумию, просто какому-то приходскому овцеводству!

— Вы прямо антиклерикал какой-то. Бросьте, Трифон Петрович, клепать на религии! Не вы ли третьего дня бочком в храм пробиралась? Сам видел.

— Да, я ходил туда. Но еще раз перебьете — язык присушу! Только и сможете мычать, как Пенкрашка… Продолжаю. Настало время всю нашу науку — именно науку, а не религии, — поставить с головы на ноги. И признать: кроме воздуха, огня, воды и земли — есть кое-что еще. Признать наличие пятой субстанции, то есть признать существование мирового эфира! Осознанный как вселенское явление эфир нужно тщательно исследовать и утвердиться в главном — в том, что давным-давно сформулировал Декарт: «В мире нет ничего, кроме вихрей эфира!».

— Даже и нас с вами?

— Без сомнения. В философском отношении нас с вами, конечно, тоже нет. Есть масса из костей, кала, воды, мочи. Но кто возьмется утверждать, что эти кости — моя или ваша сущность? Мы — телесная видимость.

— Тогда, получается, и Бога нет! Мы ведь по Его образу и подобию созданы. Бога нет, а кругом одна только косная материя: струи, мруи, мигалки дэпээсовские… К этому ваш дурацкий Декарт клонил? Сам я поклоны в церкви каждый день не кладу. Но такая постановка вопроса… У меня — мозг, у меня — душа! В общем, я, кажется, начинаю понимать профессоров из Института Иоффе…

— Ничего вы пока не поняли. И душу вашу никто у вас отбирать не собирается. Помалкивайте лучше!

Слышится хруст. Усынин затравленно озирается.

— Формулировку Декарта мы обязаны понять по-новому. Мы не призраки, но и не грубая бездушная материя, как утверждали ученые-материалисты. Мы — посредине. Мы — промежуток между Богом и косностью скал. А эфир — посредник между Богом и человеками. Но вернемся назад...

— Валяйте. Мобилка стерпит, я тоже...

— Так вот... Нас не то чтобы совсем нет. Мы — есть. Но мы — не то, что думали о себе раньше! И Бог, Он, конечно, есть! Но и Он не совсем такой... Вернее, в своих действиях — совсем не такой, каким Его рисуют наши простонародные или элитарно-изысканные религии. И уж совсем не такой, каким Его рисует здравый смысл, этот главный враг открытий в науке, философии, в любом творчестве! Сообразуясь со здравым смыслом, вам надо сейчас послать меня на три буквы и бежать через лес к Ниточке...

Трифон на секунду умолкает.

Приезжий на пне тихо ерзает, приподымается, но, кряхтя, усаживается обратно.

— Ага, зацепило, — Трифон радостно потирает руки. — Да вы и дороги без меня не найдете!

Лицо Трифоново светлеет, и он, переходя на шепот, заговорщицки сообщает:

— Что там Декарт! Слушайте, что я вам скажу. Мы сейчас у края пропасти. И в то же время — у подножия сияющих вершин. Кинуться нам в пропасть или начать карабкаться на вершины? Вот что надо понять. Вы вот, к примеру, — сразу глянули вниз. Я заметил! — Голос Трифона от радости начинает позванивать. — Это веками повторяемое, ставшее инерционным желание. Давным-давно доказано: первейшее желание человека — убить другого и, одурманившись кровью, ринуться в пропасть, в ад, на тот свет, под землю! И там окостенеть. А вы... вы на вершины гляньте!

202

Вскочив на ноги, Трифон задирает бородатую голову вверх.

Вставая, пытается задрать голову и москвич. Но как-то неудачно у него выходит. То ли голова кружится, то ли давление падает, а только он тут же рядом с пнем на землю и опускается...

* * *

Лес улетал. Вокруг царил эфир. Густо журчали небыстрые, осенние, вставшие вертикально потоки вод.

Внизу через пустошь шли к лесу какие-то люди. Их было плохо видно.

Под ногами слабо видимой, но, судя по звуку, плотной толпы хрустел сушняк. Лес и примыкавшая к нему лысая пустошь, вместе с почвой и подростом, с зеленцой хвои и сохлым бурьяном — поднимались выше, выше... А люди, те оставались на земле: ободранной, пустопорожней.

Как такая земная пустота могла образоваться — было неясно.

Но было именно так...

И тут один из вихрей эфира, летевший к Земле из далекого созвездия Льва и огибавший ее с севера, подхватил лежавшее на траве бесчувственное тело.

Тело — с разбросанными в стороны руками и подтянутыми к животу коленками — два-три раза крутанувшись винтом, стало подниматься над землей.

Как двулопастное кленовое соплодие, отвечая каждому прикосновению эфирного ветра, то медленней, то быстрей закружилось тело в пространстве! В полете кленового соплодия была неуклюжесть и угловатость. Чувствовалось и торможение.

Вдруг что-то с телом в полете стряслось. Словно ударившись о невидимую стену, отпрянуло оно в сторону, навесу застыло...

И сразу стало снижаться. Его — тело — опять потянуло вниз, к лиственной подстилке, в жухлую траву: чтобы за зиму сладко сгнить в ней, не чувствовать больше боли и жжения окружающего мира, перестать ощущать собственные порезы, опухоли!

Люди, идущие через пустошь (тоже бесплотные, но с земли почему-то не взлетающие), стали жадно тянуться к двулопастному соплодию: кто одной, а кто сразу двумя руками.

Однако новый, внезапно подоспевший вихрь непривычно духмяного, тепло-холодного ветра вмиг подбросил кленовое тело выше, поволок его к верхушкам сосен стремительней!

Бурлящая нежность инобытия, враз отстранившая все наружное: людские толпы, постройки и котлованы, ямы и мосты, избушки и троны, анфилады, мавзолеи, деревни, околицы, пристани, скутера, причалы, наполовину вбитые в дно Волги и брошенные сваи, — бурлящая нежность инобытия обернула кленовое тело.

Оно сделалось почти безвесным, полупрозрачным. Но форму свою и свое предназначение — оберегать душу, спинной мозг и верхнее, чисто звериное чутье — сохранило...

Внезапно страшная дрожь прошла по прозрачному телу: над вихрем эфира есть что-то еще! Именно туда, крутясь малым бесшумным пропеллером, кленовый плод упорхнуть и тянуло.

Однако выше твердо обозначилась преграда. И назад возвратиться было трудно.

Неожиданно кленовый плод верчение свое прекратил, короткими рывками пошел вниз, плоско лег, а потом и вжался в распростертое человеческое тело: раскинувшее руки, коленки подтянувшее к животу...

HOMO AETHERONS

Внезапно все кончилось.

Рядом с упавшим хлопотал Трифон.

— …что за день сегодня такой канительный? Сначала Пенкрата оторвало… Теперь вы наземь шлепнулись. Хорошо, в лесу подстилка мягкая. Держите таблетку. Под язык ее, под язык! Мобилка не отключилась? — тараторил как-то слишком восторженно обычно мрачноватый Трифон.

Приезжий ошалело помотал головой: он взлетал? Или таким странным образом кружилась голова?

Кое-как взгромоздясь на пень, москвич проверил мобилку: запись продолжалась.

— Ну и ладушки, — Трифон тоже уселся на место, — полежали на земле — и дальше, дальше!

Внезапно на краю поляны затрещал кустарником лось. Живой, крупный. От боков его шел едва заметный пар.

Тут же стало ясно: не лось — без рогов — лосиха. За лосихой почти впритирку — сперва его видно не было — брел, спотыкаясь, слабоногий лосенок. У лосенка на лбу — не прямо, а сбоку — светилось молочное, с неровными краями, пятно.

Лосиха с лосенком тяжело дышали. Они сразу заметили людей и в нерешительности остановились. Вдруг лосиха фыркнула и резко повернула в сторону. Лосенок — за ней.

— Вот и мы так, — Трифон развеселился сильней, — нюхнули настоящего эфиру и в лес, в кусты!

— А тогда зачем нам сигать в кусты? Вернемся, а? И вы, Трифон Петрович, к работе возвращайтесь. Глядишь, все наладится. Может, Москва в дело вмешается, оценит, поможет…

Двинулись дальше. Трифон долго молчал и так сильно углубился в лес, что приезжий забеспокоился.

— Да вы не бойтесь. Я не Сусанин, вы не поляк! А только надо нам еще в одном местечке побывать. От него пять минут до Волги. Там другая моторка, моя собственная.

— Скоро холода, Волга замерзнет. Как туда-сюда мотаться станем?

— Ну вы-то зимой чаи в конторе гонять будете. Если, конечно, к себе в Москву не свалите.

— А вы как же?

— Я… Да что мы все о нас с вами? Я ведь так и не успел сказать главного.

— Достали вы с этим главным. И так голова кругом идет.

— Достал и буду доставлять! Поэтому повторяю: выход у человеческого сообщества только один — стать эфиром!

Приезжий на секунду остановился.

— Да, так! Стать мыслящим, телесным, — но вместе с тем и воздушным, легчайшим, не имеющим привязки к одной только матушке-России или к одной только Земле — эфиром!

— Вон оно как…

— Вы не поняли. И Земля, и Россия — они, конечно, останутся. Так же, как останется та или иная форма тела. Ее, кстати, можно будет менять. Не то чтобы совсем по своему усмотрению… Но, думаю, менять будет позволено! Причем по ходу жизни, а не как у этих… Ну, которые голым темечком в бубен стукают и все время перевоплощений ждут… И во всем этом — никакой фантастики! Просто забота о будущем. Земля перенаселена. Тела наши в старости нам тягостны. Вокруг слишком много зла, гнусностей, предательств. А тут — раз! Все стало легким, эфирным! Очистилось и умягчилось. Зло вместе с телом — отпало!

— Ну вы, Трифон Петрович, даете…

— Да, да! Мировое зло приходит через тело! Тело не нужно уничтожать, как раньше — помните? — монахи уничтожали плоть… Или индуисты: практикой иссушения тела — тапас это у них называется — доводили себя до полного почти исчезновения… Все это лишнее! Тело просто следует сделать эфирным! Слить его в одно целое с мировым эфиром и околоземными эфиропотоками! Вот тогда-то и можно будет сказать: старый мир ловил меня, но не поймал! Вот тогда — и потухшее солнце не страшно.

— Не могу представить, какой-то бред…

— А вы представьте. У меня на службе вы это обязаны себе представлять! Ну же! Смотрите: тело мое и ваше — коростой, бинтами кровавыми отслоилось! Предательства за спиной остались. Душе нашей с эфирным телом в тысячу раз легче стало! Умаялась ведь душа с телом капризным! И то ему подай, и это: пороков побольше, ощущений покруче! Адреналина — лоханками в сердце! Бульбочек алкоголя — дикой россыпью на язык!..

Приезжий москвич на минуту прикрыл веки. Только что прервавшийся полет кленового соплодия снова представился ему в подробностях.

— Ладно, валяйте дальше, рассказывайте, — улыбнулся он внезапно…

Засмеялся и Трифон:

— Значит, представили? Так вот. В эфирном состоянии все злобноватые желания тела, все, что мешает стремительному полету и чистому познанию, — отпадет. Государства! Великие китайские стены! Крепости! Колючая проволока! Границы с квартирными переборками — все растворится в эфире...

— А вот здесь точно — дурью повеяло!

— Дурь — не моя епархия. А то, что рассказал, — не теория, а предзнание и предслышание. Вы меня сбили... Я про что говорил?

— Про то, что государств и квартирных переборок не надо.

— Ага. Правильно. Все будет прозрачно, но где надо, будет слегка и прикрыто!

— Что вы, ей-богу, как Путин с Медведевым: прозрачно — открыто, открыто — прозрачно...

— Все именно так и будет, и сущность человека при этом не пострадает. Зато избавимся от лазаретов и травматологов, и всякие психологические бодрилки, ну хотя б ваши негритянские книжки, не нужны станут...

— Про книжки уже доложили?

— Как без доклада! Мы своих работников лелеем, мы их самих, а также книжки, ими написанные, но не ими подписанные, изучаем.

— Как млекопитающих?

— Вы дальше слушайте. Гнусное и грубо-телесное из нашей жизни уйдет, и сразу все поменяется. Мысли и заботы другими станут. Потому как — ни дистрофии, ни старости! Ни любви несчастной, ни шекспировских драм! А любовь в эфире, — Трифон зажмурился, — она другой будет: юной, лучезарной, без потуг, без надсады. Скажу даже: без тяжести половых рождений эта любовь будет происходить! Все кто желателен — я имею в виду новых эфирных людей, homo aetherons — все ваши и мои потомки из мысли рождаться станут! В крайнем разе — из кусочка эфирной плоти. Помните Еву из ребра? Вот какие рождения к нам возвратятся. И не надо будет трансвеститом становиться, не надо будет о противоположном поле тужить-горевать!

— А я хочу! Я буду тосковать о женщинах!

Трифон вздохнул, как вздыхают о чем-то далеком: неглубоко, спокойно, с печальным призвуком счастья.

— Повезло вам с ориентацией... А я, признаюсь, хотел когда-то пол сменить. Так допекло мужиком быть. Но это ого-го когда было! Ветер эфирный от этой гадости в сторону отволок... И полетела моя трансвестиция кувырком в мусорное ведро! Ладно, хватит об этом.

— Нет, почему же. Про это как раз надо! А не хотите вы — я расскажу. У меня в Москве знакомый есть: срано-поганый, знаете ли, такой писателишко. Рогволд Кобылятьев. По прозвищу — Сивкин-Буркин. Я его Рогволденком зову. И вот что я про него перед отъездом узнал. Это как раз про любовь. Так вот: странной любовью он отечественных дам-детективщиц вдруг полюбил! Полюбил и смертельно им завидует. Жена его по секрету мне и шепнула: так завидует — пол решился сменить!

— Да ну!

— Вот вам и ну. Сказал жене: «Я, конечно, запросто могу вообразить себя женщиной. Мне это — плюнуть и растереть. Но воображать себя такими страшилищами, как эти распиленные пополам, а потом неправильно собранные — карликовый бюст и широченный таз, широченный бюст и ужатый тазок — но воображать себя Дарьей Устецовой и Марьей Допустимовой — сил моих нету. Поэтому — стану красавицей Рогволдиадой! И попробуй, дура, сказать, что это не круто».

Жена, понятное дело, в плач: ей-то самой как при такой смене полов быть? А Рогволденок: все, мол, предусмотрено — у нас с тобой женская любовь будет, и даже слаще, чем теперь!

— Ладно вам врать, — Трифон опять засмеялся, — ладно посыпать рану перцем… Но вообще-то хорошо, что посыпали! И мысль мою ваша историйка стопудово подтверждает… Раз уж не из-за любви, а из-за славы на такое антибожеское дело идут, значит, без эфирного состояния тел никак не обойтись… Но мне бы закончить, а?

— Валяйте.

— Слишком близко мы к роковой черте подошли. За ней, — если не обретем эфирного тела, не станем эфирными людьми — перенаселение, столпотворение и скотомогильники без крестов. В общем, распад полный. И главное — времени ни черта не осталось. Опаздываем! Может, уже опоздали…

— Это почему это опоздали?

— А потому. Человек — именно сейчас, именно сегодня — перестает быть человеком. Количество упырей, мутантов, вырожденцев, трансвеститов — удвоилось, а то утроилось. То есть сегодня уже 40—50 процентов человечества составляют люди, негодные для перехода в эфирное состояние! Плюс те, кто отягощен наследственными и своими собственными грехами. Грехи наши — они потяжелей а́томного ядра будут!.. А тут еще — особый «сорт людей» проглянул: мусорные люди. Грубо сработанные, первично-хламовые… Как вам точней сказать? В общем: сорно-грязевые! Это потомки тех, кого Господь Бог для первого опыта слепил из некачественной глины, и которых забыл или же поостерегся одухотворить. Вот они нутром и окаменели. И потомкам передают каменную плоть, вместе с каменеющей душой… Вспомните гнусности всех без исключения, — а не только наших русских — революций, вспомните невиданные военные жестокости. Ну вы сами подумайте: кто их творил?

— У меня от ваших теорий — опять голова кругом. Давайте сядем.

Но Трифон приезжего не слушал, он шагал вперед все стремительней, говорил все запальчивей:

— Вы на Ниточку вашу гляньте! Она же эфирная, светится! Значит, предчувствует дальнейшее эфирное существование. А гляньте вы внимательней на Пенкрата: грязь клокочущая и сажа комковатая у него внутри! А кстати, теперь и снаружи: вся морда, говорят, у него под скафандром почернела... Да вы поймите! Выход у мира действительно один — всем пройти первичную, а затем и вторичную... Словом, пройти внешнюю и внутреннюю обработку эфиром. То есть стать эфирными людьми полностью! Не эфирозависимыми, каких мы после Селимчикова свинства тут наблюдаем, а людьми эфира! А уж дальше — воскресение и бессмертное существование!.. И это все реально — потому что таков Замысел Творца. И наука, наконец, к разгадке великого Замысла приблизилась.

— А если наука ваша ошибается?

— Бросьте! Все продумано, все проверено. Ведь и в трансвеститов долго не верили. А теперь увидишь — на забудешь... В прошлом году в Испании вдруг из погребка винного — двое страшил на каблучищах. Жопами крутят, груди выставляют. Морды бритые, в глазах озлобление, локоны, как змеи, до земли... Но подбородки-то квадратные, но пальцы — токарно-слесарные! Я от них, как от кошек саблезубых: шасть на проезжую часть! А тут машина. Чуть Богу душу не отдал...

— А как же этот... как его... Федоров? Он вроде по-другому обо всем этом говорил... И с воскресением из мертвых, с восстановлением земного тела во время воскресения как быть?

— С воскресением, действительно, вопрос сложный. Но думаю, так... Как эфир является промежуточным звеном между Богом и человеком, так и пребывание в эфирном теле является промежутком между жизнью-смертью на земле и воскресением...

— А Федоров?

— Федоров Николай Федорович нам тоже сгодится. Но коренную поправку в его теорию внести придется! Вот она: наше «общее дело» есть эфирное дело! И соединиться — как мечтал Федоров — молекулам и атомам в тела отцов возможно будет только в том случае, если тела эти эфирными станут! Чтобы ясней — всех усопших мы только через переход в эфирное состояние сможем восстановить. Живи Федоров сейчас, он бы вам то же самое сказал... Но ведь многие из усопших давным-давно в эфирном виде пребывают! Иногда мы их присутствие физически ощущаем. Возьмите этого вашего прозаика великолепного... Ну «Усомнившийся Макар»... Ну Платонов же! Так и кажется, берет он метелку пахучую, метелку эфирную и все наши дурацкие параграфы и установления, все ненужные для вечной жизни крючки и загогулины — скидывает вниз и выметает. Выметает и скидывает! И чище именно от его эфирной метлы становится, а не от мочиловки прокурорской...

— Ладно. От тела и от нашего государства вы, Трифон Петрович, отказались. А семья, она-то как?

— Вот, правильно, семья! Она, без сомнений, останется! Основные сгустки эфира — как раз сгустками семьи и будут! Но семья — не домостроевская, не принудительно-исправительная! Другой она будет. Свободно-безденежная, без тягост-

212

ных глыб недвижимости, без грызни за наследство! Где ж тут место злу? Где желание отравить богатого дядю и похоронить прежде времени бабку с дедкой? Вот нас учили: где добро, там обязательно зло. А зачем нас так учили? Чтобы иметь под рукой запасные вагончики для зла! Чтобы его постоянным присутствием оправдывать и свои, и чужие безобразия. Но в наступающей эфирной реальности такого не будет. Просто ни в интернете, ни в проповедях пока никто об этом не сообщал.

— И вы нас, Трифон Петрович, — сарказму приезжего не было предела, — решили покинуть? Чтобы к эфирному ваньковалянию втихаря прибиться?

— Я не Иван-дурак и не Емеля из сказки. А трудов мне и в мире эфира хватит. Но трудов — для головы, не для пролетарских рук-кувалд! И со станции — да, я хочу уйти! Может, сдвиги появятся. Незаурядные замыслы всегда мешают осуществить заурядные люди. Они на мстеостанции и в «Ромэфире» как раз преобладают. Может даже, они кем-то наущаемы... Вы заметили этот промельк?

Трифон остановился и с тревогой полуобернулся назад. Потом прямо в ухо приезжему зашептал:

— За нами лось топает... Не лось — лосяра! Вы не оглядывайтесь... Анти-эфир — в простонародье анчутка — он ведь разные обличья принимает!

— Да это просто сохатый свое семейство ищет!

— Очень нужно ему. Ладно, скоро узнаем.

Трифон недовольно — как тот лось — фыркнул, еще быстрей пошел вперед, а говорить стал и вовсе обрывисто.

Приезжий за Трифоном едва поспевал.

— ...да! Резкие изменения. Неожиданные! Никем не предусмотренные. Еще лучше — всеми отвергаемые! Только они подтолкнут к нужным решениям. Я точно еще не знаю, что вытворю. Но это будет неожиданно! После неожиданных действий — легче продолжать борьбу.

— За власть бороться станете?

— За эфир.

— А нельзя как-нибудь без борьбы, а? Партии, прелиминарии, думские коалиции… Как они осточертели. Прямой дорогой к могиле ведут. То есть, я хотел сказать — к войне гражданской толкают…

— Насчет могил и партий — не поспоришь. А без борьбы — можно. Есть еще один путь к эфирному человеку: нестяжательство! Только вы, пожалуйста, нестяжательство с непротивлением — не путайте. И не думайте, — а я спиной чую: думаете, думаете! — что нестяжательство — это только религиозный путь. Нил Сорский, Вассиан Патрикеев и все такое прочее… Самый что ни на есть мирской! Однако нестяжательство — путь долгий, на века. А вот если мы, при вашей, кстати, помощи, уловим эфир сейчас… Вот же он струится! Вот пролетает сквозь нас! Как мельчайший дождь: со второй космической скоростью, а потом тише, тише…

Приезжий забежал поперед Трифона, остановился, приложил руку козырьком ко лбу, повертел головой из стороны в сторону, потом руку убрал, показывая: никакого эфирного дождя не вижу.

Трифон с досады крякнул, но сдержался:

— Поймите: мир эфира — сама естественность…

— А между прочим… Я тут недавно журнальчик «Эфирный мир» в Москве видел. На столе у одной секретарши. Только там все больше про косметику… Смешная перекличка выходит. Но хрен с ним, с журнальчиком. Я-то во всех ваших раскладах к чему? Зачем позвали, зачем битый час по лесу водите? Я — чайник, лузер, ламер или как там еще! Чем я-то помочь могу?

— Сами, конечно, не можете. Но через ваше посредство — существенную помощь оказать нам могут... Приедет Селимчик — разъяснит подробней.

Деревья стали редеть.

Слева обозначился крутой спуск. За ним — обрыв. Мелькнула Волга, и пароходная сирена вдалеке опять зазвучала.

Получалось: Трифон и приезжий москвич все время ходили по кругу...

КУДА ДАЛЬШЕ?

Приезжий после разговора в лесу вернулся к Ниточке взбудораженный, с новыми, ему самому не слишком ясными мыслями.

Как-то по-другому, исподлобья, взглянул он и на Колю с Лелей. Говорить с ними стал осторожней, обдуманней.

Коля и Леля почему-то задержались на метеостанции, за реку, в контору «Ромэфира», уезжать не спешили. Хотя заниматься им на станции, и на взгляд Ниточки, и на взгляд приезжего москвича, было абсолютно нечем.

Но Коля с Лелей сидели и ждали. И только когда Коле на мобилку позвонил кто-то едва слышимый — слабо донесся из мобилки вибрирующий тенорок — разом подхватились и от левого берега Волги отчалили.

А уже на следующий день директор Коля со старшим научным сотрудником Лелей и замом по науке Пенкратом начали действовать. Правда, на взгляд засушенного австрияка

Дросселя — за ними ревностно наблюдавшего — действовали коряво и невпопад.

Сам Трифон ровно через день после разговора в лесу исчез.

Тут пошло-поехало!

Хотя поначалу-то все шло медленно и даже томительно: второго октября в «Ромэфире» весь день ждали прибытия Селимчика.

Однако Селимчик не прибыл. А ведь накануне, из мобилки покрикивая, уверял: прибудет в срок!

Но, как стало известно уже во вторник, Селимчика нежданно-негаданно задержали в Москве, на шереметьевской таможне.

А еще через день задержанный очутился в тюрьме. Да не в какой-нибудь — в Лефортовской! Как передал Сухо-Дросселю верный человек из Москвы — Селимчика задержали по подозрению в тайных сношениях с террористами.

Таким образом, бумаги папаши Миллера из научного оборота на время выпали. А может, и совсем медным тазом накрылись.

В «Ромэфире» срочно собрали совет. Долго сидели молча. Трифон, как и ожидалось, не пришел. Селимчика было жаль.

Но, когда прикинули еще раз, получилось: Селимчик теперь не особо и нужен. Селимчик указал наследника — Селимчик может сидеть.

— А выпустят — как родного встретим, — подытожил мысли о лефортовском узнике австрияк Дроссель, роняя железные очки на веревочке.

— Все! Включаем в дело наследника. По полной программе!

Крикнув это, директор Коля собрался весело запрыгать по кабинету, но Леля удержала его за руку.

— Ты, Коль, не прыгай, ты послушай, чего скажу! Надо не просто включить в дело наследника. Надо нам самим и как следует прощупать Куроцапа. Я предлагаю написать Савве Лукичу письмо. Содержание письма — мое личное женское дело. Фишка в том, чтобы Савва сюда, в Романов, прибыл… А там — поглядим!

— Так ведь Трифон второй день глаз не кажет. И до этого всякие заявления делал. На кой нам Куроцаповы денежки и сам Куроцап, если смысл научной деятельности утерян? Ну проведем главный эксперимент. А если он не даст искомого результата?

— Денежки, Кузьма Кузьмич, всегда пригодятся. А особенно Куроцаповы. Кому как не бухгалтеру это знать. Вы новый бизнес-план составьте — и наслаждайтесь покоем.

— А я, господин Пенкрат, не желаю лишних денег! Лишние деньги — путь в СИЗО! Оставьте денежную приманку недоросткам! Меня на фу-фу не возьмешь. Вы мне смысл дальнейшей работы — на время отсутствия основного разработчика проекта — укажите!

— Ну, смысл… Смысл этого дела и в моей голове сидит неплохо. Не только в Трифоновой…

Только что выписавшийся из больницы Пенкрат скинул капюшон, крепко и уверенно постучал себя по лбу костяшкой пальца.

Звук, однако, вышел тупым, глуховатым…

* * *

Савве Лукичу взгрустнулось. То ли годы, то ли утомление капиталами, то ли просто стих нашел.

А тут еще письмо неизвестной блудницы: наш с тобой, Савва, сынок в городе Романове дурня ломает! Собак гоняет и овец считает, а ни к какому настоящему делу не приспособлен. Хоть годами — уже к сорока вышел!

Смутная надежда, посетившая Куроцапа на вечере у Максима Ж-о, вдруг снова шевельнулась внутри.

Неужто правда? Неужто блудный сын к блудному отцу возвращается? Двое блудных — в тоске пустыни!..

В последние три-четыре месяца Савва Лукич стал сильно склоняться к Библии, еще сильней к Евангелию. Не столько к самой религии, сколько к отдельным речевым оборотам и образам священных книг.

Библейско-евангельские образы перетекали в современную жизнь легко, встраивались в русскую мысль преотлично, многое в жизни высветляли, а кое-что так даже и проясняли окончательно.

К примеру, на все требования современного общества смягчить отношение к гомосекам Савва Лукич отвечал, набухая яростью: Содом и Гоморра!

Это словосочетание поражало сторонников педерастии силой звука, таинственностью последствий, сложносочиненностью туго сжатого — подобно створкам морской раковины — образа. Зачинщики педерастии делались бледно-серыми, защитники — сокрушенно рыдали.

На Пугачиху Савва орал — Иезавель!

Недавние революционные судороги на Ближнем Востоке обозвал длинно и звончато — словно горлышком бутылки по струнам гуслиц проехал: «путешествие евреев к арабам по дну Красного моря, но без Моисеевой головы».

Балерин Мариинки звал упорно дочерьми Лота.

Партийного лидера Зюг-Зюгана — Валаамовой ослицей.

Ну а собственных братьев по стремительному обогащению называл Савва, сердечно замирая: капиталюгами.

Последнее слово ни в Евангелии, ни в Библии не встречалось.

Сперва Савва терпеливо его выискивал, а потом понял: это даже хорошо, что там такого слова нету! Вот и нужно бережно пополнять словарь Священного Писания понятиями, уточняющими и расширяющими — с привязкой к сегодняшнему дню — библейско-евангельскую образность.

Иногда такие слова соединяли древность и современность в нечто слитное, как бы давно задуманное. Быстро осознав силу слияний, Савва стал публично звать друзей по бизнесу — «капиталюги иродовы».

— Куда спешишь, капиталюга иродов? — кричал он в телефонную трубку, отвечал на звонки Роман Аркадьевич или кого-то еще из столпов российского предпринимательства.

— Куда несешься и ты, о Российская Федерация? Куда летишь, запрягши иродовых капиталюг в газпромовский, росгидровский и росвооруженческий кортеж диких «мерсов»?

Языковые эксперименты приятно освежали, отвлекали от печали и сомнений. И вообще: грустил бессемейный Савва недолго…

Письмо блудницы он перечитал дважды. Блудница была переименована в бедную Агарь, а сам Куроцап, недолго думая, стал собираться в городок Романов.

Ехать было решено без всякой помпы.

Однако два-три глянцевых пачкуна и с ними одна гламур-блудница — про поездку узнали, увязались следом.

Тихо рыча на гламур и глянец, Савва в последнюю минуту из поезда-экспресса Москва — Ярославль выскочил, вернулся домой.

А на следующий день, купив фирменный автобус московского футбольного клуба «Локомотив» («им такой роскошный не нужен, все равно играть не умеют и никогда не научатся»), погрузив в него двенадцать охранников, одетых в спортивную форму с прыгающей по спине пумой, и прихватив с собой камердинера Феликса — покатил он в городок Романов.

Получилось, как Савва и хотел: ни пресса, ни телевидение вслед за «глянцевыми» и блудницей (тянувшими соску-пустышку в ярославском поезде) в Царево-Романов за ним не потащились.

С пользой проведя время в автобусе, Савва Лукич весело ступил на романовскую землю.

И вдруг едва не расплакался.

Давно забытое умиротворение малых русских городов, висящее кисеей над приволжской равниной, обволокло Савву нестрашным огнем, а затем обдало речным холодящим туманом.

Вслед за умиротворением и туманом, содрогнувшись всем своим тяжким телом, втянул Савва далекий хлебный дух: дух романовских пекарен.

Хлебный дух насытил сильнее пищи. Чудодейственная романовская грусть пробрала, проняла, а потом напомнила о напрочь забытом!

— Все-то ты, Савва Лукич, по заграницам да по заграницам, — на лету поймал Саввино настроение старый, но вполне себе бодрый камердинер Феликс. И сдержанно прослезился.

— Не плачь, старик! Не плачь, Эдмундыч! Я сам старик. А ты так и совсем уж — гробовой старикашечка. Сейчас купнемся в Волге, сразу тебе полегчает.

— Так ведь октябрь наступил, Лукич!

— Это тебе он, Эдмундыч, на хобот наступил!

Отчество камердинера Савва часто менял. Больше всего его привлекало величественное Эдмундыч. Когда «эдмундить» надоедало, отчество старику он возвращал паспортное — Ильич. Зато Феликса менял на Владимира. Делал это Савва с такой младенческой безыскусностью, что старику камердинеру иногда даже казалось: у него и в самом деле два имени, два отчества.

БЕСЧИНСТВА ТРИФОНА

Именно в те дни — дни негласного пребывания Куроцапа в Романове, дни улетных волжских туманов и бесподобного спокойствия в природе — первый налет в городе и произошел.

Благодаря разъяснениям старожила Пенькова, которому шел сто девятый год, всем сразу стало ясно: налет по своей безбашенности и нелепому ухарству далеко превзошел налеты времен Гражданской войны, происходившей, как напомнил Пеньков, в самом начале прошлого, XX века.

— А ведь речь идет, — не прекращал просвещать говорливый и ничуть не выживший из ума старожил, — о тех временах, когда город в течение целых суток назывался светлым именем — Луначарск! При этом по метеным наркомовским улицам проносились на лошадях и в каретах настоящие банд-

формирования, а не сновали в «маздах» нынешние балаган-
ные бандосы с травматическими пукалками.

Вот как было.

Ранним утром пятого октября, еще до восхода солнца, по
Борисоглебской стороне города Романова медленно проеха-
ли два самосвала и один эвакуатор с открытой платформой.

На тихой боковой улочке грузовики разделились.

Первый проехал еще немного вперед и притормозил
у крупного супермаркета. Суперский этот маркет острые
на словцо романовцы из-за муторно-зеленых небьющихся
и каких-то по-особому угрюмых стекол обменного пункта
звали без уважения Капустин двор.

Пустота улиц способствовала налету.

Охрану скрутили быстро. Ловкие люди в масках (не в новейших «балаклавах», а в старых, опереточных, с блестками) в течение пяти минут погрузили на самосвал три банко-
мата, и тот увез их в неизвестном направлении.

Правда, как стало ясно уже через час, ни на какую тай-
ную базу террористов — для последующего потрошения —
самосвал с банкоматами отогнан не был. Он просто выехал
на один из волжских причалов и скинул все три денежных
ящика прямо в матушку Волгу.

Тут и сгодилась романовцам полузабытая песня! Потому
как, когда через час осатаневшие безработные и беззабот-
ные держатели акций стали отдельными кучками собираться у причала, им только и оставалось, что бормотать:

— Только паруса белеют,
На гребцах шляпы чернеют…
Ничего-то в волнах нет!

Стало понятно: место было присмотрено загодя и со знанием дела. Ведь, как объяснили раздраженно-беззаботной толпе два отставных шкипера, более глубокой воды на всем протяжении романовских набережных просто не было.

На второй самосвал погрузили уже не банкомат, а переносной прилавок с кассовым аппаратом и двумя мангалами. На мангалах готовили крупно рубленных домашних уток и свиной шашлык, сбрызгивая все это из громадной медицинской спринцовки гранатовым соусом.

Соус, как поговаривали, был разведен туалетной водой, разбавлен муравьиным спиртом, нашатырем, сдобрен помоями и всем, что во время приготовления попадало мангальщику под руку. Это придавало соусу дикую остроту и помогало — без всякой русской бани — кидать добрых романовцев из холода в жар.

Мангалом и кассами Волгу захламлять не стали. Свалили в пригородный карьер.

Когда к вечеру хозяин мангала вместе с двумя полицейскими решил осмотреть своровܤнное имущество — смотреть было уже не на что: одни обломки и расплющенный кассовый аппарат виднелись на дне только вырытого и не успевшего еще заполниться водой песчаного карьера.

А вот эвакуаторщиков — тех ждала неудача.

Водитель и двое в масках никак не могли справиться с памятником Борису Ельцину. Памятник — как в свое время и оригинал — стоял уперто, твердокаменно! Не могли его стронуть с места ни заговором, ни веревками, ни цепью, ни молитвой…

Уже слыша вой полицейской сирены, злоумышленники наскоро вывели на памятнике пульверизатором оскорбительное, хотя, к великому счастью, и не матерное слово и, выкинув в кусты брызгалку с краской, позорно скрылись.

Рассказов об этом ходило много и предположения были разные.

Инициаторы бесчинств и налетов удивили горожан по-настоящему. Фантазия у налетчиков работала хорошо, что и дало повод смиренным романовцам утверждать: это дело рук приезжих, никто из местных до такого просто бы не допер!

Вслед за банкоматами, мангалами и памятником последовала вздорная, но в чем-то и поучительная война вывесок.

По ночам старые вывески стали заменяться новыми. Причем не чувствовалось в этих действиях безобразного панковского влияния! Наоборот. Веяло неизбывным, до боли знакомым: разбойной удалью Стеньки, радищевским негодованием, окропляло пушкинскими колкостями и благородным гневом князя Кропоткина, обдавало душком милых сердцу анархистских песенок!

Охальных вывесок тоже не было, может, поэтому их и не торопились снимать. Но оскорбительные, конечно, были.

К примеру, над входом в одну из городских оппозиционных газет вместо привычного «*Романовская правда*» — целые сутки сверкало розовато-бурое «*Лакейские побрехушки*».

А вот на здании администрации новые вывески продержались всего два-три часа. Там злоумышленники на хороших, тонкой работы медных досках вывесили сразу две таблицы: «*Контора герр бургомистра*» и «*Романовское представительство абвера*».

Конечно, такие вывески долго продержаться не могли.

Особенно после того, как на здании полиции появилась вывеска «*Охранка-02*», на резиденции мэра злобно шипящее, но и чарующее слово «*Вольфшанце*», а на неприметном окраинном здании с веселым и буйным садом, раньше обходившемся без всякой вывески, — «*База Гуантанамо*».

Очень странными показались местным жителям и выходки в центральном парке.

А ведь парк города Романова великолепен и необычен был!

Над входом в него много лет уже красовалась вывеска:

«*Парк советского периода*»

И уж ее-то не злоумышленники гвоздями приколотили! Во всех вики- и лит-педиях этот романовский нонсенс был заботливо отмечен.

Саму вывеску правонарушители не тронули, но всем пионерам на лбах написали «*Слава им!*». А одной из красивейших парковых пионерок змейкой по груди пустили надпись: «*Жирик стух! Хочу путиненочка!*».

Это навело на мысль: в парке бесчинствуют коммунисты-обновленцы под управлением бывшего дирижера Мариинского оперного театра Семена Бабалыхи.

Но быстро выяснилось: в ночь бесчинств этого дирижопера в городе не было: отдыхал маэстро в Баденвейлере, а обновленная коммунистическая организация на конец сентября 201… года насчитывала всего двух членов. В нее входили сам Бабалыха и упомянутый выше ставосьмилетний романовский старожил Исай Икарович Пеньков.

Однако старожил божился и клялся, что ни во времена Гражданской войны, ни во времена теперешние ни на каких памятниках ничего не писал.

— Доносы, случалось, пописывал. Не совру! — смело рубил ладонью воздух и призвякивал медалями не подлежащий суду из-за умопомрачительного возраста Пеньков. — Но чтоб на груди? Про путиненочка!?

Легкое и доступное объяснение пришлось, скрежеща зубами, откинуть.

А тут как раз произошло нечто социально противоположное: нескольким парковым пионерам пришпандорили на плечи настоящие царские эполеты. Эполеты невозможно было отодрать, и они целую неделю красовались на плечах беспровинных изваяний.

Еще одной пионерке, стоявшей как раз напротив той, что желала «путиненочка», вложили в руки — словно бы исключительно для этого случая сработанные — деревянный скипетр и тяжкую, каменную «державу».

Здесь в сознании некоторых жителей города произошел еще один, и теперь, кажется, коренной поворот: возрождение российской монархии начнется отсель, из города Романова!

Немедленно была послана приветственная телеграмма Никите Михалкову. Стали думать и гадать, как Никиту Сергеевича похлебосольней встретить, что отвечать на его умные, полностью разъясняющие суть современного монархизма речи, как вдруг — новое событие.

Тепловой аэростат!

Он-то и стал венцом шестидневной войны добрых романовцев и неизвестных правонарушителей.

Тепловой аэростат — и опять-таки в ночь глухую, когда не спится только лошадям и овцам, — пристегнули тросом к радиобашне. А внизу, у радиобашни, посадили на цепь двух хорошо известных городу собак: Рекса и Рексону.

Промеж себя Рекс и Рексона вели себя вполне сносно, а вот зевак и полисменов, пытавшихся приблизиться к башне, готовы были порвать на куски. Длинные цепи с кольцами, продетые в десятиметровые, протянутые по земле проволоки, собакам в этом сильно помогали.

Кобель Рекс приобрел популярность тем, что принадлежал городскому голове. Рекс был тупо свиреп, страшно кусач и только месяц назад загрыз в парке двух милых белочек и одну приблудившуюся кошку.

Конечно, ротвейлера Рекса можно было усыпить, а цепь обрезать. И тогда — лети тепловой аэростат на все четыре стороны! И тогда — раздражай своим нелепым видом хоть древний Ярославль, хоть тихий Рыбинск, хоть близлежащее Пшеничище!

Но в том-то и беда, что городской голова в сопровождении двух высших романовских чиновниц в эти ссоровато-призрачные волжские деньки пребывал на встрече в верхах, с последующим двухнедельным практическим семинаром, ежегодно проводимым в Республике Кипр (в турецкой его части).

А без хозяина усыплять Рекса было попросту опасно.

То же касалось и кавказской сучки Рексоны. Но тут дело обстояло куда серьезней!

Пустолайка Рексона принадлежала жене местного начальника полиции, и жена эта отнюдь не отдыхала, а находилась с докладом в Москве. И, конечно, вернувшись, не стала бы разбираться, кто украл, кто дал приказ усыпить, кто конкретно усыплял — пусть даже на короткое время — ее любимицу, резвушку Рексону…

Из-за всего этого тепловой аэростат провисел на тросе над городом ровно три дня, прежде чем команда местного

МЧС — начальник которого не боялся ни бога, ни черта, ни даже жены главного городского полицейского — пересилила нерешительность городских властей.

Время, однако, было упущено. Аэростат свое дело сделал: он поселил в сердцах добрых романовцев сумятицу и соблазн.

С аэростата глядело на горожан всего несколько слов и цифр.

Но при этом и цифры, и слова не краской по фанере были выведены!

Цифры состояли из палок сырокопченой колбасы, а слова — из крупных и толстых полукружий колбасы полукопченой, краковской.

Сильней всего раздосадовала романовцев сырокопченка.

Мало того, что дорогим деликатесом, на огромном фанерном листе, пришпандоренном к аэростатовской корзине, были выложены четыре даты:

25 октября 1917
22 июня 1941
19 августа 1991
10 февраля 2007

Мало! Была выложена и пятая дата. Тоже, возможно, роковая. Каждый из смотревших вверх старался ее как можно скорей забыть. Но вряд ли мог! Дата была близкой, слишком близкой, набором цифр она явно перекликалась с четырьмя предыдущими, наводила на исторические воспоминания, и — что хуже — грубо и непристойно влекла к футуристическим прогнозам.

Еще неприятней было то, что под цифрами, под твердокаменной, но честной и прямой сырокопченкой, было кругами и полукружиями коварной краковки выложено: «Ты уже отдал Россию за евроколбасу?»

К аэростату, к дармовой колбасе, стаями летели птицы.

И тогда — при птичьем приближении — в корзине аэростата включалась мощная пароходная сирена.

Пернатые поворачивали назад. Возмущенно крича, разлетались они по своим гнездам, по неотложным птичьим делам или просто в разные стороны…

Дурацкая выходка с аэростатом вдруг пустила мысли романовцев по новому руслу: а не затеял ли все это известный своей любовью к резким нарушениям норм человеческого общежития и другим неровностям поведения доктор физико-математических наук господин Усынин? Трифон Петрович — человек умный, человек продвинутый, но в последнее время сильно истомившийся в облаках романовской грусти — вполне мог на такое решиться.

Сразу вспомнили: два года назад, и тоже осенью, разрывая тоску депрессивных туманов, расшвыривая в стороны брызги косого дождя, Трифон Петрович уже поднимался на воздушном шаре. Пролетая над городом, он тогда тоже что-то натужное и скорей всего противоправное сверху орал.

От Трифона и его сообщников ждали новых выходок.

Но вдруг все стихло.

И все же странные эти налеты взбаламутили волжское людское море — прежде очень спокойное — до крайности.

В городе стоял глухой ропот. Побаивались новых бесчинств. Но сильней бесчинств боялись политических провокаций, исторических аллегорий и некорректных сравнений.

Именно такое томительное ожидание и позволило заскорузлому лаптю Пенькову сморозить во всеуслышание очередную глупость:

— В городе Луначарске да при большевиках такого ни в жисть не случилось бы!

Слова Пенькова мигом распечатала местная оппозиционная газета. Многие смеялись, а некоторые снова задумались о быстрейшем возвращении династии Романовых — для наведения теперь уже настоящего, веками и тысячелетиями не нарушаемого порядка.

В силу всего этого Савва Лукич Куроцап, ставший невольным свидетелем городских происшествий и сам склонный к подобным штучкам-дрючкам, решил остаться в Романове еще на несколько дней. А в случае чего — так и помочь бедовым скоморохам материально.

РУССКИЙ ПЕРНАЧ КУРОЦАП

Савву Лукича налеты и безобразия взбодрили сильно, очень сильно!

Он стал часто рассказывать старику-камердинеру — которого окончательно переименовал в Эдмундыча — про русский дух и даже вышел однажды на улицу без охраны.

Но еще до самостоятельного, без охраны, выхода Савва получил второе письмо, касающееся наследника.

Наследник был ему обещан твердо!

Правда, письмо сопровождалось нижайшей просьбой подождать еще три дня: и уж тогда наследника — сильно занятого на внезапно подвернувшейся работенке — представят в лучшем виде! Главное, чтобы Савва Лукич не забыл о достойном вознаграждении за тяжкий труд отыскания и восстановления в правах бывшего сироты.

На случай Саввиной забывчивости предусматривались разные меры, в основном материального характера.

Но Савва Лукич ободрился и тут: стало быть, дух русского предпринимательства — пусть пока дух жестокосердый, безбашенный, нагловатый — достиг-таки города Романова!

Как и каждый истинный капиталист, Савва был социалистом до мозга костей. В глубинах сердца он всех делал равными, раздавал неимущим контрамарки и вотчины, швырялся внутри себя доходнейшими акциями «Газпрома», направлял сирот на обучение в Болонью и Стэнфорд, а скромных провинциалок, если не всех, то хотя бы каждую десятую, выдавал замуж за вдовых миллионеров…

Переполнившись до краев мыслями-впечатлениями и сумев-таки обмануть собственную охрану, Савва Лукич погулять в городок Романов и вышел. Вскоре он заметил какой-то парк. Недолго думая, Савва в парк этот вступил.

* * *

Ветер-ветерок летел над Россией! И отнюдь не эфирный! Ветер сладкой наживы, бесподобного ростовщичества, ветер ничем не ограниченных вожделений и помыслов.

Подсчитывались суммы, списывались долги. Банкротились предприятия, работала без сна и отдыха сырьевая биржа. Свежесть взаимных расчетов была так воодушевительна, так экстазна, что слабо чуемые эфиропотоки, проносящиеся над страной, замечаться населением ну просто не могли.

Однако Трифон Усынин эти потоки продолжал замечать и фиксировать. Его временный уход от дела был изящным обманом, был, говоря нынешним языком, операцией прикрытия перед мощным рывком вперед.

«Лишь бы эти недоумки без меня чего не натворили», — трепетно и с замиранием сердца рассуждал о сотрудниках и лаборантах «Ромэфира» Трифон Петрович.

Кроме таких дум, еще одна научная мысль точила его.

Мысль была такой:

«А вот когда эфирный ветер и сам эфир будут найдены, определены и до миллиграмма взвешены, когда часть народу перейдет в эфирное состояние — как тогда с природой и животными быть? Ведь речку приятно трогать руками и пальцами ног, и как раз тогда, когда она течет водой, не эфиром. Рога оленя великолепны, когда крепко сидят на оленьей голове, а не зыблятся во мгле. А от выловленной рыбы — бьющейся в руках, крепкотелой — ждешь запаха не эфирного: острого запаха речной тины...

Остающихся в грубом телесном состоянии людей тоже было жаль. Не все ведь закоренелые преступники, не все упыри и мономаны! И потом: скучно без шутов, без базарной пьяни с чистыми глазами и мутными лицами, без хорошеньких грешниц, переклеивающих где-нибудь на юге России фиговые листочки с причинного места на нос и так и принимающих лучи закатного солнца...

Словом, не станет ли царство эфира — лишенное всего не вполне пристойного, всего сладко грешного — новым "совком"? Без кровинки, без живинки, без творческих объятий и неостановимых криков любви?»

Ответа не было.

Верней, ответ содержался в самом вопросе. Но Трифон Петрович такому ответу верить не хотел. Ответ не сходился с условием задачи!

И тогда Трифон Петрович решился условия задачи изменить. То есть решил сделать вопрос таким, чтобы ответ на него пришлось искать еще лет сто, а то и двести.

— Что за эфиром? — спросил сам себя Трифон и, радостно засмеявшись, себе же ответил: а что надо, то и есть!

Примерно так на пустынной улице размышляя, Трифон внезапно остановился. И сразу обратил внимание на какого-то крепкого мужика.

Мужик — рослый, бритый, с бобриком серо-соломенных волос, в тонкой и хорошей одежде — стоял посреди улицы и, широко раззявив рот, смотрел на парковую вывеску.

* * *

«Парк советского периода» Савву Лукича потряс!

Как дитя прыгал он вокруг скульптур и даже ползал близ них. Лизал языком прозрачные трубки газировки и смеялся от счастья, читая воинственные лозунги. Выворачивал карманы, пытался отыскать монетку и бросить ее в фонтан, бивший из лебединого клюва, которому помогал раскрыться пошире хозяйственный и, как видно, расторопный мальчик-кудряш.

Шестеро охранников, которые нагнали Савву по пути и теперь следовали за ним по пятам, быстро выставили всех гуляющих из парка вон. Однако Савва тут же приказал граждан с детьми вернуть обратно.

В тот час ему было все равно, узнают его или нет, будут ли клянчить, просить, требовать, выманивать деньги прямо в парке или уже по возвращении в гостиницу…

Савва стал водить с детьми хоровод, потом прошелся вприсядку — и у него впервые в жизни получилось!

Он стал показывать детям немые сцены, изображал рыболова и пограничника с собакой… И дети, сперва побаивавшиеся нелепого дяденьку, стали потихоньку улыбаться, некоторые даже смеялись.

— Have you in this park the лилипут-транспорт? — смешивая от волнения родную и чужеземную речь, спрашивал молчаливых детей Савва.

Не дождавшись ответа, мастерил он из стебельков зеленые усы, помогая накладывать их на губы пионеркам. Найденным куском красного кирпича рисовал очень пристойные, но иногда и чуть соблазнительные знаки, выводил на серебристых постаментах вполне себе печатные, но в новые времена и для новых детей звучавшие двусмысленно слова.

Все было как тогда, в беспечальном Саввином детстве, шестьдесят годочков назад!

Тут же Савва Лукич решил «Парк советского периода» купить.

Именно парк, а не какой-то занюханый музей или богом забытый цирк, вдруг стал представляться Савве символом новой российской жизни.

— В парках пьют? — рассуждал он, вернувшись в гостиницу и вышагивая мимо пустых номеров по всей длине третьего этажа. — Еще как пьют! Ну так в наших парках и питье будет особенное, беспохмельное. В парках совокупляются? А то! Так мы для взрослых просторных кабинок понаставим, и детям наблюдать за ними не позволим.

— В парках хулиганят? — допрашивал Савва ни в чем не замешанного Эдмундыча и сам за него отвечал: — Так то от задора! А мы хулиганящим управление реальными финансовыми потоками предоставим. Детскую биржу создадим! Подростковую земельную ренту наладим! Юношеский инвестиционный банк учредим! Старушечью меняльную контору организуем! И тогда старушка старушке — рубль, а не сумкой в глаз! И никаких тебе острых взаимных топоров, никакого старческого экстрима. Всё россиянам дадим через парк. Им из парка и выходить не захочется. Какой театр? Зачем музей? Развлекаясь — практикуйся! Вот наше будущее!

Оставлять «Парк советского периода» на своем месте, в городе Романов, Савва никак не желал. Желал целиком, со скульптурами, фонтанами, хозяйственными постройками и обязательно с почвой, на которой эти постройки стоят — перевезти в столицу. И где-нибудь у себя, в обширных подмосковно-московских владениях, этот парк разместить.

А для тех детей, подростков и отроковиц из числа романовцев, которые пожелают его новые владения посещать, решил уже в «Московском парке советского периода» — построить поместительную гостиницу в виде лебедя, поднимающего одно крыло.

Крыло поднятое и крыло, лебедем опущенное, должны были символизировать: с одной стороны, прохлопанные когда-то возможности, а с другой — беспримерный подъем производства и неслыханно успешную капитализацию всей культурно-парковой сферы!

— Толцыте и отверзется, — твердил, вышагивая по коридору Савва, — толцыте и толцыте! Не в дверь ногами — головой, головой толцыте!

— Ну учудил ты, Лукич, ну учудил, — тихий Эдмундыч от счастья служить такому человеку, как Савва, обмирал сердцем и моргал красноватыми от недосыпу камердинерскими веками. — Только забыл ты, Саввушка, вот про что: про нашу церковь! Как без нее в парке?

— Будет церковь. И не одна! Оно и правильно: помолился перед входом — и за ограду, за дело! И мечеть, и синагогу, да хоть буддистский дацан на входе и выходе поставлю. Верь мне, старик! Вся жизнь — в парке! И парк уже не советский, а переходный к российскому!.. Все о чем мечталось — в одном, так сказать, месте. Теорию одного окна знаешь? Эх, темнота!

— Что верно, то верно, темен… А дальше, дальше-то как, Саввушка?

— А дальше — прошел парк насквозь, вышел и снова очистился, в каких желаешь церквах! И сразу опять назад!

— Как же это, Саввушка? Разве ж вход и выход не в одном месте будут? И по деньгам невыгодно — там и там храмы ставить. Чтой-то ты зарапортовался…

— Эх, старик! Да если мы в одном месте все церкви поставим — как священнослужителям работать? Обманут их, как пить дать! В парке покуролесят и выйдут через задние — без церквей — ворота. И теперь уж, заметь, не помолившись! Скажут: «Зачем? Я уже на входе молился!» А если выходить через первоначальную церковь — старым знакомым могут и грехи по знакомству отпустить. Нет, Эдмундыч. Так у нас с тобой в парке честно работать и честно грехи отмаливать никто не станет. Поэтому на выход из парка специальное разрешение получать надо будет. А тех, у кого такого разрешения не будет, церкви и другие священные дома, на выходе стоящие, мягким отеческим словом назад заворачивать станут! Так и будут храмы действовать: храм на выходе и храм на входе. И называться соответственно будут: входная церковь и выходная. И вообще… На входе в парк у нас с тобой все церкви милующие будут. А на выходе — мягко порицающие и бездельников, ну, так это… слегка карающие. Потому как только конченные лентяи и остолопы из парка назад в этот вздрюченный мир стремиться будут! А те, что к делу прирастут, те в парке навсегда останутся!

— Так ведь, Саввушка… Расширять «советский парк» придется!

— И расширим. Так расширим — ты от широты нашей дико ахнешь! Сперва расширим территорию парка на всю европейскую часть… Потом, конечно, Зауралье, Алтай, Тыва… А там и Восточную Сибирь подтянем! Может, до самого Дальнего Востока, до тигриного города Уссурийска с тобой доберемся. «Парковый капитализм» — это тебе не суп с треской… Его, паркового капитализма, всюду, расправив на груди салфетки и облизываясь, ждут! Вся Россия будет парк аттракционов!

— Так оно, Саввушка, уже и теперь так. Сплошные аттракционы кругом…

— Сгинь, старик! Я русский пернач Куроцап! Вижу далеко, раздробляю в щепки! И ты меня не зли. Иначе я тебя как штатную единицу аннулирую!

* * *

Приезжего москвича странноватые бесчинства встревожили не на шутку. От неуверенности и нервности в один из прозрачных романовских утренников он возьми да и брякни Ниточке:

— А давай мы с тобой всю эту науку — к чертям! И в белокаменную!

— Нельзя пока. Главный эксперимент два года готовили. Потому, наверное, и Трифон прячется — вдруг результат не тот будет. Или вообще никакого результата…

— А если — какого надо результата добьемся?

— Тогда Трифон сразу и вынырнет.

— Ты прелесть, Ниточка…

— А ты не мешай, не на ту клавишу нажму. — Ниточка остро выставила локоток. — Не видишь, работы по горло… И вообще: я колкая! Вот сейчас и уколю тебя: спустись-ка ты, дружок, к Волге. Тебе ведь рассказывали… Ну про наши земные ветра…Что они частенько эфирному ветру предшествуют или ему сопутствуют. Эфир ведь, как природный газ: ни тебе запаха, ни цвета! К нему, к эфирному, наши обычные ветра каким-то странным образом и примешиваются: так примешивают запах к природному газу, чтоб его учуять. Тебе, кстати, давно пора освоить кое-какие приемы работы с ветром.

— Ты лучше ветра! И приемов никаких не надо.

Приезжий обнял Ниточку за плечи.

— Не мешай, а? И чему только тебя Лелища учила! Я ведь слышу: ветер сегодня не вполне обычный. Ты прислушайся. Улавливаешь? Как будто голос дополнительный к привычным завываниям добавился.

— Послышалось тебе, Нитуль…

— Ничего не послышалось! И я не часовой, чтоб вокруг тебя с ружьем ходить и кричать: «Слушай, слушай!..».

Приезжий вышел на улицу, стал спускаться к Волге.

Он попытался создать в себе установку «на ритмы ветра», прослушал — как его и учили — одно ритмическое коленце, затем другое, третье. Ритмы были разные, уловить в них порядок и смысл было нелегко.

Внезапно ветер смолк. Приезжий остановился. Потом попытался создать в мозгу коробочку для ловли ветра заново.

После паузы ритмы ветра стали ловиться четче: раз-два-три, раз-два-три, раз-два-три. (С ударением на первой доле.) Затем — смена завываний, смена скорости, а значит, и общая смена ритма: раз-два, раз-два, раз-два. (С ударением на второй доле.)

«Ветер имеет заданный ритм? Может даже — ритм осмысленный? — приезжий передернул плечами. — Смотри ты, как налегает: прямо-таки стихотворным размером прет!..»

После усвоения двух-трех основных ритмических рисунков приезжий переключился на мелодию ветра. Уловил восходящую линию. Потом прослушал нисходящее мелодическое движение ветра. Затем вдруг услышал, как прибавляется к восходящему голосу другой, третий!

Все сильней наполняясь непривычной, неясно откуда взявшейся полнотой жизни, взбираясь по бесконечной лестнице слухового мастерства, стал он впитывать утренние голоса ветра почти профессионально, как слушают оркестр опытные музыканты: все инструменты разом и каждый инструмент в отдельности…

Северный ветер сообщал о чем-то тревожно-веселом. Причем сообщения эти не возбуждали пустых эмоций: ух, какой этот ветер мощный, ух, он затейливый какой! Сообщения были набиты под завязочку необычными сведениями. Они с трудом переводились на язык понятий и цифр, вообще несли в себе нечто не имевшее сходства с информацией «общего доступа». Эти сведения не угадывались наперед, они лишь взбивали столбиками маленькие, шатучие, прекрасные, правда чем-то и пугающие смерчи интуиции… Однако, при всей загадочности и возвышенности, волжский ветер, непонятно где и как соприкоснувшийся с ветром эфирным, толкал москвича к простым, но важным решениям повседневной жизни…

Ветер был сложен. Человек — прост. Поэтому и решение человеческое оказалось в тот час простым: на время из происходящего выключиться, думать только о Ниточке, о кушетке в медицинском кабинете, о сладких телесных удовольствиях, не имеющих ни конца, ни краю.

Приезжий москвич спешно вернулся на метеостанцию.

Тоненькая, но где надо и плотная Ниточка послушно прошла за ним в медицинский кабинет, сразу же ладошкой прикрыла ему глаза, уселась на москвича верхом и, сладко нахлестывая себя пояском от платья с разноцветной кисточкой на конце: «Ну, вперед, девка!» — как тот пойманный и насаженный на стержень ветерок, — мерно задвигалась вверх и вниз, а потом завертелась в бешеном круговом движении: плотней урагана, круче бури…

Часть III

РОМА БЕЛЕНЬКИЙ

НА ФЕРМЕ И В ГОРОДЕ

«Ах ты, грусть романовская, песня светлая! Песня светлая, но по временам и темная.

Ах ты, грусть-тоска, сука грязная. Сука грязная, еще и будка немытая!

Ой, печали мои, шибко странные, сами роскошные, но, как струны рваные…

И-ех-х! Грусть романовская, обнадеживающая! Часто — шерстинки на коже ежащая.

— А дальше, дальше-то что?

— Дальше — глубже!

Пахнут запахи. Чувства чувствуют. Вот только ум умаялся, краснотой мигать…

Дальше? Радость скучная — кручина веселая! Скромность бойкая — чистота развязная! Без вас жить-поживать, черт, тошнехонько! С вами жить-поживать — как-то по-дурацки выходит.

Ну а есть ли на земле нашей жизнь вообще — это всем давно Трифон Петрович рассказать грозился...»

Так смеясь и труждаясь, подвывая и голося, так в момент рассказа восходя к плавной песне, а во время пения сбиваясь на спотыкающийся рассказ — так ухватывали умом и оценивали жизнь пятью чувствами обитатели Романова.

А вместе с ними — Тима-туземец, Савва-урывай-алтынник, Ниточка с иголочкой, Пенкрат в капюшоне…

* * *

Внезапно среди этой песенно-размеренной жизни, как явная издевка над здравым смыслом, произошел самый нелепый в ту осеннюю пору налет.

Стояла волжская непроглядная ночь. Ферма «Русская Долли» давно спала. Спали овцы, бараны, люди и два кенгуру, привезенные, чтобы веселить хозяйских детей баскетбольными прыжками и другими австралийскими ужимками…

Внезапно насторожились овчарки.

За высокой оградой послышались фырканье и треск. Затем взлетела ракета, и тут же все стихло, провалившись в немоту и тьму.

Однако охранники забеспокоились. Один из них приоткрыл ворота глянуть: в чем, блин горелый, дело?

В неосторожно приотворенные ворота, уронив походя выглянувшего охранника на землю, проскользнуло сразу пятеро или шестеро мужиков: в лаптях, в шейных платках, подтянутых до самых глаз. Проскользнувшие вырядились мужиками, чтобы сбить охранников хоть в первые минуты с панталыку. И хотя до веселых святок было еще топать и топать — охранники на красные кушаки, длинные бороды и долгополые музейные кафтаны по-детски купились.

Секундная заминка влетела ферме «Русская Долли» в копеечку!

Охранников вмиг скрутили, рот каждому заклеили лентой, обмотав ее для верности еще и вокруг головы (ленты было много), дали каждому, отчески вразумляя, сапогами под ребра, уложили рядком на землю.

В ожидании худшего охранники затихли.

Но уже через некоторое время приободрились.

Резать лапотники вроде никого не собирались. Золота не искали, мехов не ворошили, детей хозяйских, спавших в одной из верхних комнат (хозяин и хозяйка отъехали на пару дней в Углич), в осеннюю слякоть босиком не выталкивали, к машинам, связав, не волокли!

Лапотники сразу кинулись к загончикам для овец. Тех на зимние квартиры еще не определяли. Поэтому овцы радостно заблеяли, предвкушая выгон на потемневшие от дождей, полусгнившие, но в некоторых местах еще очень и очень питательные приволжские луга.

Вскоре во двор фермы въехала машина, за ней другая. Старший охранник по звуку определил: армейские «Уралы»-пятитонки!

Все кончилось быстро. Фырканье моторов, удаляющееся блеянье овец, темень, надсада, тоска…

Около трех часов ночи овец привезли в город и стали бережно, по одной выпускать. Машин в тот час на улицах города Романова не было ни одной, господа полицейские и случайные прохожие тоже отсутствовали.

Овцы и бараны поодиночке и небольшими гуртами стали разбегаться…

Овцы были умными, а окошки в старинных домах на изгибистых улочках — низкими. Умные овцы, становясь на задние ноги, стукались лбами в стекла, проснувшиеся дети смеялись от счастья, богомольные старушки брякались с высоких кроватей на пол: дьявол, дьявол с рогами в Романов пожаловал!

Овцы на улицах — это хорошо или это дурно? С одной стороны: Романов овцой славен. Но с другой-то, с другой стороны!

«Мы не овцы, и нечего нас вообще с баранами равнять! Станут потомки сличать записи, станут узнавать: кто себя умней вел на улицах города? Романовские мужики или романовские бараны? Романовские овцы или романовские — такие же скрытно-резвые — девушки?»

Так ранним утром пытались рассуждать горожане. Был, конечно, немалый соблазн: пойманных овец у себя дома до Рождества или до Старого Нового года додержать, хорошенько их выкормить, а потом...

Но в том-то и дело, что все почти горожане — и за это им хвала и слава — оказались патриотами города и навсегда с городом связанной романовской овцы. Чтобы показать: не в новогодней жратве дело, — кое-кем из жителей было тем же утром решено в «Парке советского периода» устроить новый загончик. И несколько дней, пока не объявится хозяин, публично — начало октября выдалось теплым — рассказывать историю романовской овцы всем желающим. Ну а потом возвратить овец по принадлежности!

Однако хозяин «Русской Долли», примчавшийся в Романов из Углича где-то около полудня, то есть уже после того, как все овцы с улиц давно исчезли — одни были спрятаны в сарайках и чуланах, другие отнесены на руках в «Парк советского периода» — так вот, хозяин ни на какие парковые басни не соглашался.

Он кричал про громадные убытки и гибель всего овечьего дела в России. Он собирался — если не выделят бесплатных скотовозок — гнать овец на ферму через весь город: пусть и в нарушение правил уличного движения, зато немедленно.

Свободных скотовозок, как назло, не оказалось. Начальство было занято неотложными делами. Овцы — разысканы не полностью...

Несмотря на это, хозяин «Русской Долли» вместе с обескураженными ночной трепкой и теперь на все готовыми охранниками погнал тех овец, каких удалось собрать, к окраине города и дальше на ферму.

Правда, некоторые овцы упирались и возвращаться на ферму нипочем не желали. В «Парке советского периода», где полтора десятка из них успели побывать, было вольготно и весело, а на ферме «Русская Долли» ждало неизвестно что. Овцы брыкались, норовили нарушить строй...

На третьей сотне метров демонстрационный марш овец по городу Романову пришлось отменить. Разыскали пусть и не скотовозки, но вполне пригодные для такого дела машины с высокими бортами.

Хозяин нервничал, овец грузили. Некоторым овцам, вспомнившим ночную свободу, удалось-таки сигануть во дворы. И уже оттуда, из дворов, потихоньку выставляя острые мордочки, они глядели на то, как хватают поперек туловища и кидают в кузова машин их товарок...

Произошел и один досадный случай.

Охранники, рыскавшие по дворам в поисках заблудших овец, в одном из палисадов вдруг наткнулись на какого-то паренька. Паренек играл с двумя небольшими овечками: черной и белой.

Картина была наглой и вызывающей.

— Тут не знаешь, где пропавших найти, а он, здрасте-пожалуйста, с чужими овцами, как со своими собственными, на травке забавляется!

Двое охранников, негодуя, кинулись овец отбирать.

Но паренек — почти подросток, худенький, беленький — овечек не отдавал, кричал: «Это мои, мои!».

Ему, конечно, не поверили. Какие, блин, в городе овцы? А не поверив, слегка за вранье накостыляли. Ну, может, чуть сильней, чем следовало.

Паренек подросткового вида остался лежать на земле. Двое охранников на руках понесли овец хозяину.

Тот глянул и тут же велел нести обратно.

— Мне чужого не надо! У меня овечки — глаз не оторвешь! Одна к одной. А эти зачуханные какие-то. И не романовской породы...

Овец понесли обратно. Там же, близ палисада, выпустили. Овцы побежали к пареньку. Тот лежал бездвижно.

Машины с овцами уехали. В городе опять стало тихо.

Но разговоры, конечно, утихли не сразу.

— Тоже мне, капхозяйство! Не могли овец устеречь... — говорил эфирозависимый Пикаш эфирозависимому Вицуле.

— Не кап, а капец-хозяйство, — поправлял Пикаша умный Вицула, бывший студент-медик, а теперь человек без определенных интересов, хотя и склоняющийся к народной философии. — Этим курчавым что там, что здесь — один конец. А вот нам с тобой и со Струпом — как быть? Где денег на дурь взять? Эх, грусть моя, грусть романовская, житуха новая — пустокармановская...

Не грусть, а ветер! И не простой ветер — эфирный! И притом не на всем белом свете — только в Средней России.

В Переславле-Залесском ветер. В Угличе и Солигаличе — ветер посильней. В окрестностях Ярославля — резкий, штормовой ветер!

С открытыми ртами ловили этот необыкновенный ветер — имеющий все признаки ветра обычного, но также и едва ощутимые признаки ветра эфирного, — горожане Романова.

И прежде всех — Трифон Усынин.

Вышел он в очередной раз на 2-ю Овражью улицу, на волжский обрыв, и никак не мог насытиться снедью ветра!

Даже сладковато-медвяный запах гнили такому насыщению не мешал. А ведь всплывали поверх ветра еще и новые зрительные образы, с упрятанными в них сообщениями.

Образы эти были приманчивей запаха, острей вкуса, сильней ветровой упругости!

А сообщения... Сообщения ветра были особого рода. Трифон это понял давно.

— Если в сообщениях нет красоты — это не информация, а колотуха или страшилка. Дал колотухой по голове — и с ног долой!

Необыкновенный ветер не только насыщал ободряющими мыслями, но и толкал к неожиданным действиям. Даже, казалось, параболы таких будущих действий в воздухе вычерчивал.

И тогда высоко над Волгой вырастали не воздушные замки — вычерчивались едва уследимые, но по мере вглядыванья все подробней раскрывающиеся «образы действия».

К действиям же эфирный ветер толкал вот каким: бросить все к чертовой матери, закатиться куда-нибудь дальше Углича и Пшеничища, забиться в глухомань, лежать в радостной той глухомани и ждать — пока эфир накроет с головой, перестроит по атому тело, сделает тело иным, неподвластным тлению, порче! Или наоборот: лежать и ждать, пока необыкновенный ветер перестанет морочить голову и покинет землю навсегда.

«Нет, не так. Последняя мысль — лишняя! — сразу определил Трифон Петрович. — Когда уходит ветер, приходит соблазн: оставаться и дальше водой, костями, слабо по кишкам жизни проходящим калом... Оставаться и ждать непонятно чего, обманывать себя вздором и мутью непроясненной современности и еще более туманной будущности».

Трифон свесил голову на грудь, но потом вдруг молодецки вскинул ее:

Придумал атом Демокрит, —

стал неожиданно декламировать он вполголоса, —

Ньютон разъял на части свет.
Песчаный смерч науки спит,
Когда мы слушаем Завет...

— Так, может, и эфирный ветер — всего лишь песчаный смерч науки? Соблазн — и только... А может, наоборот? Может, именно эфир — звук и дуновение Завета?

«БАЛАНДА СОЛОВЕЦКАЯ»/
«КАНДЕР ЛЕФОРТОВСКИЙ»

Трактир «Стукачевский» был закрыт на санитарный день.

Псы демоса и слуги кратоса, высолопив усталые языки, отдыхали по коттеджам и дачам. Но кое-кого из своих, не знавших сна и отдыха, потихоньку в трактир пускали. А поскольку Рогволд Кобылятьев был уже вроде как свой, его пустили тоже.

Как та дворняга на мелко звякающей цепи, ходила поперек подмосковного хозяйственного двора, сорила шерстинками и лениво повизгивала ранняя утренняя пора.

Из-за такой сонной рани предложить Рогволденку смогли только дежурный набор блюд: закуску «Петушок на параше» и «Козла праздничного, нашинкованного» — на второе.

Выбор первых блюд тоже был неширок: «Баланда соловецкая» и «Кандер лефортовский». На десерт — «Фиги иерихонские». Из напитков — темное, слегка подогретое — к Москве потихоньку двигалась настоящая, с бурями и ветрами осень — баварское пиво и настойка смоковницы сорокаградусная.

Однако Рогволденок спешил, и сильно рассиживаться ему было некогда.

А спешил он в городок Романов, где так непредвиденно и так надолго задержался Савва Куроцап. Ехал Рогволд на машине, в сопровождении своего нового литературного негра Гиви Куцишвили. Гиви был старинного дворянского происхождения, и Рогволденок знатностью и древним родом литраба страшно гордился.

Машину Рогволденок вел сам. Ни жене, ни только что уволенному шоферу он не доверял.

В «Стукачевского» же завернул, чтобы потребовать у Горби-Морби (про которого дома сказали, что он в трактире) отчета: почему загодя и прилично оплаченный «стук» и «перестук», связанный с Куроцапом, не принес плодов? Почему Савва до сих пор считает, что у него есть какой-то наследник? Почему вскрытие им, Кобылятьевым, наглого юридического обмана еще не вознаграждено по достоинству? Почему Савва — как про то договаривались с Горби-Морби — не звонит ему, Рогволденку, не умоляет приехать помочь в написании книг, не плачется на горестную бездетность?

Рогволденок думал кончить дело с Горби миром и быстро. Но вышло по-другому.

Как только он опустил свой тощий и, как поговаривали, тоже синеватый задок на стул, к нему за столик подсели двое.

— Слышь, Кобылятьев... Тут такая тема нарисовалась. Ты в Романов не езди. Поворачивай оглобли.

— А это почему еще? — Раньше никаких бандюков Рогволденок в «Стукаче» не видал и счел их появление досадной случайностью.

— Говорят, не езди, значит, не езди. Сегодня не езди и вообще не езди... Серьезные люди твоим клиентом заинтересовались.

— А бабло? Я же огроменные бабки за встречу отвалил!

— Про бабло не наше дело решать. Может, и вернут часть. А может, и нет. Поехали с нами, там скажут.

— Никуда я... Ник...

Игрушечные ножки и точеные ручки Рогволденка резво мелькнули в воздухе. Как шахматную, с невысоким, но крепким хохолком, черную фигурку, сбили его с доски, сунули в холщовый мешок, возможно как раз для фигур, скинутых с доски, и предназначенный.

Мешок один из собеседников Кобылятьева сразу взвалил на спину, потом понял, что с этим поторопился, и пару раз грохнул мешком о стол.

После такого гроханья мигом стихший Рогволденок с горизонта общественного и горизонта литературного на время исчез.

Два часа прокашляв в машине, негр знатного рода вошел в трактир, хотя Рогволденок еще ранним утром ему это строго-настрого и воспретил. Гиви сперва не хотели пускать, но потом он с кем-то имеющим вес по мобилке побалакал — пустили.

Подождав окончания кавказских церемоний и сообщений про свободную Грузию, бармен, терший стаканы светлой тряпочкой, сказал:

— Слышь... Ты своего недомерка тут не ищи. Нечего ему тут делать. Запрещено его теперь сюда пускать. И сам вали отсюда. А если стукнешь в полицию, то велено тебе передать... — Бармен полез в карман, достал бумажку и прочел по складам: — «Мы на тебя, Гиви, стукнем про то, как ты жопой своей прыщавой московских мальцов подманиваешь». А за такое, сам знаешь...

Седеющий, но еще бодрый негр, негодуя на вздорность законов, из «Стукачевского» нехотя убрался. Трущий стаканы ему сильно понравился. Однако начинать любовные игры в незнакомом трактире было опасно.

На ходу Гиви в раздражении приговаривал: «Пири товарище Сталине било Главное управление лагерей? Било. Там за дело люди пропадали? За дело. А теперь Главупра — нет.

Сталина нет. Люди за свои же бабки пропадают. А тогда, что лючче? Главупр, дорогой Гиви, Главупр…».

Больше о Рогволденке в тот день не справлялся никто. Жена его отдыхала от слез и обмороков. Гиви работал над первой частью давно замысленной биографии Михаила Саакашвили из серии «Жизнь продвинутых фигур» (ЖПФ). Ну а Савва Лукич о каком-то там Кобылятьеве и думать забыл…

Меж тем Рогволденок, с которым серьезные ребята поговорили, но поговорили, как ему показалось, неосновательно, — на собственный страх и риск все-таки двинул в Романов.

Правда, на следующий день и уже на поезде.

— Медом, что ли, тебе там намазали? — спрашивал он сам себя по дороге. Но в точности ответить на вопрос не мог.

Впрочем, пробыл в Романове Рогволд Арнольдович недолго. Потому как охранники Саввы сразу его признали и предупредили куда серьезней, чем бандюки из «Маршала Стукачевского».

Рогволденок попытался узнать про намерения Саввы через давнюю свою знакомую Лелю Ховалину, но от этого расклад только ухудшился: Леля приехала к Рогволденку в «Буй Тур» и прямо на пороге гостиницы зачем-то надавала ему по морде.

— Просто так, — говорила она позже портье и одному случайному знакомому, ставшему свидетелем этой учено-писательской разборки, — просто взгляд его мне сегодня не особо понравился.

Однако, несмотря на мордобой, в номер к Рогволденку Леля поднялась, чтобы буквально через час-другой заштатную гостиницу — не идущую ни в какое сравнение с отелем «Князь Роман» — навсегда покинуть.

Весть о краткой встрече «мастистого» писателя и красавицы Ховалиной распространилась по городу Романову быстро, но из-за полной неясности — куда бы эту новость приткнуть — вскоре угасла...

Поэтому на следующее утро некоторые из романовцев уже без всякого интереса созерцали, как Рогволденок садится в обшарпанную легковушку, как, не выступив даже в самом отдаленном библиоклубе, не поговорив о своих писательских достижениях на местном телевидении или хотя б на Волжском цементном заводе, этот поработитель талантов и одновременно свиная вша, так и не допущенная к душе и телу Саввы Куроцапа, город Романов не солоно хлебавши покидает.

Было, правда, одним из романовских летописцев отмечено: «мастистому» вслед летели не «чмоки-чмоки», не «приезжайте к нам в конце каждого квартала» или «приезжайте к нам всегда»! Летело даже не «какой вы оказывается, душка», — в обертках хрустящих оваций, подобных наскоро сминаемым пачкам жаренного московского картофеля!

А летела грубо сведенная всего к двум строкам песня заволжских геев, недовольных отсутствием интимных писательско-читательских встреч:

> Нас на бабу променял —
> Сам наутро бабой стал!

ХРАМ РУБЯТ — ЩЕПКИ ЛЕТЯТ!

Савве Лукичу был показан наследник: исподтишка, негласно.

Русский пернач Куроцап негодовал, но русский пернач и радовался. И, конечно, пенял самому себе на свою же нерасторопность.

«Можно было бы в Романов и вовсе не ездить. Знаком ведь уже с этим пентюхом! Даже туманно догадывался: сын, наследник! Предчувствие имел… Потому, наверное, сюда и послал — овцу поэтизировать. Но вишь ты, как оно вышло: не захотелось тогда овец… Пентюх-то родимый чуть навсегда и не отвалился. Теперь придется оправдываться… Вообще: столько времени — зря, столько выгод — прахом! Ищи теперь этих выгод, как ветра в поле. Да и реальных денег просажено — не счесть. Одна предоплата за "Парк советского периода" в такую копеечку влетела — как на Страшном суде вздрогнешь. Но с другой-то стороны — вот он, пентюх! Свой, родной, протяни руку, шлепни, обними!»

После тайного показа Савва признал сына сразу и навсегда.

Почему? Да потому! Этот самый литтуземец, так понравившийся еще при первой встрече, был, конечно, и здесь, в Романове, куль кулем.

«Но личико-то — светлое! Но глазки цепкие. Да и совести, видать, ни на грош. А это для начала — первейшее дело. Совесть, ее позже, с годами в себе открывать надо. Лучше — перед самой кончиной. Если же совесть включить в смету спервоначалу — ни тебе капиталов, ни связей, ни положения в бизнес-сообществе. А пентюх… Дай ему для начала два-три лимона зелеными — не профукает ведь!»

Но главное, что поразило в наследнике — лицо и фигура.

Как завороженный, прикидываясь безобидным сусликом, свесив кисти рук перед грудью, рассматривал себя Савва в гостиничном зеркале.

Да! Тот же лоб, та же приятная щекастость, та же лепка плеч и шеи, те же цепко сощуренные ястребиные глазки. Правда, не зеленоватые, как у самого Саввы, но все равно: с приятным сероватым отливом.

«И главное: стать, стать — моя!» — уговаривал зеркало Савва.

И шлепал себя по щекам, и, как дурак, улыбался, радуясь предстоящей очной встрече...

* * *

Приезжий москвич о тайном показе ничего не знал. О небольшом первоначальном взносе, сделанном Саввой через день после показа на нужды романовской науки, тоже. Да если б и знал, что с того? Не слухи о прибытии в Романов Саввы Лукича, и даже не эфирный ветер были ему сейчас необходимы. А была необходима Ниточка Жихарева, она одна!

— Привязался наш москвич к Ниточке, как недостача к честному бухгалтеру! — ревниво клонил голову набок Кузьма Сухо-Дроссель.

А Леля, только что тайно прибавившая себе двадцать лет возраста (небывалое для любой женщины дело), Леля, готовая выставить Тиму-Тимофея своим сыном и думавшая, как бы половчей выскочить за Куроцапа замуж, Леля, чей интерес теперь как раз в привязанности приезжего к Ниточке и состоял, добавляла задумчиво: «Как лисий хвост к зайцу».

Ну а те, кто желал Ниточке и приезжему москвичу только добра, говорили совсем по-другому, и куда как ласковей:

«Привязался, как поясок к халату». Или: «Прирос, как шерстинка к барашку».

— Но вполне возможно, что барашек этот и золотой, — добавляли вместе и порознь Коля и Пенкрат, готовившие, позабыв распри, решающий этап операции «Наследник».

Ничего про такие разговоры не зная, Ниточка и приезжий думали о своем. Не уходили и от размышлений о дальнейшей совместной жизни.

Приезжий настаивал на Москве.

Ниточка склонялась к Ярославлю.

Ниточке, конечно, тоже хотелось в Москву. Но…

В общем, внезапно она заявила: пока Трифон Петрович лично ей не скажет, что дальнейшая работа с эфирным ветром бессмысленна, что он увольняет Ниточку бесповоротно и навсегда, и, кроме того, пока не будет проведен Главный эксперимент, не будут получены его результаты — никуда она из Романова не уедет!

* * *

Олег Пенкрат решил сыграть во всей этой научно-изобретательской комедии свою роль. Важную роль, решающую.

В эфирный ветер он в глубине души не верил. Но в «Ромэфире» слыл рьяным его сторонником. Теперь Пенкрат придумал подмять эфирное дело под себя: Трифона нет как нет, в городе черт знает что творится! Пора защитить науку от грязных рук и тем самым сильно двинуть и ее, и себя вперед.

Пенкрат приготовился действовать: соблазн заарканить дело как следует был велик, и поэтому просчитывать детали он не стал. Общая мысль есть — и погнали!

«Лазером будем выжигать его, лазером! — неизвестно про кого шептал иногда вечерами Пенкрат. — А не поможет лазер — есть еще одно, давнее и проверенное средство!»

* * *

Ожидая очной и решающей встречи с наследником, Савва Лукич продолжал перебегать мыслью от радости к негодованию.

Мало того, что он потратил на городок Романов уйму золотого — и это в прямом смысле — времени! Мало того, что ему никак не хотели дать окончательного разрешения на вывоз «Парка советского периода» в Москву, выставляя при этом смешные резоны, вроде того, что вывоз скульптур, построек и, главное, почвы новейшего археологического периода может повредить городу в глазах туристов.

Мало! Так теперь еще какие-то бандосы покоя не дают. Сообщают: наследника показали не того! Якобы для получения финансовых выгод нагло подсунули Савве Лукичу другого…

За предоставление наследника настоящего бандосы требовали громадных бабок. В противном случае грозились унаследовать Саввино состояние — без всяких юридических тонкостей. И, конечно, без ожиданий, как они выразились по телефону, «долгой жизненной агонии мистера Куроцапа».

— Это у меня-то агония? — хватал за грудки что-то вновь взгрустнувшего Эдмундыча взбешенный Савва. — Нету у меня никаких агоний. А вот они точно через сутки агонизировать начнут!

Такие наезды терпеть было невозможно.

Русский пернач Куроцап грозно развел в сторону руки-крылья и…

Словом, Савва взял да и позвонил в Москву.

В самую высокую, последнюю и решающую инстанцию.

Но, прежде чем позвонить, милостиво разрешил представителю бандосов — какому-то сирийцу или айсору, очень вежливому и от этой вежливости почти онемевшему хмырю — показать того наследника, которого бандосы выдавали за настоящего.

Савву провели в сияющую изнутри и снаружи церковь и показали диакона Василиска.

— Вот он, ваш наследник! — небрежно ткнул пальцем молодой бандосик. — Черный монах и честный фраер. Ничего не разбазарит. Задарма ничего никому не отдаст…

Савва вышел из храма ошеломленный. Сходство с ним самим, а также с другими Куроцапами отец диакон имел отдаленное. Может, дело было в дорогом церковном облачении, которого никто из Саввиных предков не носил, может в том, что был диакон невысок и хоть молод, а сед…

Нет, не таким Савва представлял себе наследника!

«Привык, наверное, к тому, первому… К пентюху, как к родному, душой прилепился…»

По дороге из храма Савва размышлял и прикидывал, поклевывал воздух хищным, чуть загнутым на кончике носом, и руки в стороны, как те крылья, не сгибая в локтях, опять-таки слегка разводил…

После всех Саввиных прикидок выходило: отца диакона ему, как ту нежеланную, но кому-то очень нужную бабу, — просто подкладывают.

«Годы у отца диакона не те! И стать иная… Да и как я называть его буду? Отцом? А он меня — сыном? Ну просто трахомудень какая-то. И что за имя такое — Василиск, прости господи? Может, и святого такого никогда не было. Нет же! Невозможно! Бедолага диакон, наверное, про эту бандосовскую затею слыхом не слыхал! А вдруг… Вдруг слыхал, вдруг знает?»

Савва Лукич резко остановился.

Неприятная — и в глубине души ясно сознаваемая как недостойная — мысль вдруг полоснула его, как бритвой по щеке. Савва гнал мысль от себя словами, отбрасывал ее жестами. Но мысль не уходила.

Конечно, он ни в чем не подозревал отца диакона, служившего ревностно и усердно, и к тому же обладавшего редкостным голосом: у Василиска был бас профундо. О таком голосе Савва всю жизнь только мечтал… Но ведь отца диакона вполне могли использовать втемную! Причем в многоходовке этой, возможно, участвовали не одни бандосы…

Возвратившись в гостиницу, Савва, привыкший все доводить до конца, послал одного из охранников в библиотеку за книгой историка Ключевского. Вдруг припомнились ему студенческие времена, припомнилось то, что писал дотошный Василий Осипович про монастырские земли, и в особенности про то, сколько с них и в какие века монастырские крестьяне оброку платили.

— Тридцать процентов с десятины, — шевелил через полчаса толстенькими губами Савва. — А кой-где и тридцать три… Нет же, невозможно! Даже если отец диакон наследник подлинный — он не женат и не женится, и в смертный час все добро на церковь-матушку перепишет. И та примет! Сейчас у них об имуществе первая забота… И поселят на моих землях бесправных людишек, и начнет какой-нибудь отец игумен без сообщений по начальству с людишек этих три шкуры драть, станет «держать их в цепях и железах недель по пяти и больше». Голь перекатную плодить! К новой революции народец подпихивать!.. А прибыль с фабрик, заводов, с банковских капиталов — она во что вкладываться будет? В производство? В новые технологии? Это вряд ли… А «Парк советского периода»?! Его при таком наследнике, как пить дать, закроют. Гипсовым пионерам бошки пообломают, бронзовые туловища на куски распилят. Вместо гипсовых и бронзовых — черно-мраморных монашков понаставят: унылых, с лисьими мордочками…

— Храм рубят — щепки летят! — тихо проговорил Савва.

Правда, после этих слов рот себе ладонью сразу и прикрыл. Однако, посидев немного, словно в забытьи, отбросил том Ключевского на кровать и вздохнул свободней.

— Вот, к примеру, ты, Эдмундыч… Ты ведь никаких ключевских историй не читал?

— И не стану.

— И счастлив ты?

— Счастлив, Саввушка, ох счастлив при особе твоей состоять!

— Так ты потому, дурья башка, счастлив, что от тебя всё скрыли. Отцензуровали для тебя, девять-семь, нашу историю мрачные большевички. А до них — царедворцы веселые! Ну а сейчас по-новому: тихо и трепетно цензуруют. И не дай тебе бог слово неугодное ныне сказать!

— Что ты, Саввушка! Я темный, а и то знаю: цензура у нас запрещена.

— Ну, штук пять вопросов у нас всегда и отовсюду изымают.

— Это какие же такие вопросы, уж ты позволь мне спросить, Саввушка?

— А вот какие. В первую голову РПЦ, потом хасиды, ну и, конечно, прежние и нынешние жертвоприношения людские…

— А во вторую, во вторую голову, Саввушка?

— Ты старый, Эдмундыч. И поскольку стариться тебе дальше некуда, так ты, если будешь много знать, скоро песком рассыплешься!.. А что до первых двух вопросов… Ни хасидов, ни нашу родную церковную организацию — тронуть никак невозможно… Даже мысленно! Даже если у них какие-то непорядки или неправды. Ни-ни… Затерзают, как овцу! Вот я тебе про это сказал, и ты теперь на меня, может статься, донос напишешь. Стукнешь: Савва, мол, Куроцап в городе Романове говорил то-то и то-то…

— Что ты, Саввушка, если б я что существенное на тебя имел — давно стукнул бы. Но ты хитрый и умный, Саввушка. Лишнего слова из тебя клещами не вытянешь… Всё и от всех скрываешь. А только всё одно говорят люди: бесчинства в Романове Куроцап устроил. И еще, мол, бесясь с жиру, он цельный автобус пригнал в Романов! С пуссириотками! Ну, то бишь, со старушками блядовитыми…

— Милый мой! Ты пуссириоток с профурсетками перепутал! А если стукнуть собрался, так и скажи. Я и прощу, может…

Русский пернач Куроцап ласково склонил на бок лепную, с ястребиным кончиком носа головку.

— Ты, Саввушка, лучше мне про вопросы цензуры изъясни...

— Выскочило словечко на беду! Так и хочется назад его проглотить. А ни хренашечки! И знаю ведь — не прав я! Ничего стоящего кроме церкви у нас в России не было и нет... А не могу от разноса удержаться. А ты... Ты, может, только этих слов решающих от меня и ждал... Или вот еще таких, — Савву как словно подбросило с места, он крепко ухватил Эдмундыча за грудки. — Республику Парагвай тут у нас хотят устроить! Что-то наподобие давнего иезуитства! С подчинением церковным иерархам всего и вся! Так ведь еще Вольтеришко щуплый над «Парагваем» таким смеялся. И православие наше светлое — никаких таких действий не требует... А вот церковные службисты, все эти старосты, латифундисты-экономисты, вместе с келарями и ключарями — они этого Парагвая дерзко желают!.. Прямо-таки песню складывают: «Наш Парагвай, вперед лети!..» Я директором совхоза при совке был, птица невысокого полета. А и тогда понимал: пора бы им по-новому и о новом с паствой говорить!.. Ладно, старик, иди в номер, строчи доносы...

Ступая на цыпочках, Эдмундыч ушел в номер. Сквозь неплотно прикрытую дверь он еще долго слушал горькие бормотания и тихие вскрики слонявшегося по пустому коридору Саввы, страшно растревоженного «Историей» Ключевского и сочинениями теперь никому не интересного Вольтеришки:

— Нет же, ни за какие коврижки! Так гипсовать историю! И когда? Сейчас, при свободной жизни... Не дам! Херовая история, а наша. Зыбкая, а моя... И никакого тут Парагвая! И денег больше — ни копейки. Это я — наследник Ключевского. И с наследством своим поступлю, как сам пожелаю!

* * *

Как пьяненький или принявший дозу, в заломленной на ухо конфедератке и в калошах на босу ногу, шатался эфирный ветер по улицам Романова.

Он заглядывал в подсобки и спускался в подвалы, забирался в заколоченные на зиму ларьки и стучал в забитые крест-накрест двери истлевших очагов культуры.

Наглотавшийся земной жизни эфир был в меру прозрачен, но и в меру плотен, был благодушен и тихо-резв. Разве дураковат стал слегка от сивухи.

«Кончай бухать!» — увидел он косую, подсвеченную розовым надпись на магазине «Бодрянка» и со смеху лег наземь.

Рядом какой-то мальчуган, с трудом раздвигая меха, играл на аккордеоне «Scandalli» русскую народную.

«Вот кто-то с горочки спустился...» — старательно выводил он.

Эфирный ветер легко взметнул себя над землей, стал близ мальчугана приплясывать, стал вокруг него тихонько похаживать...

И тут произошла с эфирным неслыханная вещь!

Подступила к нему — родом, конечно же, не романовская, только год назад в городке объявившаяся, — гибкая и превосходная, но какая-то слишком унылая дама. Меланхолично расстегнув плащ, а потом и платье на пуговичках, поманила за угол...

Что было ветру делать? Со вздохом ощупал он крепкие, еще ничуть не утратившие упругости, но, правда, уже слегка прихваченные холодком груди. А потом — и теперь без всяких вздохов — радуясь и ликуя, ввинтился в прислонившуюся к романовскому столбу дивно-изогнутую, но все так же печально всхлипывающую от любви даму.

Вскоре дама, не требуя ни клятв, ни платы за любовь, запахивая плащ и бормоча на ходу что-то рыночно-хозяйственное, стала собираться восвояси. Здесь-то подкравшийся сзади мужик (в майке, в расстёгнутой куртке с капюшоном, с худым лицом, с вывалившимся грушей животиком) и врезал что было сил ветру по голове.

Эфирному стало дурно.

Ища опоры и помощи, он прислонился к другому, совершенно постороннему, однако сразу полезшему его защищать мужику. И тут же вместе с ним грохнулся наземь. Бивший по голове — в мгновение ока смылся.

Доблестные волжские полицейские — всего через два часа — подхватили эфир вместе с приклеившимся к нему алкашом с земли и сперва хотели свезти в участок. Но сразу и бросили.

Что возьмёшь с бухого, кроме бухла? Что возьмёшь с обкуренного, кроме «дури»?

Придя в себя и посидев, как тот бывалый зэк, чуток на корточках, выпустив пары, а заодно и расшвыряв по белу свету облачко метилового спирта, густо вдутого в палёную александровскую водяру, эфирный ветер порхнул туда, куда сперовначалу и собирался: на чёртову мельницу...

ПРО ПОДРОСТКА ПЕТРОВА

Трифон готовил себя к новой народной акции. Но вдруг подготовку приостановил. Поводом послужило вот что. Одна из местных оппозиционных газет пропечатала:

«Охранники с фермы "Русская Долли" в пылу охоты за разбежавшимися по дворам овцами — а возможно, просто по неосторожности — пристукнули подростка Петрова».

Сообщение называлось «Хищная "Долли"», было кратким и невразумительным. Особенно возмутило Усынина слово «пристукнули».

Трифон Петрович затребовал подробностей. И узнал их.

Подростка Рому действительно задели кованым ботинком по голове. Может, случайно, а может, и намеренно. Некоторое время Рома Петров был жив, но потом — так и не сумев в собственном палисаде подняться на ноги и вызвать самому себе «скорую» — умер.

Подростка Петрова — худенького, беленького — знакомые и соседи в шутку звали «князь Роман». Смотрел Рома ясно, ходил ровно, отвечал чинно. В школе учился так себе. Но по биологии — всегда пятерка с плюсом.

Все свободное время Рома проводил в живых уголках. И, в конце концов, завел себе двух овец. Еще ягнятами овец этих выбраковал пригородный колхоз, поставлявший шкурки для ярославской фабрики головных уборов (ягнята были малошерстисты, но даже та шерсть, что на них имелась, росла пучками, выдиралась сразу и целыми клочьями).

В школе Рому беленького еще терпели, а вот родственники, после окончательного отлета за границу Роминых родителей иногда наезжавшие из Солигалича, — те всегда пеняли ему за бесхозяйственность и неумение организовать собственную жизнь. Овец давно нужно было как следует выкормить и сдать на мясо. А Рома и сам жил впроголодь, и овечек морил голодом. А впроголодь что за жизнь? Лучше вовсе не жить, чем пустоту глотать!

Как ни странно, овечки прижились у Ромы прекрасно. Были они и впрямь не слишком упитанны, зато игривы и резвы — на загляденье.

— А ты в цирк их тогда сдал бы, что ли, племяш! — не унимались беспокойные родственники.

Племяш на родственные слова лишь застенчиво улыбался, на приязнь странноватую внимания не расходовал…

Теперь Рому беленького нужно было хоронить.

Но как раз в это время родственников рядом и не оказалось.

Ну а с родителями подростка Петрова, в заштатный Романов из Европы возвращаться, как видно, не собиравшимися, — ни по каким каналам связи сообщиться не удалось.

Рома беленький лежал в наглухо запертой ячейке в морге, в морозильнике. Все это знали, и у некоторых такое положение тела — вне земли или на худой конец вне урны погребальной — вызывало досаду и гнев.

«Может, хоть с мертвым телом удастся поступить по-христиански или пусть даже только по справедливости? Если уж с живым парнишкой не получилось…» — ворчали романовцы.

Узнав подробности Роминой смерти, Трифон Петрович подготовку к очередному шоу-налету прекратил окончательно.

«Для кого и зачем вся эта буффонада? Кому и что я своей нелепой попсой доказал?»

Нелепостей и несуразностей Трифону, слишком уж прикипевшему к строгим научным схемам, давно и ужасно хотелось. Потихоньку, полегоньку он все больше склонялся к скрытому — а там, глядишь, и открытому — юродствованию.

Но сейчас, после смерти Ромы, все цирковые и площадные действия вдруг показались ему отвратными, богопротивными.

«Хватит юродничать. Кончай маскарад», — сказал себе Трифон и застыл в бездвижности.

Жизнь на время лишилась смысла.

В недосягаемой для коллег и приятелей квартире у одной своей новой, красивой и меланхоличной знакомой Трифон, не желая выходить на улицу, слонялся по комнатам, грыз ногти, думал то про подростка Петрова, то про эфирный ветер.

Однако к самому эфирному ветру, то есть к фундаментальной науке — со статистикой, замерами, с водой в телескопах и полетами на тепловых аэростатах, с промежуточными выводами и всем прочим — возвращаться не торопился.

Что-то грозное и неясное по-отцовски грубо, как в детстве, ухватило Трифона за шиворот и так несколько дней на весу и держало.

А потом — по-матерински нежно — за руку от тесного общения с эфирным ветром удерживало.

Удерживало это грозное и неясное — и от соприкосновения с ветрами обычными: начиная с Похвиста и Погодицы, — и кончая ветром Полуденным и Полуночным. Удерживало от проникновения в их шепот и грохот, от любования их кувырками и мертвыми петлями, от плотного узнавания творимых ими бесчинств и принудительных очищений.

Южные волжские ветры — Хилок и Сладимый — больше не лизали Трифону виски!

Юго-западный Горыч не пьянил слаще русской водки!

Летящий за Горычем вслед и тоже юго-западный Луговой не насыщал ароматами трав!

Юго-восточный и опять-таки волжский Вешняк не опрокидывал, как пугало огородное, на траву!

Даже северо-восточная Моряна не увлекала больше своей остро-кристальной любовью во льды, к дымящей морозами ночи!..

Но вот про Рому Петрова — и как раз в связи с ветрами волжскими, ветрами привычными, — узнал Трифон следующее.

Рома, когда ему еще было только шесть лет, был вызволен ветром из могилы. Точней из лесной огромной ямы. Кое-кто поправлял: из медвежьей берлоги. Про медведей, не трогающих в своих берлогах мальцов, Трифон не верил. А вот яма — это пожалуй!

Родители забыли Рому в лесу. Не со зла, просто были в подпитии. Там Рома в яму и провалился. Сгнить бы ему в этой яме и косточки навсегда в ней оставить!

Но… Ровно семь лет назад — об этом рассказывали не мужики на завалинке, рассказывали, сообразуясь с материалами местных газет, суровые архивисты, да и старожил Пеньков их слова подтверждал, — так вот: ровно семь лет назад налетел на Романов и его окрестности страшный ветер. И был это ветер как раз северо-восточный, именуемый Моряной. Яму, в которой сидел Рома, ветер, конечно, землей не засыпал, и глубину ее не уменьшил. Зато переломил надвое громадную липу. Липа наискосок через яму ветвями вниз и легла.

Зацепившись за ветви, шестилетний Рома после трех дней жизни в яме из нее вылез, сам до родительской квартиры кое-как добрел…

Эту историю Трифон рассказал сперва себе самому, а потом повторил вслух, специально для новой своей знакомой: меланхолички-Лизы.

Лиза покачала головой, но вслух ничего не произнесла.

КАК ЖАХНЕМ!

Нервный звонок Лукича на самые на верха действие свое возымел. Бандосы отвалились. Больше Савва их не видал и не слыхал.

И наследник был Куроцапом определен. Не юридически: безотчетно и по наитию. Но зато — стопудово! С наследником следовало встретиться, а там пора было и в Москву возвращаться.

Так все оно и произошло. Правда, в другое время отъезд Лукича из Романова вряд ли промелькнул незаметно. Но тут-то как раз наука в дело и вмешалась.

Главный научный эксперимент, который без незнамо где скрывающегося Трифона никак не решались начать — все-таки начали.

И тогда забылся Савва Лукич! Тогда мысли во многих и многих головах побежали совсем в другую сторону: «Не до Саввы, были бы живы сами!».

На том, чтобы провести Главный эксперимент немедленно, настоял — к тому времени полностью поправившийся — Пенкрат в капюшоне.

Начало эксперимента вышло успешным, ободряющим.

Уходило за горизонт солнце. Тихий ветерок летел над рябью вод. Волга, как в полусне, катила серые огромные шары вниз: к Ахтубе, к Астрахани.

Два тепловых аэростата АХ-7, типа «Hooper», цвета морской волны и без всяких надписей, оба с лазерными интерферометрами на борту, взлетели одновременно: первый из села из Пшеничища, второй с Борисоглебской стороны города Романова.

Управляемые опытными пилотами двухместные аэростаты быстро набрали заданную высоту в 2000 метров и стали снижаться. При этом двигаться они должны были навстречу друг другу, а разминуться всего на расстоянии 50 метров. Для того чтобы пути аэростатов пересеклись и чтобы при их пересечении возникло краткое, но мощное поле восприятия эфиропотока — надо было с безукоризненной четкостью выбрать точки взлета. А кроме того, дотошно рассчитать направление обычных ветровых потоков в приземном слое.

Все это было сделано еще при Трифоне.

На скорость эфирного ветра должны были воздействовать и два новеньких прибора без названия, только что взятые за приличные деньги в аренду у военных. Смущение слабых эфирных полей, которое могло при таком воздействии возникнуть, лазерными самописцами, установленными в плетеных корзинах, выложенных в основании крепкими дубовыми брусьями, тоже должно было тщательно записываться. За корректностью записей следили два кандидата наук, по одному в каждой из корзин.

Однако главная штука была не в аэростатах! Она была в двух новых и двух старых ветряных мельницах.

Старые ветряные мельницы — а точней, ветряные насосы «Ромашка», выпущенные в СССР еще 1987 году и стоявшие по урезу Волги, крутили двенадцатью лопастями в ветроколесе диаметром полтора метра. «Ромашки» были переоборудованы Трифоном и Столбовым. Вместо простого подъема воды они теперь выполняли куда более сложные операции, связанные с воздействием, а потом и всасыванием колыханий только что вошедшего в воду эфирного ветра.

Ну а новенькие ветрогенераторы Трифон увидел несколько лет назад в Нижней Саксонии и тогда же решил приспособить их для эфирного дела.

Мысли Трифона были простыми.

Постоянный эфирный поток, движущийся к нам от созвездия Льва и одним своим рукавом жадно заглатываемый землей близ Волги, обнаружен был? Был. Скорость потока три километра в секунду у земной поверхности зафиксирована была? Была. При этом скорость — точное ее значение составляло 3,4 километра в секунду, а при вхождении в землю всего 200 метров в секунду — ни при каких обстоятельствах не менялась: земля жадно глотала эфир именно с такой скоростью!

Мысль Трифона продолжала работу: а если попытаться фиксируемый эфиропоток как-то изменить? Попытаться уменьшить или увеличить скорость вхождения эфира в матушку землю? Чтобы эфир проявил себя отчетливо, проявил по-настоящему!

Трифон знал: современные ветрогенераторы издают достаточно сильный шум в диапазоне инфразвуковых частот. И такой шум сильно вредит живым организмам.

— Но именно этим шумом, я бы даже сказал: этой «музыкой шума», мы и будем воздействовать на эфирный ветер, — убеждал когда-то Пенкрата Трифон. — Я проверял: именно инфразвук оказывает влияние на эфирный ветер! Смущения нашего ветерка он вызывает... Правда, в малой степени. Но и это хлеб!

И сам Пенкрат, и некоторые другие романовские ученые сперва как могли отговаривали Трифона от воздействия на эфирный ветер.

Однако тот же Пенкрат первым сообразил: зачем разубеждать убежденного? Зачем мешать Трифону ловить ветер в поле? Пусть набьет себе десяток шишек, пусть вообще шею сломает. Более того: именно мысль Трифона об искусственном увеличении или уменьшении скорости вхождения эфира в землю и воду следует сделать основной. И только на ней строить Главный эксперимент. А там — куда кривая вывезет! Авось хуже не будет…

Но всего этого Пенкрату в капюшоне показалось мало! И он решил выстрелить по эфиру из лазерной пушки.

«Пусть почувствует, сквернавец, нашу силу и мощь! Пусть знает, кто сейчас в дело вмешался!»

Пенкрат понял многое, но понял не все. Не понял он главного: в чем все-таки смысл воздействия на эфирный ветер (как позже выяснилось, такое воздействие мыслилось Трифоном — как сближение и со-действие, а не как бандосовский наезд и расстрел).

Не знал ничего Пенкрат и про старую, с виду полуразвалившуюся мельницу, тоже переоборудованную Трифоном и работавшую по своей особой программе.

Может, именно от такого бодрящего незнания Олег Антонович с легкой душой команду начать эксперимент и дал.

Легче ему стало и потому, что «ну просто забодала» подготовка и сверка расчетов. Изматывало и то, что эксперимент приходилось все время откладывать…

Измот и впрямь был немаленький!

Во-первых, потому что квалифицированных ученых осталось в Романове с воробьиный нос, то есть раз, два и обчелся: кто подался в Москву, кто в Новосибирск, кто еще дальше. Денег — еще меньше, чем ученых. Почти все они ушли на покупку мельниц в Голландии (немцы запросили слишком высокую цену). А ремонт дышащих на ладан советских «Ромашек»? А их переоборудование? А обучение техперсонала? А сохранение в тайне истинного смысла экспериментов? (Для всех без исключения романовцев «Эфирометеостанция» занималась долгосрочными предсказаниями «космической погоды».)

Ну и, конечно, много сил ушло на нейтрализацию гнусношутовских ухмылок романовского телевидения: мол, только мельничных усилий нам сейчас в Романове и не хватало! Намолотим воздуху — глядишь, сыты будем…

Однако самая большая сложность крылась в научных расчетах.

Как именно и в каком направлении попытаться изменять эфиропотоки? Какими средствами увеличить скорость вхождения эфира в землю и воду? Увеличить ли до скорости, присущей эфирному ветру в более высоких слоях атмосферы? Используя какие средства и мощности, это можно сделать? И наконец: сколько должен длиться Главный эксперимент?

Не так давно приезжавший из Москвы членкор Косован (все-таки приехал, все-таки заинтересовали!) научную часть эксперимента в общих чертах одобрил. Но указал и на слабые стороны.

Их было две.

Первая слабость: мало контролирующих ветер приборов. И видеокамеры, фиксирующие работу операторов, нигде не установлены!

Слабость вторая: где же гарантии безопасности?

— А если какие-нибудь осложнения или, не дай бог, непредвиденные последствия? — спрашивал раздраженно членкор. — Эфирный ветер — явление спорное, явление в современных условиях почти недоказуемое. И к тому же явление, по существу разрушающее основы современной физики. Одни противоречия с общей теорией относительности чего стоят! А уж если смотреть правде в глаза, — тут-то Борис Никонович глаза свои широко и раскрыл, — то полное противоречие этой основополагающей теории! Да, Эйнштейн еще в 1926 году сгоряча произнес: «Если существует эфир, то моя теория относительности просто не может существовать!».

Но мало ли чего не скажет великий человек в минуту отстранения от научных мыслей? Зачем же всплеск эмоций принимать за чистую монету?

Исходя из всего этого, перспективный план экспериментов и бизнес-план членкор Косован подписать отказался. А приемку работ по вводу в действие новых объектов предложил отсрочить.

— Поработайте еще с годок, Трифон Петрович. Ресурсов и средств поднакопите, теоретические выкладки подновите, приборы новые раздобудьте. И уж тогда — жахнем так жахнем!

Здесь Борис Никонович Косован — стройный, с приятно-моложавым лицом, правда, с чуть подпорченным двумя сине-красными поперечными рубцами подбородком, — едва сдерживая ему самому непонятную радость, улыбнулся.

Ну, радость членкора — она-то была как раз объяснима.

Чтобы задобрить высокого гостя, Трифон с кузнечиком Колей сразу после приезда повели Косована в лучший романовский ресторан.

Во время застолья членкору и продемонстрировали одну штуку, которая по мысли Трифона должна была в образной форме доказать: все эфирные эксперименты в Романове пройдут дружно, слаженно!

Сразу после первого и второго тостов встала самая красивая из приглашенных сотрудниц — это была, конечно, Ниточка Жихарева — и тихо-сладко так пропела:

— За гостя дорого московского! За Борис Никоныча светлого, Борис Никоныча всесильного! Мы сейчас к-а-а-а-к…

Последовала генерал-пауза. Все сидящие, кроме Косована, привстали.

И вдруг застолье, как по команде, взорвалось тремя дымящимися файерами:

— …ак жахнем! Ка-ак жахнем!! Ка-ак жахнем!!!

Выбитая шибка в одном из окон, плач детей в соседнем с рестораном деревянном бараке, дикий хохот Сухо-Дросселя и слезы на глазах у Ниточки были ответом на молодецкие выкрики.

А ведь это самое «Как жахнем!», так понравившееся членкору, некоторое время назад уже наделало в Романове шуму!

В самом начале лета, проезжая мимо все того же ресторана, супруга начальника полиции была этим криком неприятно огорошена и жутко фраппирована. А верная нежно-палевая Рексона, до того дремавшая мордой во властных коленях, внезапно сиганула в раскрытое окно машины и была такова!

Рексону искали всем городом целые сутки.

Ближе к завершению этих самых суток запрещение орать «Как жахнем!», оформленное в виде местного подзаконного акта, и вышло. Подписал запрет на дерзкие выкрики, с подачи начальника полиции Бузлова, лично городской голова. Два месяца запрет исполняли неукоснительно.

Но вот совпадение!

Как раз во время пребывания членкора Косована в Романове полковник Бузлов был занят очередными разборками с МЧС, а жена его летала на семинар в Мьянму. Мэр тоже отсутствовал. Поэтому «жахать» можно было без опаски…

А тогда… Тогда в самом конце ресторанного вечера, внутренне переживая это самое «Как жахнем!», членкор сильно приободрился — он вспомнил волжских бурлаков, вспомнил знаменитое «Эй, ухнем!» в исполнении Федора Шаляпина… И тут же пообещал на полгода раньше, чем планировал, — то есть к 23 февраля будущего года — прибыть в Романов снова.

И уж тогда, убедившись в научной корректности эксперимента, в четкой работе всех теслометров и ветрогенераторов, торжественно и, вполне возможно, под это самое «Как жахнем!» — подписать приказ о начале системной ловли ветра.

— Ну а денежку вы уж сами ищите, — добавил тогда Косован, жмурясь и млея то ли от русской удали, все еще летающей в обнимку с эфиром высоко над Волгой, то ли от пальцев другой романовской красавицы Лели Ховалиной: пальцев быстрых, умелых, как тот эфирный ветер невидимых, но зато хорошо ощутимых…

Именно тем вечером, уяснив: денег от Москвы ждать не приходится (а они были очень, очень нужны: ветрогенераторов мало, тепловые аэростаты требуют дополнительной оснастки), именно тогда у Селимчика с Колей и возникла мысль найти страшно богатого, но до поры о своем богатстве ничего не знающего наследника! Найти незаконнорожденного или какого-нибудь давнего подкидыша — а такой при современных нравах вполне мог отыскаться — и через него качнуть денег из Абрамовича или Дерипаски, из Куроцапа или Прохорова. На худой конец — даже из Березовского…

Но теперь все это — и членкор Косован, и Трифон, и колебания насчет Дерипаски, и обоснованные сомнения по кандидатурам Березовского и Прохорова, — осталось далеко позади.

ГЛАВНЫЙ ЭКСПЕРИМЕНТ

Успешно начатый взлетом двух аэростатов, Главный эксперимент был продолжен запуском всех романовских насосов и мельниц.

И поначалу все шло в штатном режиме: аэростаты летели навстречу друг другу, трехлопастные голландские мельницы, до того накрытые камуфляжной сеткой и охранявшиеся четырьмя амбалами в черной форме, мельницы, снабженные особыми ускорителями и датчиками, — своими лопастями (вытянутыми в струнку, а на концах слегка изогнутыми) дружно завертели…

Однако примерно через сорок минут работы один из самописцев, установленных в основном ромэфировском здании, вдруг показал: скорость эфирного ветра, на который воздействовали и снизившиеся уже до 800 метров тепловые аэростаты, и ветрогенераторы, внезапно скакнула выше расчетной! Вместо 3,4 — она составляла теперь 5,3 километра в секунду.

О том, что скорость эфирного ветра по мере приближения к земле слабеет, угасает, знали еще Морли с Майкельсоном. Чуть позже расчислили и шкалу угасания. Из этой уже набившей оскомину шкалы следовало: ниже трех километров скорость эфирного ветра снижалась только у самой земли. Но чтобы вдруг резко повыситься?

Пенкрат позвонил за реку, на метеостанцию:

— Проверьте еще раз скорость эфира на самописцах.

— Уже проверили.

— Ну, ну!

— Чего — ну? Баранок здесь я не гну!

— Не умничайте, Столбов!

Умный Столбов, не так давно выпустившийся с отличием из Петербургского университета, не обиделся, а рассмеялся.

— Чего вы там хихикаете? Опять девушки в лаборатории?!

— Девушек мы на сегодня не вызывали. Девушки будут завтра. А смеюсь я вот почему: остолопы мы с вами, Олег Антонович! Ох и остолопы же… Скорость-то повысилась резко!

— Прекратите истерику, Столбов. Скажите лучше… Трифон Петрович… Он ничего такого насчет увеличения скорости не говорил?

— Говорил, как же!

— И как он характеризовал такое увеличение?

— А так и характеризовал: если скорость резко увеличится — кирдык нам всем! В общем, если начнется небольшое и постепенное увеличение скорости, говорил Трифон, значит, эфирный ветер просто слегка меняет направление. А если начнется увеличение резкое — то тогда скорость начнет менять нас с вами!

— Еще раз гляньте. Может, стихает ветер…

* * *

Эфирный ветер, почуяв узду и аркан, резко сменил направление движения. Свобода его дуновений была безусловной и неограниченной, но и рассчитана была до мельчайших подробностей.

Потоки эфирного ветра вот уже много столетий следовали в одном и том же направлении, лишь чуть меняя (в земных пределах изменение составляло 300 километров к западу и 600 километров к востоку) свое основное русло.

Именно в таком постоянстве и состояла поразительная свобода: свобода выбирать правильный путь, свобода следовать им до конца!

Стараясь не тратить внимания на людское окаянство и повсеместный сволочизм и очень редко за них наказывая, эфир выполнял свою главную задачу неукоснительно.

А задача была не из легких! Быть посредником между материей живой и материей косной, посредником между Всевышним и разумными существами, где бы и в каком виде они ни обретались.

Больше того: эфир — и это, скорей, тоже по высшей задумке — мог и сам принимать на себя функции Творца, функции чрезвычайного и полномочного посланника Божия. Так происходило во времена диких смут, во времена явного и всеобщего помешательства и безумных нападок на небо...

И вот сейчас одну из струй эфирного ветра принуждали действовать по законам неразумия, склоняли к тому, чего делать не следовало, заставляли творить на земле то, к чему ветер не был предназначен.

Предназначен же он был вот для чего.

Не обладая разумом в узко-человеческом смысле, эфирный ветер обладал мощным космическим инстинктом, неслыханной волей и оглушающей свободой делать то, что всегда являлось и для органики, и для неорганики единственным шансом на выживание.

Эфир растил звезды и планеты — а значит, и Землю, — изнутри! Именно через рост и внутренние движения Земли он корректировал деятельность всего живого, на ней обитающего.

Эфир подчищал гнильцу и выправлял пороки живых существ землетрясениями, изменением климата; устранял посредством смерчей и ураганов мелкие и крупные людские заколупки и загвоздки; сглаживая непотребство и подлянки, руководил медленным движением литосферных плит. Он заведовал сжатием и расширением великих пустынь, влиял на движения главных океанских течений, проектировал строительство на их пути городов и долговременных торговых путей!

Все эти действия эфирного ветра должны были подтолкнуть человека к действиям ответным: творчески осмысленным, соприродным человеческой сущности, согласным с волей вселенной.

Однако творчески осмысленных действий со стороны как отдельного человека, так и всего человечества случалось до обидного мало.

Так было и сейчас, в данный конкретный миг: вместо широчайшей свободы эфиру предлагали мелкое наукообразное рабство.

Потому-то эфирный ветер резко в сторону и увернул.

Быстро освободившись от жалкого петушиного наскока, вернулся он в свое обычное русло. Правда, для такого поворота необходимо было пусть и кратковременное, но резкое увеличение скорости...

Раздался вой и треск, из озерных чаш выплеснулась вода и повисла в воздухе косой рябью. Малые реки по всей округе вытянулись вертикально вверх. Задрожали мелкой опасливой дрожью железно-каменные мосты.

А через приречные поля прошел короткий, но жуткий огненный смерч, который в народе зовут «языком дьявола» и который чаще всего является ответом эфира на грубо-насильственные действия человека...

Одна Волга спокойно и мощно продолжала свой ток.

Но и она вдруг расширила берега, снесла несколько сотен прибрежных построек и причалов, утянула в свои водовороты три десятка стальных лоханок и вдобавок проглотила белье, которое в шести громадных деревянных корытах было выставлено на берег для полоскания страшно дорогой и экологически безупречной химчисткой, работавшей под вывеской «У бабы Харламихи»…

* * *

— Эфир увеличил скорость до семи и восьми дес-с-с-с-я…

Голос Столбова завернулся веревочкой, упорхнул вверх. Потом вдруг удесятерил громкость и, громыхая, как кровельная жесть старинной пристройки, когда ее продавливают ступающие по крыше подкумаренные работники ЖКХ, прокатился в ушах у Пенкрата звуками: р-рых, тр-рых! А потом разнесся сдавленным воем: у-а-аай…

— Столбов! Что?!

Но и не нужно было зря Столбова спрашивать!

Кое-как пристроив на столе воющую мобилку, Пенкрат, крадучись, стол обошел, подступил к окну, глянул вполглаза на реку.

Наискосок через акваторию Волги по направлению к самой большой из голландских мельниц шел громадный мусорный смерч.

Смерч состоял из выломанных досок и покореженной жести, сохлых кустов, травы и прочей мелкой и крупной пакости. Ножкой своей смерч напоминал пыточный испанский сапог, головой — растревоженную Медузу Горгону.

281

Внезапно из горгонистой головы выпал длинный, острый, рдяно-алый язык. Огненный язык сперва поволокся медленно, метрах в тридцати над рекой, но потом ускорился, лизнул жгучим кончиком Волгу...

Тут же в воде образовалась глубокая дымящаяся воронка. Из воронки скакнули вверх и завертелись в диком воздушном танце огромные рыбьи головы, обрубленные змеиные хвосты, лопнувшие щучьи пузыри, выдранные с мясом плавники четырехметровых сомов!

Пенкрат отступил от окна на шаг, потом еще на один... Смерч унесся дальше.

Сзади стукнула дверь.

Отдирать себя от терзающего душу заоконного пространства было невыносимо трудно. Но все же Олег Антонович оглянулся. Поворачиваясь, он хотел что-то спросить или крикнуть, но слова из глотки не шли.

На пороге застыл Сухо-Дроссель. Волосы Кузьмы Кузьмича торчали стоймя. Маленькие синие искры быстрой зловредной мошкарой постреливали в редеющей шевелюре вверх, вниз...

— Справа, — проскрипел австрияк. И указал на западное окно. — И слева, — едва выговорил он, вяло протягивая руку в сторону окна восточного.

Кабинет Пенкрата, в отличие от кабинета кузнечика Коли, был расположен в мансарде «Ромэфира». Олег Антонович ласково звал его «квартира-студия». Окна квартиры-студии выходили на восток и на запад.

Пенкрат в капюшоне снова вплотную подступил к западному окну, прижался к стеклу лбом...

За рекой призрачным синеватым огнем пылал, как исполинская фигурная свеча, запущенный сорок минут назад аэростат АХ-7 типа «Hooper».

Пенкрат перебежал к окну восточному.

В этом окне пылал другой аэростат. Правда, свеча пламени, бившая из него строго вверх и бог знает почему до сих пор аэростат не спалившая, была не призрачной и не синей — отливала многоцветьем северного сияния.

Пенкрат развернулся, схватил двумя руками со стола огромный гроссбух, огрел им себя по башке. Тут же он гроссбух отбросил, двинул с размаху кулаком себе в челюсть…

Сухо-Дроссель из дверного проема пропал.

В глазах на минуту стало темно. Потемнело и все вокруг.

А когда темнота расступилась, Пенкрат увидел все те же пылающие — каждый в своем окне — аэростаты.

Западный аэростат волочил корзину уже почти по земле. Восточный — снижался медленней, пылал ярче.

Пенкрат постарался взять себя в руки. Он стал звонить на метеостанцию, Трифону, Столбову, Коле, Леле, опять Трифону. Позвонил даже засушенному Дросселю. Австрияк Австриякович — так иногда Пенкрат звал доставучего бухгалтера — трубку не брал.

Связь с романовцами была потеряна.

Тогда Пенкрат подцепил за ремешок указательным пальцем армейский бинокль, откинул люк, выдрался на крышу «Ромэфира» и в наступающей тьме, подсвеченной по краям двумя пылающими аэростатами — сильней восточным, слабей западным, — стал высматривать голландские мельницы.

Мельницы за рекой на глазах разрушались.

Сперва обломились лопасти одной из них, затем изогнулся металлический столб второй... Согнутая мельница тихо рухнула. Другая продолжала стоять, но было ясно: так продлится недолго.

Сразу вслед за падением одной из мельниц над ее обломками прошел новый огненный смерч. Этот смерч был другим: был шире и напоминал не дьявольский язык, а огненную, с заворотом и розовой по гребню пенкой, волну.

Огненно-острая волна верхней своей частью, словно невидимой машинкой для стрижки овец, срезала под корень всю попадавшуюся растительность, а нижней, как гигантским лемехом, вынимала и откидывала в стороны тонны и тонны земли...

Землю выворачивало пластами, она не горела, а, летя, сияла: крупно, комками и мелкой россыпью!

Второй огненный смерч тоже быстро ушел, но за ним последовали волны ветра.

Как тот неуемный Никита-Кожемяка, запрягши в плуг невидимого змея, стал бороздить ветер землю и воды близ города Романова!

Вскоре одна такая глубокая борозда обозначилась явно. Была она метра три глубиной и метров семь-восемь в ширину. Борозда дошла до самой Волги и поволокла себя дальше, словно невидимое чудище, оставляя на реке глубокий и широкий след...

Не находя в себе сил и дальше выносить разрастание порухи и ущерба — Пенкрат скинул с головы капюшон и жестко, крепко, не отнимая рук, вдавил пальцами глазные яблоки в глазницы...

ЧЛЕНКОР КОСОВАН. НОВАЯ ЭФИРОСФЕРА

Еще при старике Морли и профессоре Майкельсоне, еще во времена Николы Теслы — который впрямую эфиром занимался не часто, но краем, конечно, его цеплял — некоторые ученые знали: при плотном соприкосновении с эфиропотоками могут наступить непредсказуемые последствия.

Было это известно и романовским ученым.

Давно и прочно заучили они азбуку эфирного дела! Давно и прочно знали: со стороны Северного полюса, под углом к нему 26,9 градусов, наша планета обдувается неким постоянным эфиропотоком.

Однако о том, что происходит с эфиропотоками над землей дальше, мнения ученых сильно разнились.

Кое-кто считал: соприкоснувшись с землей, эфиропоток разбивается на струйки и сперва в ослабленном виде продолжает полет над материками и океанами. Пока не соединится с основной — уже не летящей, а окутывающей землю подобно газовому шлейфу — массой эфира. Другие считали: эфир уходит в землю. И потом, из глубин, возвращается другим, начиная действовать на земле и над землей конкретно, направленно.

Единства взглядов — и в России, и за ее рубежами — достичь пытались. Однако из этого ничего не вышло.

Но вот сразу после романовской катастрофы последовали поправки от членкора Косована. (Видно, у себя в Москве Борис Никонович не на шутку пристрастился к эфирному ветру, стал вслушиваться в него — пока, конечно, чисто теоретически — внимательней, серьезней.)

Членкор поправил вот что.

Он высказал мысль о существовании уже чисто надземных, боковых — не подающихся пока учету и классификации — движениях эфирного ветра. А также о всеобщем смущении мирового эфира во время действий, направленных на какую-либо из его частей.

Такое предположение толкало к дальнейшим объяснениям. Ведь ни Майкельсон, ни Таунс, ни Галаев про спонтанные, боковые, чисто земные и, как выразился Косован, «по сути, художественные» потоки эфирного ветра ничего не говорили.

Именно с такими мыслями часа через три после событий, уже поздней ночью, Косован в романовскую контору и ткнулся, и позвонил. Не застав на месте Трифона Усынина, он потребовал от дежурного оператора соединить его с замом по науке.

На Пенкрата членкор напустился так, словно все последнее время у себя в Москве только и делал, что тренировался орать «Как жахнем!».

— Я вам даю теоретическое обоснование, даю направление мыслей! А вы мне в ответ — какую-то хренотень! Куда вы дели Трифон Петровича? Отвечайте! Он должен меня слушать — не вы… И вообще: от вашего эфирного дела — за сотни верст криминалом тянет.

— Я тут воз неподъемный… Воз Трифонов тяну! А вы мне — выволочки?

— Ладно. Не скулите. Берите магнитофон, включайте громкую связь и записывайте все, что я сейчас буду говорить. Утром передайте Трифон Петровичу. Может, мои слова натолкнут его на новые мысли. А где-то через месяц я и сам буду в Романове… Магнитофон взяли?

— Уже записываю.

— Дело обстоит так. Эфиропотоки, как вода, текут по спиральному рукаву Галактики. И направлены они почти перпендикулярно движению Земли. То есть перпендикулярно ее эклиптике. Поэтому имеет место геометрическое сложение скоростей! Первый-второй курс университета, еще не забыли?

— Не забыл, не забыл…

— А не забыли, так слушайте. На фоне огромной космической составляющей почти перпендикулярно направленная скорость — не про-смат-ри-ва-ет-ся!

— Это почему же?

— Да из-за того, что приборы ваши нечувствительны! И поскольку эфир в физическом смысле — это газ и только газ, хоть он и вязковат и все такое…

— То скорость его, как и положено газу…

— Вот! Скорость его — по мере уменьшения расстояния до поверхности земли — у-мень-ша-ет-ся. Это же так просто, так одномерно! Я, конечно, понимаю: постоянные со всех сторон на эфир наезды… Утверждения, что его нет и не может быть в природе… Все это закрыло от вас простейшие исходные положения! Просчитайте с Трифон Петровичем, как себя будет вести сжимаемый газ, а потом — как будет себя вести мощнейший поток протонов и электронов, когда меняют направление его движения, — и вы получите сегодняшнюю романовскую катастрофу.

— Уже получили. Чего душу травить…

— А вот отчаиваться не надо. Именно катастрофа натолкнула меня на ряд мыслей. Катастрофы вообще жуть как полезны.

— Да ну?

— А представьте! Хорошо б их время от времени во всех областях нашей жизни устраивать… Например, в наших властных структурах. Понимаете? Не бунт, не революция, — а запланированная катастрофа в структурах власти! И как результат — интереснейшие повороты сознания при поиске выходов из катастрофы… Ладно, приеду — поделюсь. А вы пока Шлихтинга, Шлихтинга перечитайте! Его «Теорию пограничного слоя»! Как раз оттуда кое-что почерпнуть можно.

— Почерпнем, как же… Я чаю, горстями черпать будем!

— Зря иронизируете. И вот еще что… Помните детскую загадку? Висит груша — нельзя скушать?

— Как не помнить! Тетя Груша повесилась.

— Очень смешно. Но Трифон Петрович, он-то, конечно, настоящую разгадку знает. А вам, так и быть, сообщу: не тетя Груша и не электрическая лампочка! А как груша — не как шар — выглядит теперь наша с вами Земля! Обдуваемая эфирным ветром с севера — она меняет форму. Север — съедается эфиром! Юг — как бульдожья челюсть — наоборот, растет! Только вот зачем Вселенной такая земляная груша? Никак в толк не возьму… Но груша есть, она уже существует. А у нас в энциклопешках все какой-то эллипсоид шизоидный вместо реальной формы Земли изображают. Сплюснули мозги всем летающие тарелки!

— Это — не спорю, это вы — в точку: сплюснули!

— Кроме того. Эта наша — так и хочется сказать: боксерская груша… Словом, Земля наша не только меняет форму и растет вширь. Внутри себя новое вещество для создания новых материй она выращивает! В глубинах земли, а не в космосе творятся теперь дива дивные!

— Вот даже как?

— Именно. Потому что — и в этом сейчас мало кто сомневается — земля живая. Тут не образное выражение, тут факт. А раз так — опустим пока математику, — то, начав исследовать поглощаемый землей эфир, то есть исследуя эфир в недрах земли, — мы сможем постичь его сущность быстрей, чем из космоса. Но главное и основное: пока нужно постигать, а не вмешиваться!

— Трифон считал: обязательно вмешиваться надо…

— А вот скоро узнаем, не передумал ли! Но вы дайте мне закончить. Здесь уже не расчеты, здесь философия. Поймите! Земля — как младенец в волнах эфира. Эфир нянчит и колышет младенца, и внутрь ему манную кашку отправляет! Но ведь наша эклиптика наклонена к солнечному экватору на семь градусов. Вот эфирный ветер, чтобы половчей нянчить, и меняет свое направление, свой наклон в градусах! Так нянька меняет положение своего тела, чтобы успокоить младенца!

— Хорош младенец. Зубастый шибко, а так — хоть куда…

— Повторяю уже только для вас лично! Эфирный ветер воздействует на землю не для того, чтобы ее гробить, а чтобы вылечить от многих возбуждаемых людским неразумием болезней! В частности: от поветрия зависти, предательств и доносительства, которые прогрызли в земной коре громадные дыры. Да что там лечение! Эфир, по сути, — наш Бог! Это говорю вам я, Атеист Атеистович в пятом поколении…

— Ого! Вы прямо как Трифон когда-то заговорили…

— А представьте. Я изменил точку зрения — и горжусь этим. Не все членкоры, как у Пушкина, в эпиграмме… Там у него прямо про заседания нынешней Академии наук, верней про некоторых ее членов, сказано: «Говорят, не подобает NNN такая честь? Отчего ж он заседает? Оттого, что жопа есть!».

— Браво! Вот за классика — так точно спасибо!

— Сболтнул лишнее… Вы сотрите кусок этот.

— И не подумаю.

— Ладно, снова про эфир. Всему на свете, уважаемый зам, приходит конец. И если наши гадкие эксперименты с человеческой жизнью и совестью, с клонированием, с «нерождениями», с уничтожением культуры и политическим бешенством не прекратятся — эфирный ветер начнет действовать жестче, радикальней. И действовать он будет посредством влияния на сердцевину земли. Да-да! Через рост гор, пустынь и движения литосферных плит, посредством колыхания океанского дна, с последующими смерчами и ураганами. А они, в свою очередь, приведут к общемировой войне и полному самоуничтожению! Не «космическая погода» теперь на нас будет влиять, а «внутриземная»!

— Даже так?

— Не верите? Да поймите вы, Пенкрашка несчастная! На нас надвигается мировой эфирный протест! Не мы протестуем. Против нас нынешних эфир протестует! А после протеста… После него — или окончательное небытие, или новое небесно-земное царство эфира!

— Вы про это нашим религиозным деятелям еще не рассказывали?

— По моим выкладкам, новый мировой эфирный проект не войдет в противоречие, то есть не будет отрицать ни одну из традиционных религий. Просто даст им сильнейший импульс развития, даст самое верное доказательство Бытия Божия в эфире и над эфиром!

— Да вы там все, в Москве, просто ума рехнулись! А вы лично… Ну просто какой-то религиозный катастрофист!

Я думал, Косован — светило! Я думал, Косован — серьезный ученый!

— Без религиозного аспекта никакая новая наука существовать не сможет… Но не так все плохо. После катастрофы — так было и после всемирного потопа — могут наступить яркие и радостные последствия. И человек, и государства земные, как системы, завершившие одну из фаз развития, круто изменятся. Люди научатся поглощать избытки эфира, а не животных. Научатся не голоса на выборах подтасовывать — голоса эфирного ветра слушать. Что, поверьте, намного важнее. Научатся переходить из плотного тела в тело эфирное, неплотное! О таком неплотном теле еще апостол Павел сообщал. Тем самым мы обеспечим себе бессмертное существование и при этом — не перенаселим Землю…

— Не проще ли нацепить скафандры — и к звездам?

— Ага. И там довести до ручки уже не Землю, а ближние и дальние небесные тела! Человек прежней формации и останется прежним! Грех падения всегда будет с ним! Только техники станет побольше. Датчиков на задницу гуще себе понавесим. А вот для соединения с эфиром время будет упущено!.. Но в нашем с Трифон Петровичем варианте не только часть человечества, но, возможно, и все оно перейдет в эфир. При этом, как многие и хотели, будут восстановлены — конечно, только в эфирном состоянии — все поколения ушедших предков!

— Вот так так! И сбудется мечта этого сумасшедшего дурачка… Этого философа доморощенного… Как его, из головы вылетело…

— Это вы про Федорова — «доморощенный»?

— Бросьте вы свои религиозные заманухи! Я требую научного объяснения свойств эфира. Я и Трифону так всегда говорил, когда его туда же, куда вас, заносило. Но ваши выводы, Борис Никонович… уж вы не обижайтесь… Они знаете чем попахивают?

— А ваши? Ваши выводы? Вы ведь просто-напросто научный подлог совершили!

— Подлог совершили не мы. Его еще в 1929 году совершили релятивисты — к которым и вы до последнего времени принадлежали, — когда сделали вид, будто не было результатов Майкельсона по эфирному ветру!

— Вы просто уходите от темы. Теперь я наконец понял: пользуясь отсутствием Трифона, вы всю эту бестолочь в Романове и устроили. Чтобы дискредитировать идею. Чтобы снова надолго ее похоронить. Как похоронили ее когда-то в Америке! Как похоронили в Европе!

— Не ерундите, товарищ членкор!

— Гусь свинье не товарищ. Теперь уже не для вас, а только для Трифон Петровича скажу: именно сейчас эфиросфера обретает русские и российские, а значит, устойчиво мировые черты! Да-да. У американцев и европейцев никакой философии в этом деле не просматривалось. У нас по-другому будет. Поиски правды! Высшей, ошеломляющей! Кого бы она ни оскорбляла! Чьи бы интересы ни затрагивала! Каких бы священных коров за дойки ни щупала! Правда — запредельно сложная и предельно простая! Правда, основанная на науке, но учитывающая и религиозно-философские аспекты жизни! Вот она, российская некоммунистическая столбовая дорога, или, как сейчас модно, — парадигма!

— Вы закончили? Мне на станцию пора. Ремонт приборов, вывоз мусора, то, се…

— Вы — завхоз, а не ученый. И я еще не закончил. Скажу до конца. И попробуйте не передать запись Трифону!

— Очень ему теперь нужно. Но обязательно передам. Вот не хотел передавать, а теперь всю эту хренотень — как вы выразились — на диск ему и перекачаю…

— Теперь только дошло! Это вы сотворили настоящее насилие над эфиром! Вместо того, чтобы выяснять его свойства и качества, вы, как бандит, сразу взяли его за эти…

— Нежно взял за плечи, вы имели в виду? А эксперимент — он ведь готовился Трифоном. Я только по стопам шел. Ну уточнил кое-что, ну улучшил…

— Наука — вещь тонкая. И ваши улучшения… Они-то как раз и привели к тому, к чему привели!.. Но я не отчитывать звоню! Просто хотел напомнить Трифон Петровичу: надо возвращаться к началу эфирных экспериментов. К XIX веку возвращаться! А заодно вспомнить то, что говорили про эфир древние. Аристотель в трактате «О небе» и в книге «Метеорологика». Или Цицерон в «Сне Сципиона». Или всеми отвергнутый Ориген. Не забыть и Плотина с Явмлихом! Ну и, конечно, Агриппу Неттесгеймского, который прекрасно доказал: Божественный дух не может — вы понимаете, не может! — прямо воздействовать на косную и живую материю. А может на косную и снова-таки живую материю воздействовать лишь некий посредник, «медиум», обладающий духовно-телесной природой! И это — не патер, не далай-лама, а эфирный ветер, пятая сущность, дух Мира, наконец! Вы слушаете меня?

— Угу… угу… слушаю…

— А тогда чего мычите, как корова?! Так вот. Еще Парацельс считал: Дух Мира, то есть эфир, можно извлекать из человеческих тел! Что Трифон Петрович и пытался сделать... И в чем вы ему помешали. Только и смогли — грубым «вдуванием» создать эфирозависимых...

— Сами тут про научные катастрофы битый час толковали, а теперь — на попятную?

— Да я не про катастрофы... Черт, сбился! Да, вот! Хотел еще про Максвелла сказать... Его уравнения не полностью... Понимаете? Не по...

— Чего уж тут понимать. Поздно теперь!

— Господи, да не поздно, самое время! Считалось ведь, что теория Максвелла построена на предположениях, на постулатах. А никаких постулатов не было! Максвелл строго вывел свои уравнения — которыми мы до сих пор пользуемся, — исходя из механической эфирной теории электричества и магнетизма. Записываете, Пенкрат вы несчастный?

— Что несчастный — это теперь у меня на лбу написано. Приезжайте — увидите...

— Максвелл рассматривал и электрическое поле, и магнитное — на принципах э-фир-ной мо-де-ли! Теперь настала пора уточнить и Максвелла. А уточнить его можно — так на словах Трифон Петровичу и передайте, — только возвратившись к эфирной модели мира... Но по представлениям и нашей, и европейской научной мысли XX и XXI века — эфира в природе нет. Вернется Трифон к Максвеллу и Агриппе, а заодно к Морли с Парацельсом — докажем обратное!.. Работает магнитофон?

— Вовсю пашет...

— То же касается и открытий Эйнштейна о зависимости массы тела от скорости тела. И о зависимости массы от энергии и от времени. Но ведь эти и другие важнейшие вещи выведены Эйнштейном на основе знаменитых преобразований Лоренца! А Конрад Лоренц сделал свои открытия за год до появления эйнштейновской общей теории относительности, в 1904 году!

— Знаю, знаю…

— Да тут не в дате дело! Важно вот что: ничего не зная про то, что Эйнштейн создаст свою общую теорию относительности, где отвергнет существование эфира, — Лоренц свои «преобразования» взял да и вывел, исходя из присутствия в нашем пространстве эфира! Ну а раз Эйнштейн опирается на Лоренца, который, в свою очередь, опирался на существование эфира… И при этом Эйнштейн эфир отрицает… То здесь, как вы могли уже заметить, — явное противоречие…

— Лучше подскажите, чем теперь нам заняться?

— Найти Трифон Петровича и дать ему прослушать эту запись. А дальше… Вернувшись к истокам, Трифон сам выход найдет.

В трубке зарычало и треснуло. Членкору показалось: далеко за Волгой из расколовшейся надвое Пенкратовой мобилки поволокся едкий розовый дым. Ногти и пальцы Пенкрашки стали вдруг, как у безбашенной девки, розовато-черными, кожа лица — тоже…

— Розовоперстая Эос… — прошептал безотчетно Косован.

Треснуло снова и рыкнуло в трубке громче.

— Что там у вас с-снова? — теряя голос, засипел в трубку членкор.

— Узна́ю — что, всех порву… — гулко, как из колодца, откликнулся Пенкрашка.

А уже потом кто-то другой — судя по голосу, никакой не Пенкрат, — осенней печной трубой завыл: О-у-у-х-с-с-рр!

* * *

Вихри эфира, которые по предначертанию свыше творили на земле все важнейшее: от прямохождения человека до выправления его эволюции, от поимки в свои сети заблудившихся космических аппаратов до возникновения стойких моровых поветрий, от прекращения болезней до попыток создания прочной эфиросферы, — уловить и понять было сложно.

Было неясно: как именно элементарные частицы, как именно пучки протонов и электронов, а также более крупные сгустки материи создают не обычный газ — создают острый, живой и, вполне возможно, обладающий такими качествами, как разум и чувства, эфир?

Quinta essentia так просто, за здорово живешь, в руки человека не давалась. Не удавалось с ней разобраться и сейчас, в XXI веке: во времена горделивого взлета науки, полной ее компьютеризации и иного прочего.

И все-таки некогда подобное удавалось!

Давным-давно вихри эфира кончиком кисти сумел ухватить английский визионер и художник Уильям Блейк.

Что-то похожее на картины Блейка той осенью наблюдал на волжском небе и Трифон Усынин.

Один из контурных рисунков эфирного ветра страшно волновал и притягивал ученого.

Точь-в-точь такой же — поражающей ликующей странностью — картины у Блейка не было. Кусочки ее обнаружил в пространстве, в завихрениях и обрывках эфирных струй, затем мысленно дорисовал и стал видеть целиком — сам Трифон.

Для ясности он стал именовать возникающую время от времени на небе картину так:

«Уильям Блейк. Женщина-ветер. Ненарисованный этюд».

Однажды из эфирного потока картину выловив, сознание возвращало ее вновь и вновь. Но не в одном сознании было дело. Возвращалась реально и сама картина!

Трифон проверил. Показал картину ночного неба в трех разных местах трем разным людям: директору Коле, Столбову и тогда еще находившемуся в Романове Селимчику. Все трое, не сговариваясь, отметили: над сильно удаленным от Великобритании Пшеничищем, над Рыбинском, а в третьем случае и над самим Романовом краешком и обрывками была в определенный час при определенной «космической погоде» видна одна и та же облачно-воздушная конфигурация!

Проявив минимум воображения, можно было сперва увидеть подсвеченные блеклыми северными звездами желто-соломенные волосы. Потом становились видны выкрашенные в неяркий розовый цвет ноготки на ступнях. Затем появлялись и сами ступни, без всякой обуви.

А вскоре, в ошеломляющей наготе, являлась и вся целиком эфирная женщина.

Женщина-ветер, в отличие от прежде виденных фигур, не летела. Она — шла! Доводя своей поступью Трифона до умоисступления, она заставляла его с отвращением отворачиваться от большинства романовских женщин.

Лазурное тело было на удивление плотным, но было и прозрачным, эфирно-легким. Это было особенно заметно, когда женщина меняла направление движения.

Но не только само тело — с редкой формой лунообразных крепких грудей, с нетолстыми, прекрасно выточенными икрами, со сладкой и удобной для мужских рук выпуклостью ягодиц — манило Трифона!

Манил соперник-ветер.

Когда женщина на минуту приостанавливалась — именно полуночный эфирный ветер со сладким подвыванием и свистом вторгался меж двух половинок рассеченной надвое женской плоти!

Рассеченные половинки вздрагивали, слабо шевелились, ветер входил меж них без остановки, пропадал глубоко в теле…

Эфирный ветер насыщал и насыщал, но никак не мог насытить эфирную плоть!

Женщина, слабо улыбаясь, манила Трифона…

Тот не шел.

СУПРУГА ПОЛИЦИИ

Картина разрушений в Романове и близ него была пугающе разнообразной: ямы, поваленные деревья, искореженные, а потом еще и вывороченные с корнем «лэповские» разлапистые столбы…

И ведь это была еще только ночная картина: укрываемая черной синевой, сверху подсвеченная вставшими по краям неба сторожевыми звездами, внизу, у причалов, подернутая кисло-молочным туманом.

— А утром-то, утром что будет?

После звонка Косована и неожиданного взрыва («при впадении Рыкуши в Волгу рвануло», — на слух определил Пенкрат) зам по науке снова отхлестал себя по щекам и стукнул вторично гроссбухом по темечку. Но уже как-то вяло стукнул. Почуяв в собственных жестах наигранность и театральщину, он просто засунул в рот костяшки пальцев, и стал их покусывать до тех пор, пока на подбородок с разных сторон не брызнули одна за другой две обильные струйки крови.

Засушенный австрияк Дроссель, тоже всю ночь просидевший в «Ромэфире», не то чтобы плакал — причитал скрипуче:

— Всё-о — начисто!.. Как в помойную яму… Денежки все — коту под хвост! На одних только аэростатах: и спутниковые навигационные системы, и два воздухозаборника, и рукав тебе технологический, и горелки тебе газовые тройные, — перечислял Кузьма. — А брусья дубовые? А гондолы импортные? А трос из оцинкованной стали?.. Все — камнем на дно!

Одна Леля Ховалина — но это уже наутро — была полна решимости и сарказма.

— Вы б еще в мамашину юбку завернулись! Ну мужики, ну слизняки волосатые… Кончайте рюмзать! Быстро звоните мадам Бузловой! Мало чего там эти вихри понатворили. Главное не в том, что произошло. Главное в том, как это в газетах и блогах распишут: возвеличат как трагедию или гаденьким шоу представят. Звоните и езжайте! Я б сама позвонила. Но эта мымра в последние недели так в меня и впивается. Как пиранья в голую ляжку. Сунься я на порог — до костей обглодает. А всего-то и увидала разок с муженьком в ресторане… Так вы — звоните, езжайте!

* * *

Наутро последствия Главного научного эксперимента стали ясны в подробностях.

В дело рьяно включилась супруга начальника полиции. Прояснение причин было поставлено мадам Бузловой на широкую ногу, ему придали небывалую открытость и слегка пугающую прозрачность. Именно эта прозрачность как-то сразу превратила вечернее романовское дело — в призрачное. Все стало настолько открыто, что даже и непонятно было: чего, собственно, искать, если никто ничего не прячет?

Первый и основной вывод, сделанный мадам Бузловой и подхваченный другими должностными лицами, был краток: разрушения есть, но не так чтобы слишком сильные.

Да, образовалась глубокая канава. Но разве мы с вами, дорогие романовцы, таких расширенных и углубленных канав, соединяющих брошенные водоканалы, не видали? Таких удлиненных котлованов на пригородных стройках не наблюдали? Да, здоровенная эта канава представляет опасность для пешеходов. Так ведь еще ночью ее по всей длине огородили барьерами, а там, где барьеров не хватило, натянули проволоку с табличками.

Однако, несмотря на все успокоительные слова, встревоженные романовцы тут же окрестили глубоченную канаву бороздой смерти.

— Но ведь эта борозда — просто часть научных работ, которые будут обязательно в Романове продолжены. Конечно, с большей осторожностью и всеохватным оповещением жителей.

— По дворам и по домам ходить будем! До всех младенцев и старцев донесем: тут вот канава, там вон мельница разваливается, а здесь… здесь подвал свинцом залили, — бойко тараторила мадам Бузлова.

— Да, — признавала и признавала она дальше, — произошла поломка, а потом и частичное разрушение голландских ветрогенераторов. Да, потерпели крушение два аэростата. Но ведь пилоты и научные работники остались живы! Вообще, жертв, а главное — повреждений народного сознания (и это как раз благодаря бережным действиям господ полицейских) избежать удалось.

А вот эмчеэсовцы, те, по словам Бузловой, прямо-таки опростоволосились. Не сумели предусмотреть, где и что будет разрушаться, не смогли создать препятствий на пути ураганного вихря!

И пусть незрелые умы связывают осенний смерч только с научными экспериментами — ясно как день: на все случившееся наложила свою медвежью лапу волжская неустойчивая погода. А в этом чья вина? Клясть и проклинать неповторимую, но даже в бурях своих поэтичную российскую осень — у кого, блин, язык повернется?

Конечно, придется как следует спросить с метеорологов, с этих чванливых делателей погоды, с этих прикативших в Романов из далекого средневековья колдунов!

Но здесь — опять-таки — за погодой недоглядели уже не раз и не два упоминавшиеся дежурные местного МЧС.

— Да и в науке, — терпеливо поясняла мадам Бузлова корреспонденту местной, но уже не оппозиционной, а партийно-правительственной газеты, — в ней всякое бывает. Вон Гагарин, какой видный мужчина был, — а чик-чирик, и нету его. И «Булава» недавно в воду шлепнулась. А может, еще в воздухе на мелкие кусочки распалась. И «Фобос-грунт» наши с вами головушки едва не проломил, где-то рядом, в Заволжье, говорят, упал…

— Что же нас дальше-то в родном Романове ожидает?

— А ничего хорошего… То есть все будет прекрасно, — тут же поправилась мадам Бузлова. — Только вот ждать прекрасного сложа руки не надо. Нужно трудиться и отдыхать, отдыхать и снова трудиться… Вы знаете, как меня тут называют? — интимно склонилась мадам к правительственному корреспонденту.

Тот ошалело затряс головой.

— Супруга полиции — называют.

— Может, мать полиции? — заерзал на стуле журналист.

— Может, и мать… — задумчиво протянула Бузлова. — Но мы отвлеклись. Вы про мать и супругу из записи удалите…

Почти все то же самое — кроме, конечно, выражения «супруга полиции» — двумя часами раньше нашептывал полицейской жене Олег Пенкрат. Он убедил-таки мадам Бузлову в том, в чем убедить ее для существования романовской науки было просто необходимо: эксперимент проходил почти в точном соответствии с утвержденной в Москве программой. Вчера звонил членкор Косован. И членкор в целом одобряет… Ясное дело, не разрушения, — одобряет те изменения, которые, он, Олег Пенкрат, внес в программу эксперимента. Косован советует программу «Вихрь эфира» продолжить и сам в Романов на днях прибудет…

— И здесь, не будь я Пенкрат, — перешел Олег Антонович с драматического шепота на крик, — и здесь-то мы с вами сможем убедить членкора: пора, наконец, поставить эфир на службу государству. И борозду эту по-хозяйски использовать: новый гребной канал соорудить или под картофелехранилище, в конце концов, оборудовать…

— Да, все прошло с некоторыми отклонениями, — продолжил уже с явной уверенностью в своей правоте Олег Антонович. — Но с небольшими и устранимыми! Конечно, всему этому способствовало отсутствие в критический момент руководителя программы. Но и без него с теми вопросами, которыми занимался лично он, Пенкрат, справились неплохо.

— И этот шутяра… Этот скоморох безродный — имел наглость в такой момент отсутствовать? Это ведь он Рексоночку мою испугал? Он, Усынин? Отвечайте немедленно!

— Большой ученый. Не без закидонов, конечно. Да и устал сильно. Работал Трифон Петрович, надо признать, много.

— А устал — так пусть отдохнет. Думается мне, пора вам, Олег Антонович, возглавить это дело. Попробую перетереть с кем надо в «Роскосмосе», и с членкором этим вашим… Как его, с Косовером…

— Лучше сразу в Академию! Там поймут. Там про эфир и его предназначение не так, как Трифон с членкором… Там, по-другому думают!

— Как же они, симпомпончик, думают?

— А так: без философий и мерехлюндий. Они думают: эфир, не поставленный на службу государству, — это вечный двигатель оппозиционных сил в науке!

— Вот до чего дошло!.. Ну тогда заметано, — по-деловому подмигнула супруга полиции Пенкрату, не ожидавшему такого скорого поворота дел. — Ваш Косовер и не рыпнется!

Правда, выходил Пенкрат из полицейского управления (куда его никто не вызывал и куда он явился сам сразу после того, как узнал: супруга начальника полиции уже прибыла в управление) — выходил с потемневшей, как будто пороховым взрывом изрытой кожей лица.

Убедить-то он супругу полиции убедил. И предложение получил. Даже от «членкора Косовера» было обещано его оборонить. Но и вздрючен был мадам Бузловой он по высшему разряду: зачем не доложил обо всем раньше? Зачем не написал докладной записки о возможности постановки эфирного ветра на службу муниципальному хозяйству? Про оппозиционность науки и вечный двигатель в умах ученых — зачем не сказал?

Ну и напоследок мадам Бузлова, как-то устало щурясь, то ли сама себя, то ли Олега Антоновича спросила:

— А не проще ли нам с тобой эфир этот взять и запретить?

Кроме полицейской вздрючки, терзала Пенкрата и еще одна утренняя неприятность. Думать о ней не хотелось. Но и полностью отстраниться было никак невозможно: ночью в больницу в тяжелом состоянии была доставлена Ниточка Жихарева.

* * *

Приезжий москвич, — которого рядом с Ниточкой во время Главного эксперимента на метеостанции не было и который про последствия применения теории на практике еще мало что знал, — думал в то рассветное утро не про Ниточку, думал про Трифона.

Трифон не выходил у него из головы, потому как внезапно заставил взглянуть на жизнь и смерть человека по-иному. А поскольку голова и рот приезжего были заняты философскими бурчаниями про то, что в недалеком будущем предстояло доказать экспериментально, — сам эксперимент оказался в стороне.

Вот потому, когда перед началом Главного эксперимента москвич был отослан директором Колей в гостиницу (отослан умышленно, с толстенной ромэфировской тетрадью подмышкой, якобы для записи впечатлений, а на самом деле — от греха подальше: не дай бог с наследником что случится), потому-то настаивать на своем присутствии в пункте управления эфиропотоками приезжий не стал.

Он, конечно, удивленно хмыкнул, ухватив краешком зрения пылавшие свечками аэростаты, чертыхнулся, услыхав далекие взрывы. Но про согнутые в дугу, а в тонких местах и завязанные узлом металлические ноги голландских мельниц и про многое другое — знать не знал, ведать не ведал…

Зато ночью, сунув толстенную тетрадь под подушку, он, засыпая, вдруг окончательно понял — Трифон тысячу раз прав!

И тогда спать приезжему расхотелось вовсе. Ему до жеста, до черточки припомнился недавний разговор в лесу. Как будто репетируя, стал он повторять куски из этого разговора вслух…

Припомнились ему также обморок и сладость эфирного скольжения. Припомнилось пребывание в «неплотном» теле над голой, ободранной землей. Припомнилось путешествие по краешку абсолютно неведомой жизни, походившее на глиссаду кленового соплодия над хромированной, то возносящей вверх, то вниз уходящей плоскостью…

Ранним утром раздался звонок.

— Ниточка в реанимации, — чисто-звонко пропел, а не проскрипел как обычно, Кузьма Кузьмич Дроссель.

ДУХ — ЕСТЬ ЭФИР!
(ТВОРЕЦ РЕАЛЬНЫХ ФОРМ)

Трифон узнал о начале Главного эксперимента сразу же. Как не узнать было!

Грубая и некорректная попытка направленного воздействия на эфирный ветер вызвала разрушения и смерчи. Прямой и ближайшей причиной разрушений стали несовершенства техники и бесцеремонное обращение с лазерными системами. Но и сама установка: «Воздействовать на эфир немедленно» — сыграла зловещую роль.

Стало быть, мысль о воздействии на ветер была излишней, необоснованной. И тут некстати нарисовался Пенкрашка: полез поперед батьки в пекло! Решил, сучий потрох, воспользовался отсутствием научного руководителя, чтобы показать свою крутизну, показать нерушимую связь с великими открытиями. Стал форсировать события и вместо медленно нагнетаемого давления на эфир дал, как говорится, по газам!

А отвечать за Пенкрашкину глупость кому? Ему, Трифону.

И, конечно, разбойно-цирковые дела, на которые Трифон возлагал особые надежды и которые только несведущим в научных экспериментах людям казались злостным хулиганством — дела эти, в сравнении с катастрофой, враз поблекли, вести их дальше не было смысла да и попросту расхотелось...

Но ведь после прекращения цирковых разбоев опять начнет наваливаться всей тяжестью вредящий любому виду творчества — и теоретической науке в первую очередь — здравый смысл! Дрябловатое, разжиревшее на дармовых харчах тело этого «смысла», в униформу тупорылого швейцара облаченное, все права от обывателей получившее — вот оно, нависает, нависло!..

А навалится здравый смысл — уйдет навсегда ликующая странность, унесутся великие нелепости, которые одни только и могут привести к чему-то сверхценному в науке!

Трифон чувствовал себя раздавленным, поглупевшим.

Он истратил последние деньги, чтобы нанять бывших военных и других слоняющихся без дела волжан, вложил в бесчинства душу и выдумку!.. Значит, кроме всего, плакали еще и денежки, с превеликим трудом накопленные для покупки двух новых голландских мельниц…

Как мелкий щербатый камешек, уцепившись едва видной зазубринкой за край жизни, висел над краем пропасти Трифон! Борода его, всегда изящно облегавшая лицо, как-то внезапно отросла и вмиг обмочалилась. Глаза стали чаще обычного прикрываться веками.

Куда — дальше? «Учудить» что-то новое? Продолжать цирковые бесчинства, чтобы взбодрить собственную мысль и нащупать новые неизбитые решения? Так эти бесчинства… Их ведь за панк-уродства принимают! Вот и получается: соблазн такие бесчинства и больше ничего!

«А все остальное — не соблазн?» — спросил кто-то Трифона бархатно.

— Да, — согласился вслух Трифон, — многое другое тоже соблазн. Соблазн — в злостном накоплении. В диком стяжании. Соблазн — в чрезмерном потреблении.

«Так, может, тогда и познание эфира — соблазн?

Нет, дудки! Поиск эфирного ветра — это, по сути, новое, и притом научное, богопознание! Просто проводим его неуклюже. Программу вот завалили… Надо что-то менять.

Надо понять, что в самой "эфирной" программе не так. Какую линию продолжить?

Измерять скорость эфирных вихрей и не сметь заявить во всеуслышание про эти вихри главное? Не сметь сказать: эфир — творец реальных форм! А значит — творец реальной земной истории.

Отсюда ясно: эфир и эфирный ветер — как минимум инструменты Божьи! А как максимум: эфир — единственный настоящий, а не самочинный, не выдуманный в угоду властям всех веков, посредник меж Богом и человеком. Стало быть, все остальные научные открытия последних столетий, все приятные догмы и резвые метафоры носят прикладной, а не фундаментальный характер!

Ну тогда и заниматься ими надо, как занимаются техникой в мастерской: починил машину — и она поехала. Не починил — на свалку. Прочистил съемные колесики и верченый валик — мясорубка заработала. Не прочистил — мясорубку в помойку...

Только так не выйдет! Никто не захочет: с одной стороны — принижения всей науки, а с другой — возвеличивания одной из ее частей. Никто не захочет признать философскую и религиозную ценность "пятой сущности". Не захочет признать: уловлена одна из основных идей бытия! И значит, теперь пора изучать характеристики истинно Божьего посредника, а не слушать тех, кто долгие века себя за посредников меж Богом и человеком выдавал...»

Трифон собственных мыслей испугался, пошел в церковь.

В церкви было пустынно. Службы кончилась. Отец настоятель находился в отпуске. Диакон Василиск занимался подсчетами: стучал назидательно по конторке огрызком карандаша, в чём-то упрекая церковного старосту. Староста в ответ показывал отцу диакону густо исписанную ученическую тетрадь в клетку...

Трифон вернулся ни с чем. Мысли то путались, то прояснялись.

— Из-за гордыни одних, — продолжал громыхать он мысленно, — и боязни утерять власть над миром других ничего сделать и не удаётся! А в науке... От бездействия и инерции ту её часть, которая является высочайшим искусством, начинает клонить ко сну. Науке-искусству на смену топает жалкий алгебраизм, простой математический обсчёт. А вслед за алгебраизмом — мелкие устремления и полное уничтожение мыслящего человека как самостоятельного биологического вида!

Будет, будет вместо человека мыслящего слоняться по городам и весям — человек-догмат: вялый, как чехонь, с тупорачьими, вылупленными глазами, с коровьей бороденкой, во всё тыкающий указующим перстом, ко всему прислушивающийся, подозревающий всюду одни дерзости и оскорбительную непочтительность...

— На Сухо-Дросселя, как пить дать, будет похож! — предположил Трифон. — И надо ж такому случиться! В мире нет ничего важней эфира — а хрен кому об этом скажешь... Так, может, и говорить не надо? — Усынин безотчётно прикрыл рот ладонью. — Декарт вон уже поговорил. Быстро его после таких разговоров в могилу спровадили!

Длинноволосый, лежащий на широченной кровати Рене Декарт, в расстёгнутой белой манишке, с заострившимся носом и посиневшим от смертельного зелья лицом, представился живописно.

— А ведь Декарт про эфир по-детски наивно думал! Да еще и сугубо научно. В глубины особо не лез. Но сказано им было веско, сказано навсегда!

Трифон встал в позу, выбросил вперед руку.

— «Нет в мире ничего, кроме вихрей эфира!» — произнес Рене Декарт и поехал на вечеринку к одной любознательной королеве. И там на эту тему, конечно, чуток поговорил. И ясное дело, такой разговор мало кому понравился. Потому и уехал в тот раз Декарт восвояси быстро!

Трифон проговорил последние фразы громко, почти выкрикнул их. И впервые за несколько дней в голос рассмеялся. А потом даже ловко пошевелил в пространстве всеми десятью пальцами: рысью, мол, на лошадках, в карете от королевы ускакал.

— Ну и прискакал куда надо. Навсегда прискакал! И королева Кристина ему ничем не помогла. Мышиные ушки в королевской гостиной Декарта услыхали, прыткие пальцы зелья в бокал подсыпали!

Новая знакомая, «музейная меланхоличка», широко открыв глаза, хотела Трифону возразить, но не смогла: тот стал безостановочно и заливисто, брызгая слюной и вытирая рукавом отросшую бороду, смеяться.

Не то чтобы ему было смешно думать про Декарта, нет! Просто жизнь человеческая, скрывающая от себя самой наиважнейшее знание, внезапно представилась дикой каверзой, грубым посмешищем...

— И сегодня у нас так, — продолжал говорить Трифон вслух, — сегодня, когда наши исследования выправили и греков, и европейцев... Когда, — говорю тебе, Лизок, — эти мысли вдруг стали приобретать научно-философские очертания… Опять двадцать пять! Не поговоришь сильно!

— Так давай помолчим, — Лиза смахнула со щеки вялую слезу.

— Не хочу я молчать. Кончай цензуровать, Лизок! У нас везде так. Цензуры нет, а свободного слова — ни от кого не добьешься… И ты должна знать: меня если власть имущие не отравят, так эйнштейновцы с потрохами слопают. «Всю науку нам до горы раком поставить решили?!» — орать будут…

— Трифон Петрович!

— Да, именно так!.. А любая из религиозных конфессий тут же объявит ересиархом. Или — хуже того — обычным грешником, в мироустройстве ни черта не петрящем…

— Тебе бы, Трифон Петрович, на улицу, проветриться. Заодно хлеба с молоком купил бы. Можешь и вина тоже…

Меланхолическая Лиза, рюшками-фартучками и белизной лица напоминавшая превосходную фарфоровую куклу, вдруг оживилась.

— Что нам вино, Лизок! Пей не пей, а по ночам страшно становится. Голоса эфира покою не дают. А сейчас — другое. Вот я сейчас с тобой говорю, а мне — даже не голос членкора Косована слышится! Нет! Большее академическое начальство вдали мощным хором орет, в дело оно, видишь ли, ввязалось. А там, среди академического начальства — все куда догматичней, чем в любой церковной организации. Дух Божий там в расчет не принимают. Свободному наукотворчеству не способствуют. Хотят одного: самих себя близ щедрот власти навек приспособить. А власть нынешняя, она, кажется, всерьез решила из фундаментальной науки — да хоть из самого Господа Бога — золотой постамент себе соорудить. И на этом постаменте не чья-то фигура будет укреплена. А укреплена будет лестница, прямо в небо ведущая!

— Прекрати, Трифон…

Но Трифону (как вот пятка зачесалась) захотелось вдруг бичевать, демаскировать, выводить на чистую воду… А потом захотелось изобразить ситуацию в российской науке. Причем не для одной меланхолички Лизы: для многих изобразить. В словах и образах, выпукло, беспощадно!

Поэтому за вином и молоком он не пошел, а, недолго думая, выпросил у Лизы тетрадь и побежал с этой тетрадью в смежную комнату.

Для разговора о науке Трифон Петрович решил избрать полухудожественный, полужурналистский жанр. То есть решил написать про эфир и его российских открывателей научно-популярный очерк. При этом очерк — по мысли Трифона — должен был постепенно приобретать черты стремительной, с парадоксальным концом, новеллы.

Заголовок для очерка сперва был выбран такой: *«Вихрь невраждебный»*.

Поколебавшись, Трифон прилагательное «невраждебный» зачеркнул и вывел другой заголовок. Получилось интересней, но куда как мелодраматичней: *«Кто над нами реально веет?»* — спросил человечество Трифон.

Это тоже не устроило.

Не дающимся в руки заголовком Трифон был озадачен не на шутку. Пересилив себя, он перебрал еще несколько вариантов и вдруг набрел на простой, подкупающий безыскусностью заголовок: *«Про эфир без начала, про эфир без конца»*.

Как только название было найдено — Трифон поскорей выставил меланхоличку Лизу из ее же квартиры вон (за молоком, за вином, за хлебом!) и, тихо рыча, принялся накидывать мысли.

Но вскоре ручку отбросил, застучал по клавишам Лизонькиной компухи. Работать с экранным текстом оказалось еще мучительней, чем с названиями. Слова выскакивали из-под клавиш то чахло-кривые, как зимние огурцы, то дикие, как осенний ветер, и сути эфира даже в малой мере не передавали.

Остановившись на первой странице, Трифон задумался почти на час.

Раньше с ним такого не бывало. Формулами он сыпал легко, теоремы держал в памяти цепко. Внезапно он всю компьютерную галиматью стер, тетрадку сунул меж книг.

Тут же заметил: терзаться и причитать, а отпричитав, подбирать формат за форматом, вводить курсивы и «пэжэкалы», возиться с разметкой страниц, просматривать ссылки и вставки, залезать в интернет для справок и хронологических наблюдений значительно проще, чем подбирать не дающиеся слова для неуловимых мыслей...

— Сделали из ученых — клавишников! А из писателей — холодных фотографов, тасователей не ими найденных фактов! Полуроботов сделали! Подростков, тычущих пальцами в каждое соблазнительное слово и к нему приписывающих два-три своих, но уже матерных. Как первобытные люди, на экранах малюем, чертим... А суть где? На сто страниц экранных закорючек — ни крохи смысла...

Все сильней негодуя, Трифон задирал голову вверх, хватался за обмякшую бороду, костерил безбожно отравителей Декарта, а заодно уж корил возникшую после смерти беспокойного француза — как возникает после сильного пожара стойкое зарево в полнеба — философию картезианства, основной мысли отравленного философа так и не уловившую…

Мысли о никчемности занятий наукой и напрасности собственного существования не покидали Трифона. Не дающийся научно-популярный очерк мысли эти распалял. Трифон в бессилии закрыл глаза, затем лег на пол.

Тут в уме и всплыли первые фразы очерка!

«Дух веет, где хочет. Эфир неслыханной свободой подобен Духу. Стало быть, эфирный ветер — дуновение Божье и есть!»

Следом всплыли и другие фразы:

«Эфир — не препятствие в познании Бога. А лучшее подтверждение Его существования».

Волнуясь, Трифон последовал за мыслью, не убиваемой клавишами, дальше:

«Бог есть все сущее. А эфир есть творец реальных форм!

И создает он эти формы при помощи реальных дуновений! Эфир и эфирный ветер есть дух мира. Дух мира и любые его дуновения — причина всех физических тел и существ: неба, звезд, человека, зверей и птиц».

Трифон хотел подняться и без отлагательств записать начало, но передумал, лишь крепче сожмурил глаза.

Лежа, сформулировал он и основную задачу очерка:

«Сообщить миру! Наступает эра тонко-телесного человека! Время обновленных — но не разрушенных — религий! Время неслыханной эфирной жизни! Такая жизнь будет заключена в новую громадную эфиросферу».

Вслед за определением основной задачи он сам себе стал диктовать куски будущего очерка:

«Не мальчик Эрот, а младенец Эфир — летит к нам на легчайших крылышках! Подлетая, становится он мощней, круче. Вот уже и всеобъемлющим ветром-смыслом, ветром-человеком и ветром-человечеством стал!

И это только один из возможных ликов Эфира.

А чаще всего эфир открывается нам (даю строго научные определения) как:

а) эфир карающий;

б) эфир милующий;

в) эфир… эфир…»

Здесь Трифон сбился. Сладко потянувшись, он зевнул: раз, другой, третий… А потом, как наглотавшийся горного воздуху на высоте пяти-шести километров альпинист, блаженно сопя, уснул.

Меланхолическая Лиза, вернувшись, нашла Трифона на полу, на коврике, в полном отсутствии сознания и чувств. Но и сквозь бесчувствие продолжал Трифон безоблачно улыбаться.

СЛУХИ, ДОМЫСЛЫ, ДОГАДКИ

Ураган в Романове имел серьезные, очень серьезные последствия.

Многих в городе страшно испугало нечто таинственное, вслух непроизносимое, однако с ураганом тесно связанное: ни стародавнему князю Роману, ни блистательной, но слегка подвергшейся порче времен династии Романовых, ни Трифону Усынину, ни самому «Главкосмосу» неподвластное.

Пугало и расстраивало также то, что пострадавших от эксперимента было мало, слишком мало. А ведь про рядовые трагедии без сотен и тысяч пострадавших, без растерзанных на куски тел и массово расквашенных морд — кто станет трубить в газетах? Кто будет выискивать исторические аналогии и делать далеко идущие выводы, чтобы хоть таким образом добавить и городу, и науке финансовых вливаний, оживить дивную и местами благостную, но в последние десятилетия слегка обветшавшую среднерусскую жизнь?..

Ведь пострадала от эксперимента — правда, очень серьезно — одна только Ниточка Жихарева.

Когда Ниточка пыталась остановить принявший опасные формы эксперимент и отпихивала приклеившегося к мониторам Столбова, ее отшвырнуло взрывом в сторону. Ударившись об угол стены, она надолго потеряла сознание. Взрыв был не так чтобы сильный, просто источник его находился к Ниточке слишком близко.

— И с чего это вдруг у нас рвануло? — потерянно спрашивал себя Столбов. — Никогда ничего и не взрывалось, а тут…

Почему произошел взрыв, когда взрываться было абсолютно нечему, — ни вдумчивый Столбов, ни язвительная Леля понять не могли. Теперь этим делом занимались хорошо знающие взрывотехнику люди.

И сперва проверяющим пришла в голову дежурная мысль: терроризм!

Но такой соблазнительно-легкий ответ почти сразу пришлось отбросить. Никаких следов террора в Романове пока не просматривалось.

Вторая мысль — эфирозависимые набедокурили — тоже по первым прикидкам не подтверждалась.

Третью мысль проверяющие пока не озвучивали. А была она такой: если дело в эфирном потоке, который таким неприятным и странным образом смог воздействовать на лазерные и другие установки — то и разбирать следователям и взрывникам тут, по сути, нечего. Ведь никаких доказательств существования эфира в природе ученые проверяющим не предоставили!

Нашлись в городе и морально пострадавшие. Таких было человек триста. Пострадали они не столько от самого урагана или от вида пылающих аэростатов, сколько от въедливых домыслов, оскорбительных баек и доведенных до абсурда невероятных предположений вроде появления в Волге-матушке стаи белых акул или открытия в городе Романове памятника российской лени — в виде огромного тюленя, развалившегося на царском троне и обложенного по бокам, как подушками, комковатыми блинами.

Ну а некоторые из горожан — те не испугались, те просто обиделись.

Как так? У них под боком ведутся опасные научные работы, а никакой настоящей гласности нет как нет! Нет широких интернет-обсуждений, не было пускай даже мимолетной селекторной связи с Кремлем, «Главкосмосом» или, на худой конец, с Ярославским бюро погоды!

Прямее всех о безобразиях, творимых учеными, высказался ставосьмилетний, но еще бодрый умом Исай Пеньков.

— При большевиках тоже летающие тарелки от народа скрывали. И доскрывались, уроды!

— А вы разве, Исай Икарович, не старый большевик? — спросила Пенькова на следующее утро Муся Тролль, моленькая феминистка, а в свободное от феминизма время корреспондент местной оппозиционной газеты.

По случаю вздорожания гендерной литературы, а также офсетной бумаги, гипсокартона, ламинированной пленки и масок-балаклав Муся второй день голодала и страшно этим гордилась.

Барышня Тролль была настойчива, проявляла любознательность и заботу. При этом чем сильней она их проявляла, тем больше становилась похожа на маленького кашалотика, с милым, но туповато продолжающим гладкий лобик носом, с широким ртом, мелкими, как зернышки риса, зубами и короткими ручками, словно в предчувствии далекого одиночного плаванья, всегда наизготовку раскинутыми в стороны.

— Так я жду ответа! — Муся-кашалотик от любопытства даже подпрыгнула на стуле.

— Сиськами прешь, а не знаешь! — взорвался Пеньков.

Муся привстала, чтобы уйти, но потом села на место:

— И я не старый большевик. Я — старец мира! А по складу ума — нанокапиталист.

— Во как? Это чего-то новенькое!

— Почему новенькое? Как раз старое. Я ведь уже куда дальше нано забрел! Совсем мелкие частицы вижу. И обновляюсь я, Мусенька, как змей. Шкуру сбросил, новую нарастил — и на рынок, и в народ! А таким, как ты, феминисткам я бы посоветовал…

— Снова поучать будете?

— Не поучать, кашалотик, учить! Живи я в Китае — давно Дэн Сяопином стал бы. А у нас разве станешь? Ты им — Дэн-н-н! А они тебя под зад — Пин-нь!.. Ты им про крендель, а они тебе пендель! А все ваши гендерные штучки, это они довели страну до… до…

У Пенькова из головы вдруг вылетела рифма.

— Да вы не Пинь… Вы у нас — Дэн Сяо Пень! — возмутилась Муся. — А я, между прочим, не кашалотик! Я не синяя и фонтанов не испускаю. И вес у меня, — Муся привстала и поклонилась, — как видите, не кашалотский! А про гендер — вы не смеете! Гендер это... Гендер... А вы... Вы просто заедаете чужой век! Так про вас все говорят. Потому вам посиневшие кашалоты и являются...

— Опять сиськами прешь?

Рассерженная феминистка, грюкнув стулом, ушла. Интервью в газете не пропустили. А старец мира Пеньков впервые за последние сорок лет, ощутив жжение в гортани, поехал, тарахтя роскошной инвалидкой, на край города, в единственную платную, обставленную по последнему слову техники романовскую поликлинику.

Он ехал и бормотал: «Я тебе покажу — Сяо Пень! Я тебе этим Сяо Пнем — да по затылку!..».

* * *

Трифон продолжал маяться: ни туда, ни сюда.

Дело решил один из новых романовских вымыслов.

Меланхоличка Лиза, у которой Трифон, продолжал прятаться от научных невзгод, вдруг разговорилась и, глотая бегущие по щекам фарфоровые слезы, мешаемые с розовой пудрой, рассказала следующее.

Умерший недавно Рома Петров, которого многие звали Рома беленький и которого не на что было похоронить, будто бы стал по ночам у себя в морозильнике шевелиться.

Несколько богомольных старушек спросили о таком явлении у одного из священников, склонного к общению с паствой. Тот пообещал про этот случай подумать, но внезапно отбыл на епархиальный съезд.

Спросили у диакона Василиска.

Отец диакон посетовал на нерасторопность городских властей, на нерадивость Роминых родственников и велел досужие разговоры о событиях недостоверных поскорей прекратить.

Старушки, поджав губы, замолкли.

Но тут загомонили горожане.

Масла в огонь городских пересудов подлили эфирозависимые.

Струп и Пикаш, всего несколько дней назад, по серьезной заручке, принятые в морг сторожами и теперь по очереди через двое суток на третьи являвшиеся туда трезвыми и ничуть не обкуренными, — клялись и божились, что своими глазами видели, как Рома беленький из открытой кем-то ячейки, с выдвинутых больше чем наполовину носилок протягивает руку. Причем протягивает ее ладошкой вверх: словно желая получить еду, лекарство или просто какой-то подарок. И будто бы руку он не сразу убирает, а лишь когда что-то незримое, но по прикидкам эфирозависимых «никак не меньше двухсот грамм весящее» — ему в ладошку бухается...

Правда, иногда, не дождавшись подарка (а может, милостыни, — теперь многие со стыдом припоминали: да, было дело, просил Рома подаяние! Но ведь не от лени и дурного характера, не для того, чтобы клей нюхать, — овечек кормить), так вот: не дождавшись подарка, шевелит Рома, как и любой живой человек, который чего-то с нетерпением ждет, длинными восковыми пальцами.

— Знаю! Полотенец он требует! — млея от ужаса, говорил склонявшийся в последние дни к чтению умственных книг Пикаш.

— Дык зачем ему, дурья башка, полотенцы?

— А вот зачем. Грязь, что на него в последнее время тут у нас налепили, — счищать! Чтоб чистым где надо предстать! Поэтому не одно полотенце ему нужно, а несколько!

Вицула-медик, Вицула, сторожем в морг идти не пожелавший, собутыльников при встрече пристыдил. Пригрозил даже никогда больше не продувать их изнутри эфиром.

Тут Струп и Пикаш вместо ответных угроз и непристойных жестов вдруг оба — сперва один, потом другой — заплакали.

Не веря своим глазам, Вицула пообещал в следующую же ночь выйти вместе с эфирными хлюпиками на дежурство.

Но не вышел, пропал, испарился.

— Испужался наш Вицула…

— Или кто куда его утянул!

— Кончай базлать, Пикаш!

— Дык, падло, сам все скоро узнаешь! Тут тебе не братва, не зона — не откупишься! Тут быстро за курдюк возьмут.

Трифон из затвора вышел и поговорил с эфирозависимыми. Чуть сосредоточился, немного подумал. И…

Научная работа закипела у Трифона под руками.

Трифон дозвонился до родственников Ромы в Солигалич и упросил, просто-таки умолил их прибыть в Романов ровно через неделю. При этом обещал оплатить Ромино погребение из собственных средств.

Родственники для подготовки приезда и достойных похорон потребовали перевести аванс на их банковский счет.

Получив аванс — телефоны отключили, на «емели» не отвечали, и вообще все концы обрубили напрочь.

Больше о них в городе Романове никто никогда не слышал.

Трифон расстроился, но не слишком.

Побывав в больнице у Ниточки и оставив ей записку (говорить Ниточка еще не могла), взяв к себе в помощники только Столбова и Женчика и больше ни с кем из сотрудников «Ромэфира» не встречаясь, он стал готовить новый эксперимент.

Были наняты люди со стороны. Они срочно восстановили компьютеры и главный интерферометр. С трудом, но выровняли металлическую ногу одной из голландских мельниц. От использования тепловых аэростатов Трифон отказался. Да их больше ни одного в Романове и не осталось.

Правда, все это оборудование в дело пока не включалось, было подготовлено на непредвиденный случай. На какой именно, Трифон не говорил.

Зато принес и показал новинку. Столбов и Женчик только ахнули.

Новый компактный лазерный интерферометр! И не просто интерферометр! А соединенный с переносным генератором, который мог самостоятельно переключаться с записи скорости эфирного ветра на режим слабого воздействия на эфиропотоки.

Но и это было не все. В новый прибор был вмонтирован так называемый теслометр: прибор, названный по имени великого Николы Теслы и предназначенный для измерения напряженности магнитного поля. Теслометр состоял из сердечника и двух обмоток. Предназначался теслометр в первую очередь для измерения магнетизма Луны и планет Солнечной системы, но поскольку туда пока не летали — успешно применялся для измерения магнетизма земных биообъектов.

Сдвоенный генератор-теслометр был куплен по официальному запросу у военных и с неслыханной скоростью — всего за двое суток — приспособлен Трифоном для нужд эфирного дела.

— Магнитное поле — подскажет! А нет — так Никола пособит... Мы с Теслой истинное Ромкино состояние враз определим! — кричал возбуждаемый видом новеньких приборов Трифон. — Ну а коли не Тесла, так святитель Николай поможет, — добавлял он уже значительно тише.

У РОМЫ

Ночь стояла глубокая, стояла осенняя, с легким приморозком. От затянувшегося бабьего лета не осталось и следа.

Трифон и Столбов, оставив Женчика на связи в конторе «Ромэфира», крадучись шли в морг. Плечи Столбова приятно тяжелил уложенный на дно просторного рюкзака новенький генератор-теслометр.

С дороги Трифон позвонил Женчику:

— Die schöne Müllerin!.. Запускай, говорю, красота моя, мельницу...

В месте временного упокоения и подготовки к переходу в иную жизнь было чисто, но неприятно.

Столбов поеживался, Трифон держался гоголем.

— Мне патологоанатом знакомый рассказал... Тут понимаешь какая петрушка... Руку ему недоморозили! Вот рука, как лягушачья лапка, и сокращается. Теперь такие недоморозки — обычное дело. Но глянуть все-таки надо. Струпу и Пикашу я на ночь закуску и пойло выдал, они не помешают, — старался на ходу ободрить Столбова Трифон.

— Ты устраивайся с теслометром перед дверью. Для чистоты эксперимента… Сесть негде, так ты уж на корточках… А я зайду, гляну на Рому. Потом часа полтора тут, за стеной, над приборами поколдуем. Попробуем направленным эфиропотоком на Ромчика воздействовать. И показания прямо здесь снимем…

— А Женчик?

— У нее свои заботы. Ветрогенераторы у нас с тобой и раньше паршивенько мельничным шумом, ну то есть инфразвуком на эфир воздействовали. А теперь и подавно. Вот Женчик мельницу оставшуюся и проконтролирует… Но, если честно, Женчика в «Ромэфире» я для отвода глаз посадил. Сильно мешают нам в последнее время!

— Кто мешает, Трифон Петрович?

Усынин не ответил.

Вошли в узкое помещение.

— Чистилище, — просипел Трифон.

— Предбанник, — поправил практичный Столбов.

Справа от предбанника был вход в обычный, довольно просторный морг. Слева — в морозильник.

Столбов расстегнул ранец и, чуть повозившись, включил генератор-теслометр, похожий на обычный компьютер с приваренным сбоку стержнем и мерцающей, круглой, как тот фонарик-жучок, коробкой генератора.

— Я на десять минут. Ты устраивайся поудобней. — Трифон толкнул дверь, ведущую налево, в морозильник…

* * *

Вихри эфира, после Главного эксперимента почти успокоившиеся, вдруг снова почуяли принудиловку и нажим!

Один из потоков, струивший себя невидимо в океане эфира (так бегут по дну морей незримые реки: мощные, стремительные, но отнюдь не менее значимые, чем Дон, Днепр, Волга!), — ускорился и чуть изменил направление.

Ускорение вышло не так чтобы сильным. Но все же оно было.

Напряжение в общем эфиропотоке сразу возросло, и скорость его увеличилась значительно. Острые огненные языки и мосластые руки, отделенные от туловищ, вдруг замелькали в пространстве. Враз отвердевшие, загнувшиеся калеными стрелами перья и в мгновение ока заострившиеся, на длинных цыпастых ногах когти понеслись прыжками через волжские холмы!

Однако уже через несколько минут активное воздействие на эфир кончилось. Скорость одного из постоянных потоков, летевшего к Волге и близ реки уходившего в землю, — вернулась к обычным значениям.

Эфиросфера — успокоилась.

И лишь напоследок над фронтоном «Ромэфира» шевельнулась еще резная флюгарка, представлявшая собой диковинного шестикрылого петуха.

Кур жестяной, кур романовский залопотал, захлопал укрепленными на шарнирах крыльями, словно хотел слететь в сад, там меж деревьев резво прошвырнуться, спешно кого-то долбануть клювом, а может и разодрать пополам острыми своими шпорами.

Но никуда кур не слетел и никого клювом не долбанул: стальной шпиль под ним внезапно переломился надвое, и кур жестяной, кур романовский так на боку и завис...

Здесь все стихло окончательно, не причинив на этот раз ни людям, ни живности даже и крохи вреда.

* * *

Трифон вошел в расположенное латинской буквой «L» помещение морозильника, завернул за угол и остановился как вкопанный.

Одна из многочисленных ячеек, расположенных в стене, подобно вокзальным камерам хранения, была открыта. Из нее больше чем наполовину выставились узкие, легонькие и притом совершенно пустые носилки.

А на стуле, закутанный по пояс в простыню, так что видны были только босые ступни его, сидел покойный Рома Петров.

На коленях у него лежала книга. Глаза были открыты. Но они ничего не видели: глаза у Ромы были мертвые.

«Струп с Пикашом пошутили! Точно! Только они стул сюда могли приволочь. Да еще усадили на него покойника… Ну, сторожа хреновы, ну, вы у меня!..»

Трифон сделал шаг вперед. Рома уронил книгу на пол.

Книга, на лету раскрывшись, упала на каменный пол и, поскольку пол был слегка наклонным, поехала в сторону. От ее падения произошел необычный и не сразу смолкший звук: словно не маленький аккуратный том, а тонкий и широкий станиолевый лист упал на бетонный пол…

Трифон, скосив глаза, прочитал название.

«Алфавитный патерик» — алмазной вязью было выведено на книге.

Трифон хотел было позвать Столбова, но вслед за книгой шевельнулся и сам Рома. Шевеление покойного — мягкое, едва заметное — напомнило Трифону дрожь отражений в летней речной воде…

На задних лапках, как тот байбачок у норки, замер Трифон перед Ромой.

Тут же Ромины глаза вспыхнули изнутри загадочным, может даже неоновым светом, лицо подобрело, глубокая морщина на переносице разгладилась. Казалось: Рома силится улыбнуться, но никак не может.

Сладкий запах цветущей гнили вдруг распространился в воздухе морга. Свет в морозильнике вспыхнул ярче, пролился сильней. Трифону внезапно представилось: «Не какой-то неоновый! Свет негасимый…».

От разлившегося и уже вовсю бушующего света у Трифона потемнело в глазах. Неловко опершись о стену, он сбил плечом светильник. Тот с грохотом упал на пол. Морозильник завернуло спиралью, сознание пугливо рванулось в сторону, кувырнулось вниз…

Услышав шум, Столбов приоткрыл дверь.

Увидав Ромины пылающие негасимым светом глаза — как будто его траванули полицейской «черемухой» или другим спецсредством, — бесчувственно сполз на пол.

* * *

Трифона и Столбова обнаружили в городском морге вернувшиеся после ночного отдыха сторожа. Незваные гости лежали на полу, ближе к выходу из морозильника. А Рома

Петров — тот находился, где ему находиться было и положено: на носилках, укрытый простыней. Правда, носилки больше чем наполовину выставлялись из ячейки.

Это был явный непорядок.

Еще невдалеке от стеллажей стоял деревянный, покрытый кожзаменителем стул. На стуле — забытая кем-то книга.

Трифон и Столбов были живы, но в сознание не приходили.

В городской больнице их привели в норму быстро, однако отвечать прибывшей полиции на вопросы по существу оба отказались.

Трифон нес какую-то белиберду, блаженно скалился, бормотал сквозь отросшую комками бороду:

— Да просто плохо нам от запахов в покойницкой стало, — пора получше там все оборудовать. А то умирать даже неохота… А к Роме нас его родственники заглянуть просили. Да вы у них у самих спросите…

Поскольку в морге ничего не пропало, не было разбито или повреждено — сгорел только прибор, принадлежавший пробравшимся в покойницкую ученым, — дело спустили на тормозах.

Выйдя из больницы, Трифон решил в морг больше не ходить, а в науке действовать корректней, но и жестче.

Однако, прежде чем перейти к новому этапу в науке, надо было не частично, а полностью восстановить ветряные мельницы и метеостанцию, окончательно привести в порядок записи и результаты замеров в конторе «Ромэфира». На все это нужны были деньги, и деньги нешуточные!

Трифон позвонил засушенному Дросселю, потом в «Роскосмос», потом даже в нелюбимую им Академию Наук и о небольших суммах — для исследования «космической погоды» — на будущий год договорился.

Поскольку денежная составляющая стала вырисовываться, осталось, засучив рукава, приступить к работе.

Начал Трифон с малого: починил переносной генератор-теслометр. Тот снова заработал, стал даже послушней в управлении.

— Мы с этим теслометром еще на Луну слетаем, — шутил Трифон в ответ на немые вопросы Столбова, удивленного такой очередностью работ. — А то, может, и на Фобос с Деймосом…

После починки теслометра последовали: осмотр останков двух сгоревших тепловых аэростатов, починка интерферометров и заказ новых Т-образных лазерных трубок, поиски регистрационных записей и тому подобные скучноватые, но страшно необходимые дела…

После одного из таких до краев наполненных работой дней к длинной и глубокой чертовой борозде — так впечатлительные романовцы прозвали канаву, образовавшуюся после прохождения огненных смерчей, — Трифон Петрович и двинул…

* * *

Глубокая борозда омертвения, образовавшаяся на Романовской стороне, между Волгой и метеостанцией, постепенно наполнялась водой и осенним крупным сором. Непроглядной своей чернотой борозда так пугала и отталкивала, что даже бродячие собаки к ней близко не подходили.

Сунулась было одна заблудшая овца, которую хозяин фермы «Русская Долли» не смог вовремя изловить. Но и она мячиком от борозды отлетела!

Нашелся, однако, человек, которого «полоса отчуждения» чернотой и глубиной притягивала неотступно.

В одну из кромешных осенних ночей, высокий, плотный, как куль, мужик в куртке с островерхим, закрывающим лоб и щеки капюшоном, почти вплотную подступил к борозде. Только он собрался глянуть вниз, как из тьмы прозвучал окрик:

— Стой, дубина! Дальше нельзя! Дней через десять все выветрится — тогда приходи.

— Ты, Трифон? — Вглядываясь в темень, человек в капюшоне сделал два-три шага назад. — А я думал, ты с овцами продолжаешь забавляться.

— Овцы — не моих рук дело.

— Врешь, Триша, врешь…

— А ты бы, Олег, у самого хозяина спросил. Говорят, налетчики метку свою ему оставили. И потребовали от него не романовскую, а какую-то другую породу на ферме завести! И меткой той — новых овец клеймить…

— Зачем же клеймить их?

— Мне почем знать? Знаю одно: шел бы ты, Пенкрашка, отсюда подобру-поздорову. Мешаешь только.

— Это ты мешаешь! Из-за тебя все! Ты, Трифон, с Главным экспериментом, как ворюга, обошелся! Ты у нас его своим неприсутствием украл!

— Нет, это вы с Колей! Хотели с Куроцапа денежки побыстрей снять. Шоу с пылающими аэростатами показать ему хотели. Удивить и поразить думали. Ну и кой-чего недоучли, лопушата.

— Ты не можешь!.. Ты на станции не был! Устранился!

— Мне Ниточка несколько слов черкнула… И я не устранился, я — думал!

— Ниточки нет. Умерла она. Что-то с рукой у нее страшное, говорят, случилось…

— Ошибаешься, жива Ниточка. Тима-Тимофей сейчас у нее. Он, кстати, никакой не Саввин сын. Но это уже не имеет значения.

— Это почему еще — не имеет?

— Скоро узнаешь.

— Ну я пойду, гляну, что там и как… Заодно кассету, с членкоровской фигней, которую он тут для тебя наговорил, выкину.

— Так тебе Косован звонил? Чего ж ты раньше молчал! Давай, враг, кассету!

Трифон двинулся к Пенкрату, тот развернулся, сделал несколько нетвердых шагов, выхватил из кармана небольшой сверток и швырнул его в направлении борозды.

Балансируя на краю чертовой ямы, Пенкрат вдруг зашатался, попытался сделать шаг назад, обо что-то споткнулся…

— Стой, остолопина! Там — космическая радиация! Эфир! Бездна!

Как бронзовый, вдруг оказавшийся ненужным вождь, выкинув правую руку в сторону и вверх, грянулся вниз Пенкрашка…

И, подобно грязевому вулкану — такой вулкан Трифон видел совсем недавно на Тамани, — борозда омертвения втянула в себя зама по науке.

Пытаясь всосать и растворить Пенкрашку в своей вязкой жиже, не продуваемой воздухом, не проницаемой взглядом, борозда грубо чмокнула…

Но тут же и вытолкнула тело назад.

Олег Антонович никуда не пропал, на струйки и дымки не расслоился. Правда, капюшон с его головы сбился набок, а дыхание на время пресеклось…

Борозда омертвения не приняла Пенкрата.

— Говно не тонет, — спокойно подытожил Трифон и полез в карман за мобилкой вызывать «скорую».

Мобилка близ борозды не работала.

— Позже позвоню, — решил Трифон и двинул туда, куда давно и собирался: на старую мельницу.

АНЧУТКА И ГЛЮК

Мельница эта чертова, мельница старая, лишь недавно после столетнего перерыва запущенная, от смерчей не пострадала. Но крыльями вертела словно бы через силу. Зато рядом с ней бойко молотила воздух мельница новенькая, голландская, Трифоном несколько дней назад — уже после катастрофы — восстановленная.

Чертовой эту столетнюю на речке Рыкуше мельницу, на взгляд Трифона, прозвали зря. Никаких чертей на ней отродясь не бывало, а сидел безвылазно шестидесятилетний «отрок прежних лет» — так он сам себя называл — длиннобородый Порошков. Порошков был ученым без степени и званий и поэтому ходил фертом.

— Не нужны никому ваши звания, — говорил он редким собеседникам, фигуряя и выдрючиваясь и при этом сминая узкую кощееву бороду в кулак, а потом опять распуская ее. — Звания, они только гордость ярят и в сторону от науки уводят. Какое у Парацельса было звание? Ясное дело — никакого. А у доктора Пирогова? Ась?..

Трифона ученый без степени встретил неласково.

— Что, Усыня? Теперь, наконец, усек кое-что? После встряски-то?

— Кое-что усек...

— А раз усек — так и вали отсюда, не мешай работать. А то совсем с мельницы сбегу, если будешь вмешиваться. Ты вон каких стружек у себя настрогал! Хочешь и мне тут все дело испортить?

— Дела портить не буду, а два слова скажу. Я для тебя, Порошок, кое-что новенькое припас.

Хотя рядом никого и не было, Трифон наклонился прямо к Порошкову и, вытягивая губы трубочкой, забормотал ему что-то в ухо.

Звук крупорушки, звук мельничной толчеи витал над головами ученых. От работы этой толчеи, или, как еще ее называют, водяной ступы, мельницу слегка пошатывало. При этом чувствовалось: вся мельница, ее приборы и механизмы работают хоть и с натугой, но исправно, безостановочно.

Трифону давно хотелось пошуровать, повозиться внутри мельницы: окинуть взглядом приборы, проверить механику, пятое, десятое... Но, приходя к мельнице еженедельно, внутрь он почему-то не входил, все осматривал снаружи, оставлял на пороге рюкзак с едой для Порошкова — и давай бог ноги!

Никому, даже Столбову, никаких подробностей про две работающие в тесной увязке мельницы — новую и старую — он не сообщал: Порошков лишней болтовни не любил и по головке бы за нее не погладил.

Выслушав Трифоново бормотанье, Порошков отскочил от него как ужаленный, а потом завизжал на всю мельницу как порося:

— Сдохни, Усыня! Никуда с тобой не пойду! Здесь дел по горло, а ты со своими проблемашками лезешь…

— Тебя, Порошок, поставили тут эфирным ветром заниматься, а ты что творишь? Молодилку себе завел… Так что пойдешь со мной, как миленький!

— Молодилка — новый поворот в исследованиях эфира. Новый и перспективный! Чем нам с тобой, Усыня, куда-то в космос уплывать и там в эфир переходить, лучше здесь, на месте омолодиться. Омолодился — и все дела! И… «Живите тыщу лет, родной товарищ Путин! Я — не умру здесь, в дальней стороне!» Когда-то это было песней — сейчас реальностью станет!.. Я с этой молодилкой уже пять лет вожусь. Сотни сказок переворошил, все немецкие легенды начисто перетряхнул, украинские и болгарские — тоже… И ведь прав я выхожу — стопудово! Ты тоже с дорожки привычной сворачивай. Настоящим делом займись.

— Дурень ты, Порошок. И дуботряс притом…

— Конечно, дурень! Так ведь только дураки и дуботрясы в науке кой-чего и значат. Ты и сам дурак, Усыня! Дурак восхитительный, неповторимый! За это — тебя обожаю. Дураки эфирный ветер открыли. А умники… Те открыли коттон на джинсы и бозон на вырост! Бозоновые частицы они, видишь ли, у себя там исследуют. А Бог — он на частицы не расчленим! И эфир тоже. Слитен! Целостен! А ты вздумал разъять его!

— Даже несмотря на то целостен, что состоит из корпускул? В свою очередь обладающих формой правильного додекаэдра?

— Именно благодаря такой форме! Именно!.. А там… Там про это просто забыли. Или никогда не знали.

— Где там, Порошок?

— Там — это за пределами мельницы. Там — весь оставленный Богом мир. А неоставленный мир — он здесь, на мельнице! Они там «темную материю» обнаружили. А светлую, то есть эфир, не заметили, болваны! А она вот где: белей муки, легче перышка…

— Совсем, Порох, у тебя крыша съехала и трубой землю коптит!

— Так я ведь к этому всю жизнь и стремился: к съезду крыши, а не к очередному съезду очередной партии. И ты — как я. Ты бесподобный дурак, Усыня! А все потому, что эфир — творческая среда! Эфир подталкивает человека быть художником жизни и науки. Ты, Усыня, художник! Ты — тронутый ангел с распахнутым скворечником и крышей, взмахнувшей крыльями! За это тебя сегодня — молодильным ветром обдую! Вмиг разницу почуешь… Ты в науке всегда интуитивистом был, селезенкой чуял! И я от тебя старался не отставать… Так что сегодня и попробуем: хоть на четверть, хоть на десятую долю, а станешь моложе! Сейчас пробегусь по клавишам и… Все ветры в гости будут к нам!

Однако до клавишей ученый без степени добраться не успел: на мельницу, стуча подковками ботинок, с черно-синей мордой, вымазанный грязью и редкой для этих волжских мест синей глиной, вломился Пенкрат в капюшоне. При движении Пенкрат дородным не выглядел. И лицо его, даже вымазанное жирной грязью, казалось худым. Только живот выпирал арбузом.

Ни слова не говоря и не обращая на ученого без степени никакого внимания, Пенкрашка замахнулся палкой на укрепленные буквой «Н» зеркала. Потом, передумав, палку отшвырнул, ухватил прислоненную к столу кочергу и кинулся, минуя зеркала, к тихо гудящему крестообразному интерферометру. Но и его Пенкрашка не тронул, а, уронив кочергу на пол, тихим шагом вернулся назад, сел на винтовой стул и заплакал.

— Это что еще за обман чувств? Что это за цитохимера, я спрашиваю? — ткнул Порошков ревматическим пальцем в Пенкрашку плачущего.

— Ты что совсем, Порошочек? Завхоза нашего научного не признал?

— Это который главный эксперимент проводил?

— Он, паразит…

— Что-то твой паразит сильно переменился. Или не видал я его давно… Ты что ж, сучий потрох, на эфир всем пузом лег? — крикнул Порошков, подняв с полу кочергу и подступая с ней к Пенкрату.

Пенкрат инстинктивно выкинул перед собой обе руки.

— Эфир тебе баба, что ли? А инструменты чего зря хватаешь? Кочергу вон чуть не погнул. — Порошков легко подкинул и поймал в воздухе длинную тяжелую железяку. — Она, кочерга, между прочим, вся приборами утыкана…

Пенкрат промокнул слезы поочередно двумя рукавами, потом потерся вымазанными щеками о плечи, как-то быстро успокоился, глянул вправо-влево и даже вместе со стулом разок-другой вертанулся.

— А чего вертишься? Тут нельзя ничем зря вертеть: ни задом, ни стульями. Видишь — даже столы в землю вкопаны? А ты, ишак, вертишься.

— Я не ишак и не верчусь я… Случайно вышло. Выпить бы мне. Из борозды еле выбрался…

— Дай ему ректификату, Усыня. Да побольше плесни, может, заснет. А лучше оба уматывайте. С ветроомоложением я и сам как-нибудь разберусь.

— Может, еще Лелю позовешь разбираться?

— Может, и позову. И она придет… А ты… Засиделся ты тут, Усыня! Так что, говорю тебе — вали!

— А если я тебе, Порошок, обе мельницы обесточу? Много ты тут ветров насобираешь?

— Ну главный интерферометр ты питания никогда не лишишь. И вообще: брось пугать. Я — пуганый. Волоки отсюда этого чумазого, а сам, если хочешь, возвращайся. Я тебя не только ветерками попотчую.

— Ладно, спирт у тебя, где раньше? Завхозу и впрямь хлебнуть нужно. Дрожит весь.

Но не успел Трифон достать пузырь со спиртом-ректификатом, не успел Порошков поставить кочергу в угол, как на чертову мельницу с печальным звоном, каким звенит вдалеке разбитое по нечаянности стекло витрины, проникла меланхоличка Лиза.

В руках Лиза держала погремушку с колокольчиками.

С минуту она постояла на пороге, а потом, заметив в руках у Трифона пузырь со спиртом, погремушку отбросила, пузырь решительно отобрала, поставила на стол и достала из сумки плоскую бутылочку с джином.

— Выпьем все вместе. За окончание вашего эфирного дела. Доставай мензурки, Триша.

— А это чего это за окончание? — Порошков недовольно ухватил себя за бороду. — Мы только в начале, в начале, девонька!

Порошку никто не ответил.

Трифон вынул из навесного, хорошо ему знакомого лабораторного шкафчика четыре металлические стопки.

— Так почему за окончание? — спросил Лизу теперь уже Трифон.

— Потому что без твоего эфира всем было лучше. И вообще, пора с этим делом кончать.

— Что ты заладила, как «Главкосмос»: пора, заканчивайте, прекратите немедленно ваши эксперименты... Так мы их и послушали. Мы еще повоюем. Я прав, Порошок?

— Прав, прав, дружок.

— А это тот самый Порошок, что обещал тебе молодильную мельницу? Где ж она? — Лиза подступила к Порошкову вплотную и, проглянув его насквозь, как прозрачную лабораторную колбу, вернулась к Трифону. — Ну? Где она, ваша молодилка, спрашиваю? Здесь только шум в ушах и мука из всех дырок сыплется...

Лиза разлила из своей бутылочки, Порошков, никого не дожидаясь, выпил.

— Ого! Вот джин — так это и правда молодость! Можжевеловый? Сорокопятка?

Лиза рассеянно кивнула, подошла к Трифону, подала стопку.

— Выпей, Триша, и ты за нас за всех!

Здесь подкинуло на ноги Пенкрата. Словно желая поторопить Трифона, — как огородное чучело надетыми на палки тряпками, — затряс он своими измазанными руками.

Чуть сбоку и сзади, послышался хрип и шум. Трифон, держа стопарь в руке, обернулся.

Меж намертво закрепленным стулом и лабораторным столом оседал, скрипя зубами, на пол ученый без степени.

В те же секунды завертелась вокруг собственной оси — быстрей, быстрей — чертова мельница…

Порошков мягко осел вниз и на полу неловко скорчился.

И тут произошло странное: борода его седая, борода узко-длинная, стала на глазах чернеть. Из белой с желтинкой она стала превращаться в каштановую. Загорелись чумовым блеском закрывшиеся было глаза. Нос вялый, нос кривой и бледный налился блеском, силой. Даже узловатый палец, которым Порошков хотел напоследок в кого-то резко ткнуть, потерял свои хондрозные наросты, выровнялся и засветился слабо-розовой краснотой, какую можно увидеть, рассматривая ладонь на просвет, на солнце.

Трифон протер глаза.

— Хоть перед смертью… а стал, а стал… моложе, — голос Порошкова, звонкий, студенческий, был тут же оборван страшным хрипом и даже каким то клекотом.

Лежа на спине, Порошков закатил глаза и приготовился умирать.

Но не умирал и не умирал.

— Что за черт? — поиграл Порошков все той же студенческой фистулой. — Что, говорю я, за черт?

Тут черт свою морду меж ножек намертво закрепленного стула и выставил.

Был это даже не черт, чертенок: ничтожный, жалкий, мокрый. Из примечательных особенностей была у черта только олимпийская перевязь, перекинутая от плеча до паха, да короткая кочерга в запекшихся бугорках и загогулинах.

На перевязи прилежным ученическим почерком было выведено:

Нет — эфирным бредням!
Все должно быть как раньше!

Трифон поставил стопарь на какую-то приступку. Он уже хотел было выразиться в том смысле, что мельницу не зря в народе прозвали чертовой…

— А холодная водица нынче в Рыкуше, — опередил Трифона чертенок и еще сильней съежился, а мельница — та, наоборот, заходила ходуном.

— Останови, останови, чертяка!

— Не в силах я! Не я включал — не мне выключать. Наука ваша блядская далеко шагнула… Ох и нагорит мне!

— Кончай выламываться! Останови, анчутка!

— Да что я могу! Я к вам за рецептом прибыл… У нас про такую отраву уже лет триста слыхом не слыхали.

— Не паясничай! Останови, блин…

— Да ей-ей, не могу. Возможности такой не имею. Чистый эфир нас, чертей, под корень изводит. Вроде как спиртом с ног до головы окатит — и ничтожит, и рвет! Мир ваш с эфиром стал плотней соединяться — тьмы и поубавилось. А как без тьмы? Солнце-то небось быстро всем вам глазки повыпечет! А эфир — он что? Был — и нету его. И никакого от него достатку, никакой прибыли! Уж вы мне поверьте, пустое дело с эфиром на земле затевается! Это, господа ученые, все ваши штучки. Хуже чертей вы! Особенно этот вот, Порошок. У него и спирт особый. Как бы сказать… эфиристый! Хорошо отравили его, подлюгу.

Верчение мельницы тем временем приобрело ровный, даже успокоительный характер.

«Спирту я, что ли, перебрал?» — задумался Трифон.

«Уи, месье, уи! Спирту, спиртяги!» — будто бы даже улыбнулся Трифону давным-давно отравленный, но сейчас отнюдь не синий и не расхристанный, а весело на стуле — нога за ногу — сидящий Рене Декарт.

Трифон сжал вертящуюся голову предплечьями.

Тут вскинулась меланхоличка Лиза.

— Не получилось, Триша, тебя травануть...

Трифон отнял предплечья от головы, глянул на приступку, силясь понять, из чего пил.

На приступке стоял поданный Лизой и даже не надпитый стопарь. А пил Трифон, оказывается, из порошковского пузыря: прямо оттуда спиртяги наглотался!

— Ну и придурок ты, Петрович, — проговорил тихонько, успокаивая сам себя, Трифон.

— Не получилось... — опять затянула свое Лиза, — ну так я сама выпью.

— Лизка, брось! Мы же договорились! Не пей... — вымазанный хуже черта Пенкрат кинулся к Лизе.

Но та задумчивыми глотками и с улыбкой малахольной свой джин уже пила...

На Лизу отрава подействовала быстрее, чем даже на лежащего Порошкова. Ее шатнуло, потом резко скрючило. Но Лиза не упала, а, шатаясь, пошла к небольшому с облупившейся амальгамой зеркальцу, висевшему на стене, перед которым года три назад еще брился ученый Порошков.

— Так это ты, Пенкрашка, ее ко мне подослал?

— Я. А то кто ж? Но только не ее к тебе, а тебя к ней. Как мысли твои дурацкие было изловить? Как тетрадочки, не торопясь, просмотреть?

Пенкрат выхватил из-за пазухи и встряхнул в воздухе Трифоновой ученической тетрадью.

— Отдай, козлина!

— Это ты козел, Усыня! И Порошок твой козел! Ты думал, никто не узнает, куда вы роскосмосовские денежки вбухиваете? Думал, весь этот бред с мельницей ветров достоянием общественности не станет?

— А ты у нас теперь обществоведом, я вижу, стал. Может, в Архнадзор или в партию какую вступил?

— Да, я вступил! И партия меня поддержит. Партия выведет тебя на чистую воду!

Крик Лизы прервал спор ученых.

— Мать моя… была женщина… — чертенок сунулся было опять под стул. Но потом передумал.

Отрава подействовала на Лизку странным образом.

Даже сзади, со спины было видно: она на глазах стареет! Спина горбится, кисти рук грубеют, краснеют, покрываются, как у прачки, цыпками, ноги начинают искривляться, подламываться…

Обернувшись, Лиза хотела что-то грозное крикнуть.

Лучше б она не оборачивалась!

Иссеченное черными глубочайшими прорезями лицо, расквашенный нос, порванные малярией губы — напугали мужчин хуже черта.

Трифон и Пенкрат, как по команде, отвернулись. Лиза кинулась лицом в стол, завыла. Чертенок с кочергой подошел к ней, наклонился, снизу и сбоку заглянул в лицо, причмокнул языком:

— Слюшай… Такой женьщин… Такой женьщин зря расходоваль. — Потом, бросив ломать кавказца, устало сказал: — Ну, я пошел. Дела́ тут у вас… Остаток отравы, если позволите, с собой заберу. Давно одному московскому коррумпанту влить ее в супчик пора… А вы уж тут сами, без меня… Ты, Порошок, вставай, хватит «делаться». Мы с тобой скоро серьезно поговорим!

Черт исчез, мельницу резко качнуло. Но вскоре потихоньку, как старая парковая карусель, со скрипом и вздрагиваниями стала она останавливаться.

Однако, на минуту приостановившись, мельница вдруг завертелась с новой силой. Но уже в другую, сторону, против часовой стрелки.

— Ура! Понеслась! Гони этих! Их счастье, что они отраву на мельницу, а не в «Ромэфир» принесли. Теперь поболеют — выздоровеют. Молодилка моя заработала!

Мертвый Порошков вскочил на ноги. Пенкрат отступил на шаг, потом подбежал к обезображенной старостью Лизе, поднял ее, кое-как взвалил на плечи, и, пачкая голубенький Лизин плащ жирным волжским илом, потащил к двери.

Трифон сперва кинулся помогать. Но потом вернулся, подошел к единственному мельничному, взблескивающему ночною водой окну, выбил ударом кулака створки наружу…

Ветры дивные, ветры молодильные зашумели вокруг него!

* * *

Зашумела Погодица, загремел цинковыми корытами Похвист, ветры Полуденный и Полуночный, Хилок, Горыч и Луговой близ мельницы загомонили!

А загомонили они потому, что крыльями своими враз ощутили: вернулся Пенкрат и на цыпочках побежал куда-то вглубь мельницы. За ним, на дико выкривленных ногах, — меланхоличка Лиза.

Пенкрат вскоре вернулся с полным кулем муки и стал горстями — как ту пудру — сыпать на сморщившуюся компотной грушей меланхоличку.

Увидев: не помогает мука, Пенкрашка набуровил в лабораторное корытце молока из всех шести принесенных Трифоном пластмассовых бутылок. Потом влез в мусорную корзину, нашел и бросил в молоко бараньи кости, оставшиеся от недавнего обеда. Поставив все это на мигом зажженную спиртовку, он через минуту-другую подхватил подмышки меланхоличку, ткнул ее мордой, как котенка, в кипящее молоко...

Молоко зашипело. Лизка, урча, подняла голову.

Если б увидал ее в это мгновенье Трифон Петрович! Бросил бы он наверняка к чертовой матери всю науку и побежал за Лизой в ее дом или в любое другое ею указанное место!

Но Трифон, наклюкавшись спиртяги, только посапывал, Порошков на полу читал выброшенную Пенкрашкой Трифонову ученическую тетрадь и ни на что постороннее внимания не тратил...

Тут Пенкрат, оказавшийся хуже черта, сдернул за ножки с гвоздя — гадливо, как падаль, — огромные мельничные клещи, принадлежавшие ученому без степени Порошкову. Прокалив клещи над мощной спиртовкой, ухватил ими Лизку за левую ногу.

Лизка заорала. Нога выровнялась.

Ухватил за правую — правая тоже стала ровной, засияла у щиколотки, как тот ненаучный глянцевый журнал, дивной кожей. Потом Пенкрат стал теми же клещами, но уже аккуратно, бережно сдирать одежку с меланхолички. Одежка скоро вся содралась, и Пенкрат кинул ее в огонь.

Одежда сделалась пеплом, а Лизка предстала голой и прекрасной. И при этом в меру, а не в дымину пьяной. И потянулась Лизка всем телом, и хищно подумала о длительной плотской любви.

Тут же, не обращая внимания на сопящего Трифона и полудурка Порошкова, оказавшийся хуже любого черта Пенкрашка дважды воспользовался Лизой: сперва как девушкой, потом как юношей. И приобрела Лиза вид лучше прежнего, а Пенкрашка, увернув ее в голубенький, лишь в двух местах испачканный плащ, ухватив в охапку и затем перекинув через плечо, двинул с молодильной мельницы куда-то во мрак.

Но перед этим все-таки оглянулся и пожалел, что теми же раскаленными клещами не выкривил в обратную сторону руки-ноги Трифону, а заодно уж и Порошку.

— А то опять за эфир примутся! — засомневался проявивший себя хуже анчутки Олег Антонович.

Здесь висящая на плече меланхоличка тихонько стукнула его коленкой в пах, и Пенкрашке захотелось послать всех мельничных и других мировых ученых куда подальше.

Правда, кто-то словно шептал ему: «Вернись, доделай дело! Много, много еще досад принесут тебе Порошок и Трифон!».

Однако сопровождающие эфир, а иногда ему и предшествующие Погодица и Похвист, ветер Полуденный и Полуночный, Хилок, Горыч и Луговой — для того и были ветрами могучими, чтобы стронуть Пенкрашку с места, подхватить вместе с его ношей, закрутить и закинуть куда-то за речку Рыкушу, на часы многие, может, и на дни долгие...

* * *

Трифон очнулся.

Порошков теперь не лежал на полу, а сидел и, приятно похрюкивая, — видно, добавил спирта, — читал собственную Трифонову тетрадь. Лизы и Пенкрашки — след простыл.

— Эй, Порошок, Лизка с Пенкратом — где? Они вообще были?.. А черт, чертяка, — был?

— Лизка с Пенкрашкой — те были, конечно. Вон чего, паразиты, натворили. Ил от них на полу и молоко подгорело. Еще и спиртовку сожгли, гады… А чертенок этот, Усыня, не настоящий. Глюк это мой собственный. Я, знаешь ли, галлюцинаторное возбуждение на экран выводить научился. Оно и мне интересно, и тебе не скучно на чертей воочию, а не внутри себя глянуть… Вот только черти пошли не те, ты заметил?..

Трифон озирнулся.

Разор на мельнице вышел страшный. Все было перевернуто вверх дном, корытце — продавлено, спиртовка — на боку, приборы грубо, даже напоказ, переломаны.

Но зеркала с интерферометром — те остались невредимы.

— Ну чего? Включаем молодилку? Все семь ветров, а не только Погодица с Похвистом, сейчас сюда явятся. Такую бабу себе после них найдешь! Куда твоей Лизке! А она пускай Пенкрату достается. Ну, врубать? — Порошков двинулся к пульту…

— Брось, Порох! Черт-анчутка твой правду сказал: чистый эфир — вот чего нечисть и человечья, и нечеловечья теперь на земле только лишь и боится. Следственный комитет, ГУИН с Бутыркой и Крестами, вурдалачья и даже бандо-

346

совская ухватка их уже не пугает. А пугает — эфир! Вишь, чертяка твой как забеспокоился.

— Так он же галлюциногенный!

— А вот это не знаю… Ну, я пошел. Ты не проказь тут больше. И молодилку свою бросай нафиг. Эфир, полцарства за эфир!

— Проказил и проказить буду, — крикнул Порошков уже в спину Трифону, — что за ученый без проказ!

Трифон оглянулся, чтобы показать Порошкову кулак.

Тут из-за зеркал выступил и тупо в уходящего вперился однорукий гигант с красным топором и в зеленых штанах-бермудах.

— Глюклихе райзэ, — ласково протрубил гигант, — а то, если желаешь, подходи ко мне, на раз кости пересчитаю, мясцо пошинкую!

Занося топор, замаранный свежей кровью, высоко, заносясь страшно, двинулся он к Трифону…

Как ветром выдуло Трифона с чертовой мельницы!

* * *

Посещение мельницы, молодилка и все прочее из колеи Трифона не выбило: наоборот, сильней взбодрило. И натолкнуло на ряд важных, вполне научных, уже без всякой чертовщинки, мыслей.

Трифон быстро выкинул из головы Порошкова и самоотравительницу Лизу, мокрого чертяку и вымазанного илом Пенкрашку…

Великое дело манило его вновь за собой!

НОЧЬЮ ДЫМНОЙ, НОЧЬЮ ЛУННОЙ
(МЫМРА ПОЛОРОТАЯ)

Уже на следующую после посещения чертовой мельницы ночь — наперекор своему же решению — Трифон опять тайно спустился в городской морг. Казалось бы: хватит ему и мельницы! Все, что там произошло, еще полгода научно обрабатывать нужно.

Но Трифон все одно пошел к Роме.

Столбова на этот раз он с собой не взял, пожалел парня. Теслометр тоже остался в «Ромэфире».

Толстошкурые облака лишь изредка пропускали сквозь дырья свои блеск луны. Легкий дымок от сжигаемых листьев мягко стлался по земле.

Подходя к моргу, Трифон обратил внимание на странную фигуру: карлик — не карлик, а кто-то маленький, ушлый, в лыжной натянутой на лицо шапочке, пробежал на полусогнутых мимо дверей, скрылся за углом мертвецкой.

Трифон по инерции завернул туда же, за угол.

Удар чем-то звонким — как обрезком трубы — по голове мигом свалил его на землю.

— Рот ему разжимай! Лей, лей быстрей!

Еще один удар, но уже под сопатку, не оглушил, а, наоборот, раззадорил Трифона. Он мигом перекатился со спины на живот и, попятившись, как рак, задом, подхватился на ноги.

Две криво-горбатые тени — одна повыше, другая заметно ниже — метнулись к нему одновременно. Трифон резко сдал назад. Тени, стукнувшись друг о дружку, осели наземь. Тень, что повыше, так на земле и осталась. А та, что пониже, содрала с лица лыжную шапочку и опять-таки на полусогнутых, страшно выкривленных ногах подступила к Трифону.

— Лизка?

— Я здесь тебе не Лизка! Лисья карлица я! — меланхолическая Лиза, опять ставшая кривой, старой, выпустила крашенные когти прямо в глаза Трифону.

Тот отшатнулся. Когда-то прекрасное, нежно-задумчивое лицо приятельницы сжалось теперь в кулачок, нос и впрямь, как у той лисы, вытянулся, но поклевывал пространство не острым кончиком — завершался плоской, с двумя дырками пуговицей. Глаза Лизкины сузились, стали нагло-подслеповатыми.

— Вишь, что ты со мной сделал, сучок?

— Ты сама ведь… Зачем травить меня было? Ну ушел от тебя… Так, может, сдуру еще и вернулся бы…

— Сдохни, Тришка! — крикнула Лизка, вынимая нож из-за пазухи. — Ты должен сдохнуть, околеть! Мы тебя все равно уроем! Верховодить тут всякими гадами и змеями ветряными тебе не позволим…

В это время тень, лежавшая на земле, ловко перекатилась к говорившим и, мигом завернув Трифонову штанину, впилась ему зубами в ногу.

Блеснули под дурындой-луной белые зубы, съехал чуть набок капюшон… Трифон узнал Пенкрата.

Бегущая из ноги кровь и резкая боль дурно подействовали на Трифона. Он стал бить лежащего Пенкрата ногами, потом замолотил кулаками по лисьей Лизкиной морде…

Через пять минут Лизка и Пенкрат лежали бездвижно за углом у морга.

Трифон отдышался. Потом, ухватив одной рукой за одежду Лизку, а другой Пенкрата — поволок их подальше от облачно-лунного света, к зарослям кустов. По дороге не выдержал, остановился, приложил ухо к Лизкиной груди. Тут же, сам себя застыдившись, выпрямился, потрогал пульс у нее на шее. Пульс слабо, но прослушивался.

Не тратя больше времени на Лизку и Пенкрата, Трифон поспешил в морг. Но по пути опять-таки оглянулся: Лизка и Пенкрат лежали, как мертвые. А чуть подальше от них над кустами торчала чья-то рыжая голова, скорей даже — «будка».

«Будка» повертывалась на длинной шее и за происходящим с интересом наблюдала. Правда, даже малейшего звука, одобряющего или порицающего происшедшее, рыжая «будка» не производила. Лишь подобие дрянной улыбочки скользнуло вдруг по губам наблюдавшего. Впрочем, рыжий сразу улыбку с лица согнал и за кустами сгинул.

«Присел он, что ли?»

Разбираться не было времени. Трифон бросил искать взглядом рыжего и отворил дверь морга, которую сторожа снова-таки, по уговору, оставили на ночь открытой.

То, что Трифон увидел, перевернуло его сознание, как шутя ребенок переворачивает игрушечного Ваньку-встаньку.

Рома Петров, наполовину голый, закутанный, как в бане, по животу и ногам простыней, снова сидел на стуле. В руках у него была все та же книга.

Но теперь Рома не светился: он зыбился!

Бульбочки и мелкие пузырьки кислорода или какого-то другого газообразного вещества роились вокруг плеч и головы подростка. Всем своим пузырьковым роем колеблясь, они создавали впечатление слабо плещущей волны. И мельчайшие пузырьки, и бульбочки покрупней были видны четко, достоверно. Видно было и то, что Рома теперь, словно далекий речной мираж, на вершок от стула приподнят.

Полуприкрыв глаза, Трифон пошел на цыпочках к Роме, тихонько вынул из его рук «Алфавитный патерик».

Книга осталась у Трифона. А Рома Петров, продолжая мертвым телом соприкасаться со стулом, своим телом «тонким» — в точности повторяющим контур тела обычного — начал, фосфорически сияя, подниматься вверх.

Постепенно облик Ромы — сперва щиколотки, потом колени, потом туловище, руки, шея — стал таять, исчезать.

Но и обычное мертвое тело из виду пропало.

Пустой стул одиноко торчал в морозильнике!

Трифон перевел взгляд на носилки, выдвинутые больше чем наполовину из ячейки: смятые простыни и прикрытый ими небольшой горбок, размером 20 на 30 сантиметров… Все!

Осталось только обманывать себя, шепча что-то вроде: «Опять Столбец врубил непроверенную программу…». Но было ясно: обман не катит. Трифон сразу почувствовал: Столбец — ни при чем!

Тут же Трифону показалось: сейчас он снова грохнется на пол. Но он не упал, а, судорожно дернув шеей, стукнулся щекой и ухом об угол стены…

Качаясь, как те эфирозависимые или обычная городская пьянь, побрел Трифон Усынин из морга вон…

Полоротой мымры-луны на небе теперь не было. Туч — тоже. Зато крался по городу Романову мелким и подловатым воробьиным шагом рассвет!

Лизки и Пенкрата — на том месте, где он их бросил, — Трифон не обнаружил.

«Сколько ж я пробыл у Ромы?»

Казалось, только минуту, а судя по небу выходило часа два, а то и три…

Прикинув все это, Трифон поплелся на остановку. Чтобы на маршрутке добраться домой, где не был почти месяц, или, на худой конец, в «Ромэфир».

* * *

Было еще рано, очень рано. Однако по городу Романову вместе с осенним сумраком снова шатался пьяный в дрезину эфир. И его вполне — уже без всяких хитрых приспособлений и дорогих приборов — могли ощущать на вкус и на запах запоздалые или, напротив, ранние романовские прохожие.

Утомившись быть ветром, эфир решил хоть ненадолго прибиться к людской жизни. Пускай на день, пусть на час! Полеты и высокие планы, бесконечное круженье и воодушевляющая принадлежность к великому целому, — хоть бы на часок все это отринуть!

Не весь, конечно, эфир к таким действиям стремился. А вполне возможно, только тот его поток, который долгие годы летел сквозь города и веси Средней России, который входил в приволжскую землю, и возвращался из ее недр другим, и опять обновлялся, не ища секрета вечной молодости и бесконечной любви, потому что обладал ими изначально!

Уже не сто и не двести раз эфирный ветер в этих волжских местах чуял чуялкой и осязал нежной кожей не одну тоскумаету, не один те́ррор дезодорантов и смуту парфюмов!

А ощущал он неизъяснимую прелесть давно позабытой краткосрочности бытия!

Малые российские города! Тихо-наивные, насквозь прозрачные, от невнимательного взгляда наглухо садами и заборами скрытые! Со времен Юрия Боголюбского и князя Романа, от Державина и Пушкина до нынешних литературных бузил, — источали они мир и покой. Ощутить их прелесть и наивность может каждый. Даже черствые столичные жители, даже чванливые сдатчики южных курортных койко-мест, даже не имеющий определенной формы, вида и цвета, но содержащий в себе мелос и ритм, разум и душу — эфирный ветер!

От пьяного счастья эфир шатнуло еще раз. Ветер принял на миг форму веселого парнишки с гитарой. И по одной нотке, по одной жалобно ущипнутой струне, а потом слитным и грозным аккордом стал он водвигать в нашу жизнь неслыханную музыку дальних перелетов.

Правда, вскоре ветер рвать гитарные струны бросил...

Что делать дальше с беспримерной и, возможно, на земле никому не нужной свободой, эфирный ветер, нюхнувший русской водочки и глотнувший российского провинциального счастья, не знал. Ни мельница ветров, ни церкви, ни генераторы-теслометры его не заинтересовали.

Однако внезапно почуял он нечто новое!

Пошатавшись напоследок просто так, позалезав в бороды к мужикам и под юбки к женщинам, — эфирный ветер поспешил туда, где, вопреки забавам и заботам, вопреки бесконечным новостным лентам и рваным в клочья сообщениям с мест, — заваривалась небольшая, но страшно важная небесно-земная каша!

Словом, эфирный — на глазах трезвеющий — ветер порхнул к городскому моргу, а от него — к городской больнице.

Те́ррор дезодорантов вместе со смутой парфюмов — рассеялись вмиг!

* * *

Нога сильно болела. Трифон сообразил: маршрутки еще не ходят. Кое-как перевязав носовым платком укушенную ногу, побрел он пешком в городскую больницу.

Вокруг него приплясывал необычайно теплый для осени ветер. Когда Трифон приостанавливался, ему казалось: вместе с ветром рядом пляшут какие-то наглые, но и веселые, нахлеставшиеся водяры микробы! Микробы были не большие и не маленькие, а так себе: средних размеров. Видом же походили на зеленоватую капустную тлю.

Идти дальше не было сил.

Тут — добрый человек. Рыжеволосый, приветливый. Вывернулся нежданно из-за угла, подхватил под руку, помог устоять на ногах. Трифон забормотал извинения, потом что-то про неблагодарный эфир...

— Вы бормотайте, бормотайте, — ласково поддерживал разговор рыжеволосый.

Пугаясь собственного бормотанья и пляшущих в воздухе некрупных, но и не так чтобы мелких микробов, и доковыляв с рыжим до горбольницы, Трифон двинул прямо к инфекционному, стоящему особняком, корпусу.

Здесь рыжий, вколов Трифону малюсенький значок в маечную, из-под рубашки выставившуюся бретельку — «это на память о нашей встрече!» — тихо свалил.

В инфекционном приходу Трифона удивились, но отсылать в другие корпуса не стали. Опытный доктор, к тому же понаслышке про Трифона Петровича знавший, сразу назначил тройное лечение: больного следовало перевязать, успокоить и на всякий случай обеззаразить.

Не допуская пришедшего до инфекционных больных, его положили рядом с приемным покоем, в закутке, ввели успокоительное и магнезию: вдруг давление подскочит? А чуть позже промыли кишечник и назначили хорошую дозу левомицетина.

Воскресным утром, еще затемно, Трифона стал будить дежурный врач, чтобы перевести в обычное терапевтическое отделение. Но Трифон Петрович не просыпался. У дежурного врача даже создалось впечатление: известный всему городу своими чудачествами доктор физико-математических наук Усынин просто не хочет приходить в сознание.

Наконец, после лошадиной дозы камфары и глюкозы в вену, Трифон Петрович открыл глаза.

— Отстали микробы... Но я все равно лучше у вас в инфекционном посплю, — сказал он дежурному врачу и потрогал укушенную ногу.

— Ну так везите его в отдельную палату, — сказал кому-то врач.

Нога болела уже не так сильно. Правда, прилично тошнило.

Не придавая большого значения тошноте, Трифон Петрович сладко потянулся, крепко сплющил веки...

ЗАПРЕТНАЯ ГЛАВА

Тут же он увидел эфирный ветер.

Несколько лет подряд Трифон учил других этот ветер слушать, а теперь увидел его.

Утренний, ранний, в темноте еще плохо различимый поток, летящий с северо-востока, нес огромные, вылегченные до невозможности эфирные тела. Скорость прохождения тел была, конечно, не космической. Не составляла она, скорей всего, и тех самых, уже набивших оскомину, 3,4 километра в секунду. Но все равно: скорость была очень и очень высокой!

Трудно было понять, каким образом глаз фиксирует это скоростное движение. Оставалось предположить: само зрение наблюдающего каким-то образом отделилось от тела и движется в эфирном потоке или близ него, со скоростью почти сопоставимой.

Общая — теперь уже ясно видимая — картина была такой: часть эфирного ветра уходила в землю. Что в земле происходило дальше, увидеть, разумеется, было нельзя.

Однако Трифону чудилось: навстречу вошедшему в землю эфиропотоку — устремляются подземные газы и воды. Он ясно слышал: ворочается и булькает, подтягиваясь ближе и ближе к земной поверхности, магма, земля набухает яростью и гневом, словно эфирный ветер пробуждает в ней нечто опасное, дикое. А потом сам же ветер это дикое и урезонивает, делает его прозрачным, нежным.

Так в детстве отвратительно и приманчиво клокотало дерьмо в общественных уборных. Зато позже, на улице, мир делался неповторимо свежим, неизъяснимо приятным...

Из-за внутренней и внешней опасности — контурно обозначенной вошедшим в нее основным потоком эфирного ветра — земля в то темноватое романовское утро стала вдруг выдавать из себя дробный, лихорадочный тряс. Затем выдала — целую череду резких толчков и вздрагиваний.

В это время другой, меньший поток эфирного ветра, как тот воздушный змей, внезапно извернулся, сделал над лесами велосипедную восьмерку и уже намного медленней устремился на юго-запад, в сторону Днепра, Южных Карпат, Балканского полуострова.

Присмотревшись к этому направлению эфирного ветра, как раз и можно было заметить огромные, двадцатикратно по отношению к обычному росту увеличенные, в одеждах и без одежд, то зыблющиеся, то хорошо цепляемые глазом эфирные тела.

Этот другой, уходящий на юго-запад вихрь эфира, кроме огромных фигур, нес еще набитые изнутри ликующими язычками ветра обычного предметы и явления жизни.

Кое-какие из предметов были привычными и весьма приятными: мраморные кресты, яркие полосы газет, жестяные звезды, зацепившиеся за краешки стальных оград циферблаты городских часов, под которыми назначают свидания, мотки медной сияющей проволоки, словно приготовленной для обкручивания громадных индукторов или катушек счастья. И, наконец, превосходные головные уборы: гвардейские кивера с пышными султанами, венские шляпки, медвежьи малахаи — с легкими назатыльниками и длинными, свободно болтающимися ушами...

Все они были не то чтобы прозрачными, а вот именно: эфирными!

Иногда проплывали в обиходе незамечаемые, а здесь приобретшие очертания и объем негативные стороны жизни: спесь — в виде огромного живота с развязанной и волочащейся по тучам пуповиной; нетерпимость — в виде семихвостой, с железными наконечниками, плетки; жадность — без всякого вида, но с гадким урчанием, испусканием газов и клацаньем зубов; предательство — с раздутой, гладкой, как кегля для боулинга, головой и отвратительно расплывшимся горбачевским пятном на ней…

Все негативное было заскорузлым, заржавленным, не эфирным.

Изредка мелькали фигурки в натуральную величину.

Мелькнул Трифонов прадед, бородатый рыбак, владелец баркасов.

Мелькнули несколько чистокровных романовских овец с любопытными мордочками.

Тут же промчался и кто-то из династии Романовых: вроде император Павел.

Павел Петрович оказался вдруг огромен и строг, и ничуть не карикатурен. Гневаясь, он грозил кому-то жезлом. Не мальтийским — военным, маршальским! Вскоре стало ясно кому: расстрелянный, а потом растерзанный, с глазами, мертвыми при жизни и живыми в смерти, — Николай Второй, Николай Маленький, прошмыгнул после Павла.

«Душетела, душетела!» — хотел крикнуть Трифон, но побоялся.

За Николаем грубо выдвинулся, а потом остро-туманно засверкал меловым срезом все не уходивший из Трифоновой памяти высокий обрыв Иртыша.

Под обрывом медленно текла жутковато-темная, но и страшно притягательная вода: несхожая с волжской, содержащая в себе нечто неясное, но до рези в глазах живое, вот-вот могущее заорать, заголосить…

«Кровь? Кровь Иртыша? — крикнул про себя Трифон, — Кровь расстрелянных? Кровь царских каторжников? Кровь зэков советских?»

Внезапно побежали перевернутые зубцами вниз горы. За ними потянулись гуськом, тоже перевернутые — трясущие набитыми землей корнями деревьев и обломленными водопроводными трубами, заволакивающие пространство мутью, илом, а по бокам обложенные сияющим хламом — европейские города: Лиссабон, Амстердам, Гдыня!

— Все, чему недолго осталось — заметил? — уже в эфире вверх дном перевернулось. Значит, и в жизни земной тако будет. Я это самое и предсказывал. Ты, брате, наверно, не знаешь... А только меня считали человеком, который изобрел XX век. Но я изобрел и век XXI, и век XXII!

Длинноносый усатый серб с гусиными лапками вместо ног — обратившийся к Трифону на слегка ломаемом русском — это был, конечно, Никола Тесла. Тесла таинственный, многознающий...

Теслу эфирным ветром в сторону не унесло. Напротив! С его появлением сам поток стал медленней, стал доступней глазу.

Тесла меж тем подобрался к инфекционному отделению вплотную.

— Долго ж ты про меня не вспоминал. Тесломер завел, а про самого Николу — ни гу-гу. Так, брате нежен?

Трифон ошалело замотал из стороны в сторону головой.

Тесла бережно распахнул створки окна, уселся на больничный подоконник, весело поболтал в воздухе гусиными лапками и вдруг рассмеялся.

— Так мне не привыкать. Меня всю жизнь в дебри заносило. А после них — в сторону меня отодвигали. Страх как хотелось мне экспериментировать в России. А попал в Америку. Там с Эдисоном сотрудничество имел. Только Эдисон, он относился ко мне холодно, с подозрением. Я придумал много красивого, но оно оказалось никому не нужным. Я переместил эсминец «Элдридж» по воздуху на десятки миль! И бережно опустил в воду. На «Элдридже» одного экипажу было 182 человека! Все остались целы, невредимы. Только они не захотели тому поверить...

Еще и говорить стали: Тесла умер, Тесла теперь ничего двигать по воздуху не может. А я не умер, нежен брате! Тут я, в эфире!

Трифон слушал Теслу, но смотрел не в лицо ему и даже не на стремительно летящий за окном поток эфира.

Он смотрел на гусиные лапки. Из лапок густо сочилась кровь. Тесла взгляд Трифонов перехватил, рассмеялся звонче.

— Ну ты, ей-богу, даешь! Я ведь тебе не «Monstrum horrendum, informe, ingens, cui lumen ademptum». Ну! Очнись! Я — не «Чудище обло, озорно...», — Никола смешно, согнутой костяшкой большого пальца, почесал левое веко, — просто в эфирном мире каждый сам конструирует свое тело. Ты и сам так говорил. А ходить мне в эфире некуда и незачем. Общество эфирных тел... Не по-вашему оно организовано: стран-государств там нема...

— А что, что там есть?

— Есть огромни Отечественни Дома. Есть бесконечни дороги и... И Теодемос.

— Как?

— Говорю ж: Теодемос. Ну теодемократия! Богочеловеческое правление. И... Эфирософия. Но то не я изобрел. Я изобретал и продолжаю изобретать другое... А полеты и за время жизни земной мне надоели. Так я теперь, брате, в эфире плаваю. И с ластами оно, знаешь, удобней!

Трифон не поверил, но на гусиные лапки смотреть прекратил, стал смотреть Николе в глаза.

— Задержался я тут, брате. Так ты сам на пендель напросился! Все Морли, Миллер, Шпиллер, Дриллер... А я, выходит, уже не нужен? Только ты ведь продолжаешь мое, мое дело! И ты — удалая голова! Сумел-таки насытить импульс жизни — энергией эфира. Отсюда огненный смерч на Волге... А мне, нежен брате, удалось, насытив импульс жизни энергией эфира, раскачать волну в Индийском океане. «Стоячая волна», так ее тогда называли. Не слыхал?

Трифон отрицательно помотал головой.

— Неук, неук! — в который раз засмеялся Тесла.

Разговор с Николой начинал интересовать Трифона все больше. Но Тесла уже перекинул одну гусиную лапку через подоконник. Правда, потом вдруг передумал, вернул ногу обратно.

— Мой отец был священником, — сказал он неожиданно, — и хотел, чтобы я тоже стал священником. Только я заболел холерой, как ты сейчас. Ты думаешь, тебя Лизка с Пенкратом траванули? Ты, нежен брате, холеры наглотался. И откуда только в Волге теперь холера? Ну да не в том дело. Меня в юности от холеры вылечили старым балканским способом: бобы и еще две-три добавки. Вот тебе лекарское предписание, отдашь аптекарю.

Тесла вытряхнул из рукава желтый, местами даже коричневатый от времени рецепт, сложил бумагу «ястребком», запустил в сторону Трифона.

— Так-то, брате... Как я был при смерти, отец пришел ко мне и попросил: не умирай! Я ответил: позволь мне стать тем, кем хочу, тогда выкарабкаюсь. Отец махнул рукой: становись кем хочешь! Я и выздоровел. И стал — проналазач, по-вашему — изобретатель. Только все, что я изобрел, — детская радость по сравнению с особой материей мира, с эфиром... Не отказывайся от него! Тогда тоже выздоровеешь и все, чего я не успел, доделаешь. А иначе...

— Что иначе? — хотел крикнуть Трифон, но голоса не было.

— А иначе, прежде чем люди сумеют воспользоваться моим и твоим эфиром — они друг другу глотки перегрызут. Когда америкосы бомбили Белград, ты где со своим эфирным импульсом был?

Трифон сглотнул ком воздуха. Отвечать ему было нечего.

— Неужто не хватает ума понять, — спросил Никола уже раздраженно, — что вокруг происходит?

Трифон утвердительно кивнул головой: мол, не хватает.

— Так я тебе объясню: немцы ж и мои бумаги, вместе с бумагами Миллера, увезли из Штатов в Европу. Но ума у них, как и у тебя, как у многих других, не хватило для всего мира работать. Думали для себя летающие тарелки смастерить по моим расчетам и баста! А я и тогда уже знал, как одним движением уничтожать целые армии. Но отдавать знание ни тем, ни другим не стал. Одни уничтожат других, другие — третьих… Большевики — меньшевиков, красные — белых, белые — красных, богатые — бедных!.. И так без конца. Не в противоборствах страт и народов суть!

— А в чем, в чем она? — Трифону, наконец, удалось издать ясный, без хрипа звук.

— А в том, что мы с тобой обязаны явить миру чудо, а не новое пугало! Эфир — божье чудо! И в руки дастся только тем, кто захочет присоединить часть населения земли к бесконечно живущим и витающим в пространстве эфирным телам! Ты и я, мы оба — славянские чудотворцы! Как Ориген был когда-то чудотворцем греческим. Потому что и ты, и я, и он, не ожидая вознаграждения, творим чудеса для всех. А не для одной какой-то нации, узкого клана отмороженных богатеев и парламентских выскочек!.. Не газ из земли теперь качать надо — эфиром газообразным заняться!

Теслу умчало.

Трифон едва успел перевести дух. Тошнота и позывы на рвоту стали не такими мучительными. И тут медленной, слегка зыблящейся фигуркой проплыл Рома беленький…

Все, кто проплывал до Ромы, — кроме Теслы — выглядели если не умершими, то какими-то не вполне реальными.

Только Тесла и подросток Рома казались до нестерпимости живыми.

«Наполовину мертвая династия и живой Рома... Странные законы у эфирного ветра. Где здравый смысл? Где воздаяние за великие дела?»

Трифон не успел докончить мысль. Рома беленький произнес полушепотом:

— Ты меня искал? Я и есть человек-ветер. Ну чтоб тебе ясней — подросток-ветер, — Рома улыбнулся. — Хочешь войти в эфирный строй? Вот он, рядом. Здесь, в скоростных перелетах и в бесконечном движении, ты сможешь почувствовать красоту и волнение мира окончательно!

Подросток-ветер звал и манил Трифона, обещал совместные путешествия и неслыханные открытия на благо науки, сладостные приключения над землей, в стратосфере и в отдаленном космосе.

От шепота Ромы произошел гром. Трифон задрожал, потом громко крикнул.

Тогда Рома уплыл, но через некоторое время вернулся: причем появился оттуда же, откуда и в первый раз: из-за Волги, с северо-востока, словно бы закинув быструю и невидимую петлю вокруг земли.

— Ну? Решился? Ты кто: воин или пес?

— Решился... Но ты позволь мне хоть пять-шесть лет побыть еще здесь. Вот заверстаю с эфиром и...

— Пяти не хватит. Да я временем и не распоряжаюсь. А судя по всему, получишь ты все двадцать. Но уж тогда — не обмани...

Тут Рома беленький запнулся и как-то не к месту попросил:

— Слышь, Трифон Петрович... Узнал бы ты, как там мои овечки? Люня и Луша... Прошу тебя, сделай милость!

Рому умчало. Стараясь не думать про овец и не желая возвращаться в помрачающий лживой реальностью мир неудач и обманов, Трифон двинулся навстречу ветру.

И тогда выступил Трифону наперерез великолепно прекрасный, с точеным носом и притягивающим, хоть и осунувшимся лицом старик в серой пыльной хламиде.

Старик прошел совсем рядом и внимательно глянул на Трифона. Был он не мал и не велик, а каких-то неопределимых размеров.

— Плоть моя — ветер, — сказал старик и пропал.

Явление старика почему-то особенно поразило Трифона. Он не мог понять — почему.

Тут снова услышался голос Николы, голос Теслы.

Тесла на подоконник теперь не садился, гусиные лапки свои напоказ не выставлял, кричал из-за больничной стены надрывно.

— Удивил тебя старик, вижу, знаю! Ориген это! Origenes Adamantius! Великий скопец! Все причиндалы, включая сам перец, себе из-за баб откромсал, а потом всю жизнь жалел страшно. А так — хоть куда мужик был. И теперь такой же: учитель, эфирный воин. Он, а не кто-то другой, термин «Богочеловек» придумал! Он про апокатастасис...

— Как-как? — не понял Трифон.

— Молчи, неук! Он идею конечного спасения всего сущего, ну этот самый апокатастасис, выдвинул и обосновал! Он «лестницу иерархий» — это когда души не воплощаются в собак и крокодилов, в педофилов и прекрасных лентяев, а все просветляются и просветляются — для нас выстроил. Он про все больше и больше в процессе жизни легчающие тела объяснил! А уж мы с тобой — и ты круче, ты лучше меня — про эфиросферу и эфирные тела как основу будущих миров раскумекали!

Трифон закрыл глаза от счастья.

А когда разлепил веки — ни Теслы, ни сожалевшего о своем скопчестве Оригена рядом уже не было.

— Прости, скопче, — шепнул зачем-то Трифон и увидел эфирный мир.

Вернее часть его.

Мир эфира предстал ему как сад вихрей.

Как ветви вихрящихся деревьев были города. Как пылающие золотым нестрашным огнем колосья — деревни. Как запретная, припрятанная, а потом в основном тексте бытия внезапно возникшая глава романа, манил разбивкой на делянки, ряды и лунки эфирный мир. Был мир этот материален и страшно приятен на вид!

Одно из вихревых деревьев стояло близко, у самого края мироколицы.

Трифон вгляделся.

Множество ветвей дикой яблони — от нижних разлогих, до верхних, торчащих тонкими прутиками вверх — шевелилось, жило, вздрагивало листьями, набухало и лопалось почками, давало цвет, затем плод, а после вновь покрывалось пушистыми серыми точками.

К дереву была приставлена зеленая, гибкая, словно сплетенная из шевелящейся виноградной лозы, лестница иерархий...

Здесь Трифон понял: на дереве диком, дереве сладком висят в свернутом, почкообразном виде города и поселки, едва виднеются люди, лесные и домашние звери мягкой поступью ходят вокруг них.

Вдруг одна из почек раскрылась, за ней другая, третья.

Засветилось, блестя над водой, крохотными огоньками село Пшеничище. Правда, вскоре Пшеничище свернулось.

Серыми теплыми ветвями улиц зашевелилась Москва. Но внезапно и она стянулась в огромную, сбрызнутую росой почку. Стали раскрываться и другие почки, лопаться другие завязи, стали шевелиться ветвями тайные и неведомые города!

Ветви нежные, вихревые, ветви плакучие и ветви острые: села, города, поселки, основанные каторжанами и теперь ничуть не опасные поселения, и опять хутора, деревни и неизвестные в своем предназначении скопления пригородов!..

Вдруг приблизился до боли знакомый волжский город.

Город ясный, с мостами и жителями, город, призрачно висящий над самим собой! Он пролетел стремглав сквозь глядящего, охлестнул его ветвями и прутиками, а потом серой птицей возвратился на дерево.

В городе ходили по ветвям и по воздуху важные люди, смешные дети кувыркались над торговыми рядами. Ряды были без продавцов, но с товарами. Прекрасная в своем парении старинная каланча чуть подрагивала в древесном зеленоватом мареве.

— Кострома, Кострома! — закричал пораженный компактностью и поместительностью города-почки Трифон.

Тут же по его слову вдруг выплеснулась из пространства круговая небесная река. По небесной Волге-реке плыла большая соломенная кукла. Резануло по ноздрям поздней весной или даже ранним летом, брызнуло вечерними огнями Ивана Купалы. А потом стало быстро темнеть...

И тогда некоторые из жителей стали покидать свой город, стали сдирать с себя одежду, стали набивать ее охапками пахучих сорных трав и очищенных от листьев прутиков, стали перевязывать ее пучками соломы, придавая сброшенной одежде форму и очертания кукол. А после начали поджигать куклы у медленных прозрачных костров, кидать их в небесную круговую речку.

— Это прежняя жизнь, сгорая, уплывает. Как соломенные куклы... Ну и гори, старый мир, синим пламенем!.. — проговорил в сердцах Трифон, и весь город, свернувшись несколькими жгутами соломы, мигом загорелся и превратился в золу.

Но тут же, при посветлевшем небе, ударила вверх зелено-пламенными вихрями новая, с эфирно-розовым отсветом, жизнь...

Дух Трифонов от смены городов и поселков занялся таким же розовым пламенем — дух подхватил и швырнул его с силой ввысь. А потом опустил на какую-то великолепную поляну.

Трифон снова узнал Волгу и понял: теперь он может по собственному усмотрению размечать города и расчищать поляны, громоздить палаццо и вытягивать в нитку гребные каналы, устраивать библиотеки смыслов и зеленые, без всякой косовицы, луга!

От этого дух захватило сильней. Дух отозвался медным звоном в ушах. Волнуясь от сладости мягкого звона, Трифон услыхал лишь конечные слова чьей-то, перекрывающей шум и звон, мерной речи:

— ...потому что теперь и ты — часть эфира. Теперь будешь жить-существовать по-настоящему, а не только в пустых словесах и незначащем теле. Будешь, как Я... Нет костей и мяса — нет греха. Есть эфирное тело — есть возможность образовать вечное и неплотное тело после воскресения. Новое бытие тебе сегодня приоткрылось. А ты? Про посторонние вещи думаешь, ненужным мечтам предаешься...

От этих слов и от счастья собственного минутного всемогущества Трифон вдруг ощутил: тело его рвется на куски и на части, а сам он нисходит, умирает. Боли не было, однако страшная жалость к себе уходящему вдруг резанула, как плохо закрепленным лезвием бритвы по щеке.

Чтобы от ощущения надвигающегося небытия избавиться, Трифон с головой нырнул в поток, с виду медленно, но внутри самой себя стремительно крутившейся карусели эфирного мира.

Прыжок получился несоразмерным. Напряжение — непосильным. От неслыханной скорости Трифон вмиг ошалел, из глаз побежали слезы, изо рта выпал и ненужным отростком повис язык, хлынула ручьем буровато-зеленая холерная слюна...

Тут же Трифон почувствовал: круговой, с туманными ответвлениями эфиропоток его вытолкнул и полетел своим путем: кружа каруселью, устремляясь ввысь пурпурно-серой колесницей...

В шаге от скоростного потока с превеликим трудом ухватился Трифон за стальную подвижную скобу, висевшую в палате, над койкой.

Двинуться вперед он не мог. Мог только видеть, как уходит поток, как мелькают по его краям чьи-то вьющиеся одежды, мельтешат гусиные лапки, оставляющие за собой густые и частые капли сладкой, а вовсе не убийственной, как на земле, крови...

Однако и назад — так вдруг показалось — хода уже не было.

Псиной приблудной заскулив, замер Трифон на койке, на краю бешеного эфиропотока...

ДАР НЕРАБОЛЕПИЯ

НИТОЧКА И ВАРЯЖСКАЯ РУСЬ

Город Романов: утренний, безветренный, чистый. Висит себе на воздушных шарах, покачивается и горя не знает.

Бредут на работу сонные городские жители. Устало крадутся по переулкам ночные запоздалые гуляки. Жизнь понедельничная, вот она — рядом! И скоро выкинет, наверное, какое-нибудь еще коленце: с пьяным эфирным вихрем или дракой у морга.

И полетит звон, полетит гул, побегут круги перед глазами!

Но пока ничего такого нет. Правда, внезапно, при только что выкатившем свой обод заволжском солнце, из небольшой кургузой тучки, начинает сыпаться снег.

Снег мелкий, едва видимый и напоминает белую, то падающую всем скопом вниз, то взмывающую вверх, то внезапно кидающуюся в сторону мошкару. Под слабенькой завесой снежной мошкары город преображается. К примеру, начинают сверкать всеми цветами радуги вывешенные зачем-то над крыльцом «Музея овцы» воздушные змеи.

Но ни змеи, ни мошкара не могут завесить воспоминаний о прошедших днях, сбить с мысли о том, что не все в Романове тихо-мирно...

Как вихрь эфира, пронеслись эти романовские дни!

369

А точней, пронеслись они, как смесь пыльной бури, человеческой глупости, несказанной радости, сладкой приязни, наглого бахвальства, жалкого трындежа и бесподобного шелапутства.

Как будто взбрыкнувший Сивкин-Буркин, словно нахрапистый Рогволденок рассыпал по развернутому над городом небесному экрану 86 918 не ему принадлежащих, но им нагло присвоенных слов!

Но потом, скотина, перетрусил, захотел чужие слова и строчки стереть.

А строчки взяли и зависли. Не компьютер завис — сами строчки! Зависли и висят. И мне с шестого этажа гостиницы хорошо их видно. Вот сейчас возьму и кинусь за ними вниз, успев разок-другой с треском, как хвост китайского бумажного змея, часть этих строк на лету заглотнуть!..

Ошарашил? Взволновались? Смешно? Страшно!

Это снова я, Тима. Бывший лит-туземец, блогерюга и пока еще старший научный сотрудник «Ромэфира».

С мясом выдрал я из штанов у рыжего шпиона жучок-маячок, а с ним вместе и возможность повествовать про романовские дни и романовские ночи. А если говорить правду, то просто отобрал у Рыжего авторские права на воспроизведение моей собственной жизни любым печатным, аудио- и видеоспособом. Пускай отдохнет, пускай полученный от меня баллончик с искусственным эфиром понюхает!..

С того самого момента, как удалось сколупнуть «жучок» с одежды торгового шпиона (позволившего Лизке и Пенкрату искусать Трифона до крови, да еще и заразить ученого какой-то лисьей болезнью), я и начну.

***

Уже на следующее после Главного эксперимента утро добрая докторша по фамилии Кузькина доверительно мне сообщила:

— Ниточки больше нет…

Я грохнулся в обморок.

Только не думайте, что я упал на пол! Упал в кресло, близ которого на всякий случай, предчувствуя недобрые вести и чтобы создать картину, предусмотрительно встал.

Правда, грохаясь в кресло, умудрился я сильно стукнуться о подлокотник и только минуты через полторы, разминая ушибленный бок, услышал докторский сладкий голосок:

— …имела в виду — той Ниточки, к которой вы привыкли, больше нет!

Кузькина загадочно мне подмигнула и ушла.

«Иди, иди докторская колбаса», — нежно-ласково подумал я ей вслед и занялся собой.

Печень — болезненное место. Упадешь на локоть — ерунда. Стукнешься коленом — с детства привык. А тут — ноет и ноет, и нытьем доставляет не наслаждение, а горечь. И неохота о своей печени как о прекрасном месте сосредоточения очистительной энергии даже вспоминать.

Тут же запретил себе чувствовать боль, вскочил на ноги…

Про то, что я хуже всех — уже упоминалось.

Отрабатывая контур плохого дяденьки, я стал показывать окружающим, как меня перепачкала пыль, — а в больнице романовской чисто, очень чисто! — отряхая локотки на своем сугубо московском, в широкую полоску пиджачке. Но при этом от внутренней гнусности себя и одергивал, заставлял думать о высоком. К примеру, о том, как бы тут, в больнице, беспардонно не пошутить! Как бы своим обычным сардонизмом не оболгать притянувшую красотой и драматичностью минуту горя.

Плотно прижав ладонь ко рту, чтобы не проронить лишнего словечка, я минут пятнадцать расхаживал по больничному коридору.

Больные и медсестры проницательно смотрели вслед.

Но потом ладонь ото рта я резко убрал: новые мысли явились!

Я, конечно, был дико удивлен, — но первая мысль после слов докторши была не ядовитой, не гадкой и не какой-то гробокопательской.

Мысль была неожиданной:

«Ниточки нет, а живой эфирный ветер — он есть!»

Сразу же мысль свою я и подправил:

«Раз есть хоть какая-то Ниточка — значит, она и вообще есть! Вот только нужна ли она мне будет, такая, какая она теперь?» — не удержался я от соблазна поерничать.

Тут снова пробило на высокое: это у нас в Москве, ну, может, еще в Пшеничище, мертвая зона. А здесь, в Романове, особенно там, где прошелся эфирный вихрь, — зона живая!

Я даже остановился от этой мысли. Потом побежал к зеркалу глянуть: я ли это?

Лицо оказалась тем же. Но в глазах вместо пакостной лукавинки вдруг обнаружил я печаль! И тут сразу понял, как сильно за эти недели переменился. Может, даже перестал быть самим собой.

Последняя мысль понравилась. Надоело, знаете ли, быть говном. Только как натуру исправишь? А тут она сама — нате вам — стала исправляться!

Здесь понял и другое: переменили меня не Савва Лукич, не диакон Василиск, который, как сообщила вчера добрая Леля, может запросто оказаться моим единокровным братом, — переменил эфирный ветер. И зацепившаяся за его края, вроде живая, но, вполне возможно, уже и нет — Ниточка!

Мысль о переменах и об их источнике сперва испугала, потом обнадежила.

А обнадежив, снова толкнула к рассуждениям и эмоциям: это над Волгой — настоящий ветер! А у нас в городах: на площадях, в переулках, в коридорах горбольниц — просто жалкое поветрие. Может, инфекционное или даже моровое. Но скорей всего, — обычный вирусняк, состоящий из парикмахерской болтовни, компьютерных подначек, базарного вздора.

Даже поднимаясь к Ниточке в реанимацию — кузнечик Коля договорился, — я не мог этот вирусняк, этот смутный ветерок постукиванья и ябед от себя отогнать...

В отделении реанимации меня допустили только до стеклянной двери. Я приоткрыл ее и смотрел, как еще через одни двери, сквозь задраенный наглухо колпак барокамеры мне улыбается Ниточка.

«Жива! Улыбается! И ветер — ни при чем!»

Вихрями пронеслись в голове не сами слова — какие-то вздрагиванья слов.

Я закрыл дверь и поскакал зачем-то в «Ромэфир», в нашу славную, никому не нужную, в саду яблоневом контору.

По дороге встретились мне эфирозависимые.

Струп и Пикаш пересидели ураганный вихрь в морге. Вицула — в гараже на берегу Волги. Все трое были страшно злы и винили в происшедшем Дросселя и Селимчика. Они не знали, что Селимчик теперь узник совести, и поносили его почем зря. Мол, все из-за этих кавказцев, и т. п.

Я по-приятельски им напомнил, что Селим Симсимыч — азиат, рассказал про его заточение, и Струп с Пикашом минутно о Селимчике погоревали. Но потом опять напустились как бешеные.

От меня Вицула, Струп и Пикаш хотели только одного: доступа к эфирной гастроскопии и бесплатному вдыханию эфира искусственного.

Я дал им тысячу рублей на троих.

Эфирозависимые мягко слились, не сказав ни слова про морг, Трифона и Рому. А ведь все знали, хорьки, по лицам видел, что знали!..

В бисере пота и мелких помыслов доскакал я до нашей конторы.

Там было пусто. Только в одной из комнат сухо поскрипывал бухгалтер Кузьма Кузьмич. Сквозь причитания Сухо-Дросселя пробивались скудные его мыслишки:

— Саввушка-то наш… х-х-и-э-рр… уехал. Уехал — и делу конец!

Когда и как уехал Савва Лукич, я знал и без Дросселя. Получал от Лукича эсэмэски едва ли не ежедневно. Одна из эсэмэсок была удивительного содержания, но о ней — потом, после!

А сейчас о новом соблазне, про который сообщил мне внезапно переставший причитать Кузьма Кузьмич Сухо-Дроссель.

— Многие думают, — вдруг улыбнулся во весь рот засушенный австрияк, — тут у нас, в Романове, поветрие! Североамериканские индейцы, говорят, наслали. В отместку за то, что мы их социалистический индихенизм отвергли. Но мы-то знаем, откуда ноги растут!

По рассказам Дросселя выходило так.

От основного потока эфирного ветра отделилась струйка: маленькое и на первый взгляд жалкое поветрие лжи и домыслов. Главный научный эксперимент, как утверждал засушенный австрияк, неправильно подействовал на эфирный ветер. И теперь этот ветер — скорее, один рукав его — стал провоцировать вздорные и несвоевременные мыслишки.

— Сколько на Волге живу, никогда такие глупости романовцам в голову не влетали.

Основных мыслей в этой отделившейся струйке, в этом поветрии было две.

Первая: про Варяжскую Русь.

Вторая: о продаже Сибири японцам и о присоединении Чукотского автономного округа к уже проданной когда-то Аляске.

Вторая мысль не прижилась, быстро отпала. На субботнем базаре две-три бабищи вякнули чего-то про японо-американскую благодать, но отпор им сразу дал все еще бодрый разумом Исай Икарович Пеньков.

В тот день ста восьмилетний старожил вполне случайно оказался на рынке (покупал корнеплоды и зелень).

Мужественный старик сразу указал на два важнейших обстоятельства. Причем указал полемически, в форме вопросов.

— Сиськами прете?! — обратился он сперва к женской части. Но тут же переключился на мужскую: — Обезьянью тушенку жрать наладилисссь? — взвизгнул он так, что некоторые из базарных затряслись и задергались, словно их собирались лечить пчелами.

Базарные ряды замерли и базарные ряды прислушались.

— Я спрашиваю, обезьян на кострах жарить будете?

Употреблять в пищу обезьян желающих не нашлось. После неловкого молчания рыночники нестройно загомонили. Сперва недовольно, но потом — по отношению к говорящему — все одобрительней: мол, столетнее страшилище, а дела лучше юных министров просекает.

Воодушевляясь все сильней, Пеньков добавил жару:

— И не просто жрать, а жракать и жракать! И хвосты себе во всю длину отращивать! Так оно и в Отечественную было. Кто обезьянью тушенку ел — уже не мог думать стройно. Шатало того и кособочило. А все почему? Хвост обезьяний ходить мешал! Ну и, ясное дело, снова к тушенке тянуло. Больше тушенки — длиннее хвост. У некоторых он рос и рос, и в штанах хозяйственных, даже в штанах армейских, уже не помещался. Мечтать и трудиться мешал! А отсюда — военно-гражданское поведение. Шатким оно у обезьянников было, да, шатким! И потом: употреблять обезьян в пищу — это, прямо скажу, людоедство! Угрызать младшую эволюционную ветвь — паразитизм и прихлебательство! Вы, базарные ряхи, к такому угрызанию стремитесь?

Сраженные наповал выражением «младшая эволюционная ветвь», базарные тупо молчали.

Второй вопрос Пенькова был сложносочиненным. Но ряхи поняли и его:

— Вот я, по-вашему, старый пень. Так? Так, — сам себе ответил Исай Икарович. — А спросили вы меня, как это я, старый пень, умудрился до сих пор невредимым оставаться?.. А не помер я до сих пор потому, что собственный распорядок жизни имею. Ничего, что является стопудово нашим, не отрицаю. А все чужое, как горох от стенки, от меня отскакивает. И вот я вас спрашиваю: мормонами быть — это ихнее или наше? И сразу отвечаю: не дам себя и вас омормонить! Не дам променять устоявшиеся ценности на религию каторжанскую! Не омормонь себя, Россия!

Тут на рынке стало тихо, как в склепе.

— Вы и так всё на всё променякали! — продолжал корить земляков Исай Икарович, — царизм сменяли на атеизм, атеизм — на ленинизм, ленинизм — на сталинизм, сталинизм — на сатанизм, а потом на Хруща, шута горохового! До горбачевщины ведь дошло! Хорошо, лысаку этому не дали разгуляться, а то бы он вас быстро отмормонил и объобезьянил! А всего-то и надо нам — Петра Великого клонировать! А вы тут овец низкопородных развели, — старожил Пеньков задохнулся от возмущения. — Я спрашиваю, кто вам дороже: Петр Великий — или какая-нибудь англо-американская, портящая романовскую породу овца?

Ошеломленные перепадом мыслей и самой постановкой вопроса, базарные ряхи, чтобы не показать душевной смуты, продолжали грызть подсолнухи пополам с ногтями.

Тем не менее вопрос с мормонами и другими обезьяньими штучками-дрючками был в городе решен раз и навсегда: с рынка мнение Пенькова улетело в полицию нравов, а оттуда — в другие высокие и превосходные, но иногда не слишком смачно пахнущие романовские места.

— Не бывать! — таким был романовский ответ на возможную продажу Сибири и Чукотского автономного округа.

По-другому вышло с Варяжской Русью.

Пеньков с торжища отбыл, и на рыночной площади возобладал грубый антиамериканизм. Причем до такой степени возобладал, что стали говорить: только отгородившись от американского и всякого другого мира громадным, в высоту не менее тридцати метров забором, только завесившись малиновым звоном, отяжелясь державой и скипетром, можно отбиться от темных сил.

— Мы никого не трогаем и нас не тронут. Станем сидеть тихо — и ничего нам не будет, — говорили некоторые осторожные жители. — На хрена нам сдались все иные-прочие российские места? У нас на Волге благодать, а у них — разор и китайцы! Не нужно! Хватит! Давайте образуем внутри России анклавную монархию. И назовем ее Варяжская Русь! И валюту свою, варяжско-царскую выпустим. А поймаем эфирный ветер (слухи о нем уже вторую неделю будоражили рынок) — промышленными партиями продавать станем.

Эта точка зрения имела все шансы на победу. Тем более что ее внезапно поддержала супруга начальника полиции мадам Бузлова. Уж очень ей мечталось стать если не варяжской царицей, то хотя бы первой варяжской леди. В кругу подруг она к такому заманчивому способу жизни начала склоняться и даже потихоньку готовиться.

Стали появляться красочные плакаты и хлесткие анклавные слоганы. В интернете местные острословы задавали остальным россиянам каверзные вопросы по поводу происхождения слова «русский». Приплели сюда даже давно изгладившегося из памяти барона Брамбеуса, утверждавшего когда-то давно, что прилагательное русский восходит к финскому слову «красный» («руосски»).

Как вдруг...

Все испортила Леля Ховалина.

Желая блеснуть умом, Леля на презентации нового рок-альбома «Варяги мы, варяги...» неосторожно произнесла фразу, сказанную кем-то из древних философов. Причем произнесла назидательно, явно поучая и без нее все отлично знающих «новых варягов».

— Государство должно быть маленьким, — со значением сказала Леля, — а народ темным. — Ораторша бегло осмотрела зал и, не уловив признаков надвигающегося урагана, продолжила: — Выходя на крыльцо, правитель должен слышать, как в соседнем государстве лают псы и мяучат кошки!

Кладбищенская стылая тишина вдруг повисла меж Лелей и залом.

— Это кто ж такую пургу прогнал? Про собак и кошек? — прозвучал суровый голос кого-то из новых роман-варягов.

— А это Лао-цзы вообще-то сказал, — все еще небрежничая и не врубаясь в обстановку, отрезала Леля.

— Китайцы!

— Беспременно они!

— Вот кто вирусняк в наши головы запустил!

— Ну? Говорил же вам! Сперва китайцы собак здесь разведут, а потом пришлют корейцев!

— Они будут лаять, а мы их бесплатно кормить?

— Так это, выходит, китайцы нам Варяжскую Русь, как порченую бабу, подкладывают? Ну, чтоб мы вокруг Волги сгруппировались, на отрезке пути из «варяг в греки» закрепились, а им остальное досталось!

— Дурында! Путь из варяг, он не здесь проходил…

— А я знаю. Это израильтяне с американшками идейку нам такую подсунули!

— Но философ-то китайский!

— Из чайна-тауна он, из Чикаги!

— Абсурд! Все, что вы говорите здесь — абсурд! Нам никто никогда не угрожал. Все войны против нас организовали мы сами. Ну просто сил у приличных людей не было сложа руки смотреть, что у нас в России творится… Надо же было порядок навести. Мы и сейчас хотим порядка! Варяжского порядка на Варяжской Руси! Нам никто не подсказывает. Это потому, что мы очень, очень дурные. Но нас еще могут исправить. И не надо жалеть о теряемых территориях. Как сказал мудрый гений: «Не в земельных просторах наш главный понесенный ущерб!». Давайте же, наконец, поделимся с теми, кто сможет по-хозяйски этими землями распорядиться…

— Коммуняки уже делились…

— И нынешние — тоже!

— Романовых надо кликать…

— Россия — не романовская вотчина! Это еще генерал Врангель сказал.

— А вот был тут у нас проездом хороший человек. Самостоятельный человек и непьющий. Куроцап ему фамилия. Савелий Лукич. Давайте его спросим!

Стали искать телефон Саввы. Кто-то вспомнил, что видел с Куроцапом Лелю. Ее коротко, но с пристрастием допросили, заставили вынуть мобилку, набрать номер, врубить громкую связь.

Савва Лукич про Лао-цзы высказался доходчиво:

— Философ он, конечно, великий. Но придурок еще тот! — И ни к селу ни к городу добавил: — Овец бы лучше стригли да «Парк советского периода» берегли, чем такие вопросы спрашивать.

Но, видно, почувствовав, что разумничался и занесся, Савва спросил уже потише:

— Пострадавшие в городе есть? Ну после экспериментов этих...

Леля сперва сказала, что нет, но потом вынуждена была тихонько признать про Ниточку. Тут же, правда, добавила: пострадавшую уже переводят из реанимации, даже приличную палату обещали...

Утомившись рассказами Дросселя и не найдя своих собственных записей, за которыми, собственно, сюда и бегал, я тихо выскользнул из протопленного по-зимнему «Ромэфира», поспешил назад, в больницу.

Жизнь моя разделилась на два рукава: широкий рукав — Ниточка. Узкий — вихри эфира и то, что после этих вихрей стало твориться в городе.

Чтобы не думать раньше времени о встрече с Ниточкой, я стал думать о том, как за месяц переменилась обстановка в Романове. Словно кто-то огромный и решительный перевернул ее одним движением с ног на голову!

При этом, хотя никакого поветрия, может, на самом деле и не было, городские власти стали осуществлять меры защиты.

Запретили въезд. Перекрыли выезд. До особого распоряжения огородили село Пшеничище частоколом и сеткой-рабицей.

Начались и другие строгости.

Но о них потом, позже. Сейчас — про Ниточку!

К ней меня однажды уже пускали. Но то были считанные секунды, и видел я Ниточку издалека. А сегодня — через двенадцать дней после катастрофы — разрешили пробыть целый час.

Ниточка на вид была совершенно здорова. Глаза — ясные, лицо не изможденное. Теперь она полулежала. Но не на больничной койке, а в кожаном кресле (кресла, Интернет, постоянную сиделку и прочие медицинские условия удалось организовать благодаря Савве Лукичу, после разговора с Лелей мигом позвонившего сюда, в романовскую больницу).

Я знал, что у Ниточки повреждена рука, которой она до последнего сжимала какой-то прибор, но не знал, насколько сильно.

Ниточка полулежала в кресле. Правый рукав ее халатика был совершенно пуст.

Какой-то неслыханный восторг, какое-то резкое умиление всем ее обликом при виде пустого рукавчика пронзили меня дважды и трижды, как острыми спицами!

Я присел на подлокотник широкого кресла, и мы, стараясь не думать об ампутации, поговорили о том о сем.

Вдруг Ниточка, весело подмигнув, сказала:

— Ты, Тим, абсолютно свободен. Мне пенсию по инвалидности обещают оформить по высшему разряду. Так что, если устал, съезди в Москву, разгони тоску, — сладко кольнула она меня взглядом. — На Рождество или к Старому Новому году, может, опять к нам заглянешь…

Я погладил Ниточкину щеку, встал и закрыл дверь на внутренний замок.

Блаженное, райское, никогда ранее не ощущавшееся мною чувство заполнения неполнотой, или, скорей, насыщения отсутствием (знаю, что непонятно, но по-другому сказать не могу) вдруг охватило меня.

Ниточка сперва этого чувства не разделяла. Но потом, несмотря на слабость, на тесноту бинтов и швов, стала разделять, стала прижиматься жарче, тесней. Кожа ее за время болезни стала еще шелковистей, губы жарче, пальцы смелей!.. Вся она была горячей, как свежая, вынутая из печи булка, и только грудь ее приятно холодила мои тоже вдруг ставшие горячими пальцы…

ПЕРЕХОД

Вскипают буквы. Восходят имена.

На фоне аспидно-серой Волги — языки пламени и отблески розовых ветерков.

Пылают сознания. Дрожат сердца. Террор дезодорантов и муть парфюмов заволакивают всё вокруг!

Биение рек вот-вот захлестнет само себя, а потом иссякнет в пожарах…

Кто звал тебя сюда, вихрь эфира, и зачем? Кто позволил смущать наши души и сердца, перетряхивать в голове мысли, тасовать беспорядочно слова и образы на экране?

Этого не знаю. Но знаю и чувствую: все исчезнет и подернется тиной, рассыплется прахом и уйдет в песок… Останется один пламенеющий дух! Один пламенеющий воздух и ветер, этим воздухом рожденный!

Только ветер бессмертен!

Ветер не тонет в морях. Не пресекается во времени. Ветер — чудодей, но ветер и разрушитель. Как примирить такие качества? Не знаю.

Знаю одно: вместе с этим ветром, вместе с вихрем эфира устремляет Вселенную и всех нас в точку смысла, сжатую до боли, — Господь!

Как вихрь эфира — будет вскоре и сам человек, и вся земля!

Лучше сказать не умею.

Эх, Тима, я Тима! Тима, Тима я…

Жизнь моя переломилась еще раз.

Через три недели мы с Ниточкой переехали. Теперь уже не в гостиницу. Сняли второй этаж в небольшом частном доме на Второй Овражьей улице, с видом на Волгу. Денег прислал Савва. Перевел через банк на Ниточкино имя. «На лечение и процветание», — пояснил он в краткой сопроводиловке.

В эти дни я окончательно понял: эфирным бывает не только ветер. Сама любовь, сама страсть может превратиться в квинтэссенцию, стать пятой сущностью!

Удивительным образом этому способствовала Ниточкина отнятая рука. Даже закралась мысль: «Вот поэтому мы так сильно и любим то, чего нет. Не из-за отсутствия! Из-за тайного присутствия того, что якобы отсутствует. Но присутствие это необычное: присутствие-обещание. Так присутствует ветер, когда его еще нет в помине. Так присутствует сам Творец, которого мы не можем видеть и осязать, но чьи действия хорошо чуем. Эти-то предчувствия, вместе с сомнениями (есть — нет, сбудется — не сбудется) мы больше всего и любим!..»

День наш начинался вот с чего.

Я подвозил Ниточку на кресле-качалке к окну. Вроде она еще сильно больна. Завернувшись в теплый старушечий плед и притворно поохав, Ниточка вдруг резво вскакивала на ноги и, мигом оставшись в легонькой, полупрозрачной и к тому же расстегнутой блузке, взбиралась на меня верхом.

Пустой рукав ее — вздымался на лету, как синий прозрачный флаг!..

А кончался день обливанием холодной водой.

Мы с Ниточкой обливались до тех пор, пока не делались как ледышки, а потом растирались до красноты полотенцами.

Обрезок ампутированной руки горел огнем, Ниточка нацепляла на себя другую, но тоже прозрачную и опять-таки расстегнутую безрукавку и, светя молочной попкой, бежала к нашему любимому креслу. По дороге она тихонько напевала, имея в виду, конечно, меня: «Водой холодной об-блевался!».

Это было очень забавно, тем более что я совершенно бросил не только блевать, но даже и втихую насасывать вискарь бросил.

Все шло превосходно, но тут в нашу жизнь снова вмешалась наука и околонаучная деятельность. В Романов неожиданно пожаловал Савва Лукич.

Встретившись со мной и с Ниточкой, наговорив всяких любезностей и оставив гору подарков, он сразу засобирался к Трифону.

Перед поездкой к Трифону Савва вытащил меня в коридор и, взъерошив свой серо-соломенный бобрик, спросил:

— Жучок твой пашет?

Я отрицательно покачал головой.

— Включи. Ты должен знать. Важное дело Тришке предлагать стану! Только вот церковных шпионов боюсь...

Трифона Савва Лукич застал в ромэфировском саду.

— И симпатичненько, и гулять выходить никуда не надо. Подискутируем, девять-семь, или просто перетрем?

— Да про что дискутировать, Савва Лукич?

— Есть про что!.. Хочу эфир у тебя купить.

— Так вот прямо взять и купить?

— Так прямо взять и купить. А не хочешь прямо и сразу — давай по частям.

— Эфир купить нельзя. Он, как Царство Божие! Того ведь тоже не купишь. Да и покупать, в научном смысле, нечего.

«Ромэфир» на ладан дышит. Исследовать эфирный ветер некому. Часть приборов неисправна. Бухгалтер деньги выдавливает, как пасту из прошлогоднего тюбика... Не знаю, как дальше быть.

— «Ромэфир» твой сраный мне и даром не нужен. Свои фирмы и фирмочки девать некуда. Меня другое интересует: технология перехода. Допустим, твой эфирный мир, твое эфирное царство — как Тима мне его описал — и впрямь существует. И если членкор не врет, — а я с ним тоже переговорил, — тогда кто...

Савва почему-то замолчал.

— Что — кто?

— Кто, кто! Конь в пальто! Кто-то ведь должен владеть технологией перехода? Проще говоря: если есть царство эфира и есть желающие в это царство перейти, то должна найтись научная туда дорожка и способы на этой дорожке удержаться. Кто этими способами владеет: ты, Косован, Столбов?

— Техника перехода вообще-то мной разрабатывалась. Не намного сложней горнолыжной...

— Уже хорошо. Доступность всегда важна. Ну а вероятность успеха этого дела? Она высокая? И сразу другое: кто-нибудь такой переход осуществлять уже пробовал? Я имею в виду: научно пробовал?

— В новое время никто по собственному почину, кажется, не пробовал. Мне, во всяком случае, неизвестно.

— А в старое?

— В старое — были смельчаки... Никола Тесла, конечно. Профессор Морли пытался. Еще двое-трое... Соблазн перехода — он манит! Хоть и опасен. Но еще больший соблазн — сидеть тут сиднем, не осуществить эфирный прорыв!

— А тогда еще одно: можно здесь обычную технику медитации применить? Ну, как у этих самых йогинов. Помедитировал часок другой — и в астрале. То есть, я хотел сказать, в эфире!

— Астрал — виртуальный мир. Это только йоги думают, что они там по-настоящему находятся. Ну мыслью они там шарятся, а телом-то на земле! Совсем другое дело переход в эфир. Эфирный мир — он реален! И тела в нем реально, а не мнимо существуют. Не души, отделенные от тела, а души вместе с «тонкими» телами там путешествуют. Вот исчезающие люди, к примеру. Не всех их вурдалаки загрызли, не всех в рабство продали... В некоторых, правда очень редких, случаях можно без натяжек говорить о переходе пропавших в эфирное состояние. Тогда тело на земле не остается. Отсюда — пустые гробы, отсюда странные, но постоянно повторяющиеся исчезновения...

— Допустим. Я, в общем, примерно так и думал. Но если это не мыслительный переход, а реальный, — то ты ведь не мог не продумать... Ну, в общем, как перейти границу у реки? Каким способом человеку, которому здесь набрыдло, в эфире поскорей оказаться?

— Ну, кое-что я придумал. Разработан мной для такого случая прибор. «Апейрон-400» называется. Пока в единственном числе существует. Он должен помочь преобразовать энергию наших с вами клеток в новую — я еще никак ее не назвал — энергию. А уже ту — трансформируем в эфирное состояние. Тело наше исчезает — контур его дымный или, скорей, туманный в эфирном мире остается. И контур этот будет наполнен бульбочками радости и взрывами света, а не калом, гноем и прочей дрянью... Но это одна часть проблемы. А есть и другая! Существуют люди — их единицы — которым прибор мой не нужен. Замечены умышленные оставления косного тела на земле. И переходы в небесное состояние из этих, из оставленных — тел других! Тел эфирных! Эфирное тело вырабатывается некоторыми людьми за время достойной, святой или еще не знаю какой жизни… Это дело Порошков — есть тут такой задрыга — хорошо изучил. Но об этом — молчок! Порошок, он неподкупный, он…

— Порошков — это который на чертовой мельнице ошивается?

— Откуда знаете?

— «Делегатура жонду» и «Сюрте женераль»… Ну шуткую, шуткую… Агентура моя работает. Только мы ведь у Порошкова ничего покупать не будем. Мы без него консорциум организуем. Я председатель, ты главный научный разработчик. Акции выпустим, девять-семь…

— Разыгрываете?

— Да господь с тобой.

— Так ведь эфир, он еще придирчивей, чем Порошков! Он кого попало к себе на пушечный выстрел не подпустит. И вообще… Трудность перехода в эфирное состояние не только научная, но и нравственная. Говорю же: эфир примет не всех! И еще одно: переход в эфир — это, по сути, переход к художественному, а не к начетническому или алгебраическому постижению мира. Эфирный мир есть новая творческая среда! А эфирный ветер — предвестник эры чистого и непрестанного творчества. И не на кончике губ творчества! А творчества посредством самого хода жизни… Понимаете? Бог познается не в религиозном чванстве — в со-творчестве. Да вы подумайте сами, Савва Лукич: зачем было Богу создавать послушных овец в людском обличии? Ему, Господу, нужен от человека духовный и творческий ответ, а не беканье-меканье! И раболепие наше Богу не нужно! А нужен, повторяю вам в сотый раз, дух нераболепия! А нужно — со-творчество... А то, что же получается? Бог творит, а человек — Богу подобный — раболепствует?! Нестыковочка!

— Про нераболепие — это ты хорошо... Оно и правда: даровит и нераболепен, вопреки наветам, народ наш! Я об этом всегда говорил.

— А раз говорили, так теперь других послушайте! Монахи истязали плоть, чтобы ее избыть, чтоб не мешала *переходу в эфир*... Тоже — способ. Но это — долгие десятилетия. А наш аппарат — это быстрота, это краса скорости... *Великий переход* — это, по сути, художественный акт!

— Перформанс?

— Дались вам эти перформансы! Дня без них прожить не в состоянии. Еще раз, для тупиков: кроме «Апейрона», кроме научно-медицинского воздействия — важнейшее значение будут иметь нравственные качества и техника индивидуального перехода! А она, эта техника, сродни технике перевоплощения: актерской или писательской... И у каждого техника будет своя. Мы только общие моменты обозначим...

— Погоди. Про индивидуальную технику потом. Ты сказал — эфир примет не всех. Но ведь избранных и достойных он к себе пустит?

— Этих пустит.

— Вот тебе и решение вопроса. Будем отбирать достойных. Эфиролётную школу для них создадим. Сто человек в России таких найдется?

— Сто тысяч найдется.

— Ну вот... А еще на Украине, на Балканах, где-нибудь в Швеции... В общем, порядок: и дело сделаем, и людям поможем! Но ведь тут нужна, как я понимаю, команда. Нужны десятки обучающих, сотни обслуживающих…

— Для начала никаких сотен не нужно: два-три пионера эфира и один толковый помощник, знакомый с принципами работы приборов и действием эфирного ветра… В науке все полагается на себе опробовать. Никому такое дело передоверить нельзя. Слишком много там неизведанного… И главное… Загадал Господь человеку загадку. А звучит она так: пойди туда — не знаю куда! Принеси то — не знаю что! Стань тем — не сразу узнаешь кем.

— А разгадка?

— Разгадка вот она: ты, человече, поживи на земле, помытарствуй. Залезь во все кротовые норы и многие притоны вонючие посети… Но и, конечно, в святые места съезди… А уж оттуда, из гадких или, наоборот, достойных мест, принеси с собой мысль об эфирном существовании. А затем — стань человеком эфира! Вот потому-то…

Тут мой жучок-маячок впервые за все время пользования дал сбой. А потом и совсем выключился. Я щелкал по нему ногтем и пробовал на зуб, даже опустил в стакан с зубными щетками… Замолк, паскуда, и все тут!

* * *

Минут через двадцать после наглого отказа жучка работать позвонил Трифон. Не здороваясь, крикнул:

— Хватит прохлаждаться! Сейчас же на службу!

— Я завтра увольняюсь.

— Знаю, — засмеялся Трифон в трубу, — догадался уже. Но только перед тем, как уволитесь, повидаться надо. Всплыл напоследок один служебно-научный казус.

— Если денег у Саввы просить — то я пас.

— С Саввой Лукичом я уже разобрался. А вот с вами… В общем, я тоже ухожу из нашего дела. Вот тут как раз и нужно кое-что утрясти…

Это было неожиданно. Я по-глупому брякнул:

— А куда уходите?

— Приезжайте — скажу. Да не в «Ромэфир»…

— Я на Рыкушу… Я на чертову эту мельницу не поеду!

— А и не надо туда ехать. Ко мне домой приезжайте. Полевая, 26, квартира 14.

— Когда приезжать?

— А прямо сейчас.

Я поцеловал Ниточку и поехал.

* * *

То, что Трифон сказал у себя дома, ударило, как молотком по голове.

Даже круги пошли перед глазами.

Трифон предложил мне перейти в эфирное состояние. Вместе с ним. А потом перетащить туда и Ниточку. Он так и выразился — «перетащить». Это покоробило меня больше всего.

— Да Ниточку туда, может, и без вас, Трифон Петрович, уже приглашали!

— Откуда про приглашение известно? — так и взвился Трифон.

— Сама она вскользь говорила. Да и рука ее, — вдруг стал я глупо фантазировать, — не самим ли эфиром отнята?

Трифон задумался.

— Про Ниточкину руку мне следовало подумать раньше. А вот насчет вас, Тимофей Савельич, я не очень уверен. Может, эфир вас к себе еще и не пустит.

— Это с чего это?

— Языком почем зря молотите.

Трифон дружески щелкнул меня по надгубью.

— А вот Ниточка — да, возможно! Ее эфирный мир точно принять сможет. Но без вас у меня, конечно, язык не повернется ее туда приглашать. Хотя я и предполагаю наладить связь — пока только телевизионную — с эфирным миром… Но все же…

— Приглашать — не приглашать! Вы прямо умом рехнулись… Или, наоборот, хотите представить, что вы… — не сразу нашел я слово, — чудодей какой-то.

— Чудодей — это вряд ли. А вот чудотворец — пожалуй. А что? Трифон Усынин — славянский чудотворец.

— А как же ваша тюркская 96-я часть крови? Помнится, вы про нее говорили…

— Ну, значит — славяно-тюркский чудотворец!

— Ну ладно, вы тут самоназваниями потешайтесь, а я с Лукичом всерьез поговорю. Он кучу денег думает вам отвалить, а вы тут белибердой занялись…

— Поговорите, поговорите… Но учтите: на сборы у вас — чуть больше трех суток!

***

Я поскакал в гостиницу к Савве. Не плакаться — потолковать по душам! Если Лукич меня действительно наследником считает, то мог бы и получше наши с ним денежки пристроить, а не кидать их зря на ветер!

Рассказав об идиотском предложении Трифона, я облегченно вздохнул.

— Да, Тима, да, малышок, — зарокотал радостно Савва. — Я в курсе. Эдмундыч! Подай-ка нам «Ригла»! В курсе и, девять семь, одобряю.

Я так и сел.

— Понимаешь? Никому я не могу такое дело доверить. А ведь я его, этот переход, считай, купил. Вот ты к нему, к переходу, и подготовься… Может, это… Может, эфир тебя еще и не примет.

Я был поражен Саввиной бесчеловечностью и жестокостью. Это ведь не в космос на три дня туристом! Это, как я понял из недомолвок Трифона, — навсегда, без возврата! Или с возвратом в виде каких-то там грёз и снов!

Сраженный наповал, я так полчаса с открытым ртом и просидел. Савва ходил вокруг меня и что-то без передыху говорил. Я его не слушал. Одна-единственная мысль сверлила мозг:

«Все смешки, смешочки, а теперь — р-раз! — и нет на земле Тимы-туземца, нет лучшего российского литературного негра. Теперь где-то там, в недоказуемом пространстве, он ручками-ножками болтать будет! Тима я, Тима! Тима, Тима я…»

С горя выпил полный бокал «Ригла». Но тут же сходил в туалет, все выблевал и, удивившись своему, ставшему чужим голосу, крикнул:

393

— Эдмундыч! Водки! А вы, Савва Лукич… Вы не пернач… Вы коршун-стервятник!

Словом, через час, пьяный и навсегда отравленный жизнью, я Савву покинул. Хмель, впрочем, скоро из меня выветрился. Именно тогда, когда я понял, что теряю сразу и жену, и отца. Захотелось всех послать куда подальше и вернуться в Москву, в коммуналку на улицу Сайкина.

Но вместо этого — уже ночью — я снова поехал к Трифону. Трифон возился с карманным теслометром.

— Как же мне б-быть? — спросил я его, запинаясь.

— Как, как. Готовиться тщательней. Жизнь свою припоминать. И весу чуть сбавьте! Ишь, жирку нарастили. Осталось, — Трифон глянул на часы, — ровно 75 часов. В шесть утра в четверг жду вас здесь.

— С вещами? — попытался сострить я.

— Вещи не нужны, для семи-восьми дней подготовки к переходу у нас на загородной базе все есть.

— Что-то не верится… Ш-шарлатанством попахивает. За несколько дней подготовиться к такому делу! Вы сектант, Трифон Петрович! Заманите на базу и там сожжете или под лед спустите!

— Ничего я не сектант. И сжигать вас никто не собирается. Очень надо, — Трифон отложил теслометр. — Да вы, Тимофей Савельич, вижу, даром у нас в «Ромэфире» штаны протирали! Еще раз объясняю: у некоторых людей, кроме обычного, присутствует еще одно тело. Не душа, ее трогать сейчас не будем, — а тело! Эфирное! Три составляющих в достойном человеке: тело обычное, тело эфирное и душа. А дух — тот над всем парит и веет…

— И что из всего этого выходит?

— А то! Человек достойный вырабатывает за время жизни на земле второе, эфирное тело. Вырабатывает — не совсем верно сказано. Доформировывает, скажем так. Потому что возможность взращивания тела эфирного изначально в человеке и высших животных заложена. И вот если вы, или я, или Савва Лукич такое тело в себе доформировали — тогда будет чему с мировой эфиросферой соединяться. Так что несколько дней на загородной базе — просто проверка ваших, моих или еще чьих-то кондиций!

— Вы м-мне про это не говорили. И сейчас, сдается, врете!

— Тогда — рано было. Теперь — самое время. Кстати, движение к созданию второго эфирного тела — это и есть новое российское понимание мирового эволюционного процесса. Вернее, может таким пониманием стать!

* * *

О ветер-ветрило! Ветер ума, ветер высших взлетов и откровений, — куда ты пропал?..

Я внезапно перестал слышать ветер. Странное равнодушие вдруг овладело мной. То уходя, то возвращаясь, оно наплывало на меня мороком и суховатым, правда не слишком режущим глаза, туманом.

От полного безветрия ума и равнодушия к уходящей жизни стал звонить я в Москву. Звонил кому попало: хвастал, что нашел непыльную и денежную работенку. Сдуру набрал даже Рогволденка. Но тот не ответил.

Позвонил я и к себе на квартиру. Узнал совершенно не нужные мне новости. Равнодушно обдумал их.

«Может, я уже стал другим, наполовину эфирным? Половина — какая была, а другая — эфирная? — соблазнял я себя вопросами. — Может, ничего вокруг меня уже и нет? А то, что вижу, мне только чудится?»

Но Ниточка — она была. Я ощупывал ее тесней и тесней, трогал щекой и лизал языком милый отросток, свисавший вместо правой руки…

Ниточка вроде ни о чем не догадывалась.

Чтобы отвлечься от ожиданий великого перехода, стал я записывать в столбик действующих лиц этой истории, давая им краткие характеристики.

Столбик получился любопытный и на час-другой отвлек меня от едких мыслей. Вот кто в столбике этом значился.

Савва урывай алтынник — русский пернач и капитал-разведчик.

Тима-туземец — простофиля с острым затылком.

Трифон — славянский чудотворец.

Ниточка с иголочкой.

Рома «сделай милость», человек будущего.

Сине-пипочный *Рогволоденок*, по прозванью Сивкин-Буркин.

Австрияк Австриякович Сухо-Дроссель — бухгалтер-фантазер.

Пенкрат и Лизка — тень их горбатая близко.

Леля Ховалина — скандальный ротик.

Супруга полиции — толстый зад, плоский животик.

Столбов — стоит десятка ученых лбов…

Бывший дирижер *Бабалыха* — созидатель народного лиха…

Устав поигрывать столбцом-списком, я снова и вполне равнодушно стал узнавать о вещах посторонних.

Среди прочего узнал, что случилось в трактире «Маршал Стукачевский».

А случилось там вот что: был объявлен внутренний конкурс на самую красивую подставу года. Конкурс выиграл сикофант Кинг. И тут же получил немалый куш — миллион баксов. Сразу после получения денег Кинг продал всю подноготную этого дела трем бульварным журналюгам. Все трое — каждый в своей газетенке — подноготную опубликовали. А Кинг уехал в Республику Конго читать лекции по истории российского стукачества и осваивать мигом купленный нефтеносный участок.

Псы демоса негодовали! Слуги кратоса были оскорблены!

Решили добиваться справедливости в суде. Подали иск — и впервые в своей новейшей истории дело о клевете и возвращении миллиона баксов проиграли.

— Чья бы корова мычала, а ваша молчала, — сказал судья Ломтиков представителю сиков Префу. — Уели вас — и поделом. А клеветы газетной тут никакой нет. Вот он, «Кодекс сикофанта и шантажиста», — ваш коллега представил. Тут первым пунктом записано: «Шантажируй, где можешь. Обманывай — всех и всегда». И другие ваши преступные намерения в «Кодексе» отображены. Так что уносите ноги, пока целы...

Сикофанты и сутяги были посрамлены: над ними смеялись все, кому не лень. Посещаемость трактира резко пала. «Маршал Стукачевский» оказался на грани закрытия. Но сикофанты не сдавались, они задумали новую, еще не известную жителям России подставу. Что за подстава — загодя узнать никто не мог... А пока суд да дело, хозяева решили подвергнуть «Стукачевского» полнейшей перестройке.

Плохи дела были и у Рогволденка. Узнал про это стороной, случайно. Сообщение впервые за последние часы принесло краткую, булькнувшую в горле радость.

С Рогволденком было вот как: его внезапно поперли из всех секретариатов всех союзов писателей. И жена, ко всему, от него отказалась. Новую повесть, из жизни занявшихся промышленным животноводством лимоновцев, завернули во всех издательствах, даже откровенно фашистских.

— Не ощущаем былой напруги, Рогволд Арнольдович! Подберите другую темку. Ну хотя б раскатайте нам поэму в прозе «Битва с коррупцией», или еще что-нибудь этакое, производственное. Вмиг тиснем!

— Это же новый совок! — кричал, по слухам, разгневанный Рогволденок.

— Так, желанный вы наш! К совку-то вы всегда и склонялись. Язычком своим совок лизали и вылизывали! Ну а сейчас — новый совок, и теперь уже для нас широко его лизните!..

Только я один знал, в чем причина неудач бывшего моего патрона. Меня-то под рукой у Рогволденка и не было! Гиви — уехал в Грузию. А какой-то маловразумительный лит-туземец по фамилии Зимогляд поднять сложную производственно-лимоновскую тему, конечно, не мог!

Тут Рогволденок обо мне и вспомнил.

Попертый отовсюду, в надежде на политические преследования кинулся он писать басни. Одну прислал Савве. Савва, чей нездоровый интерес к стихам был отмечен мною давно, хрюкая то ли от счастья, то ли от смущения, басню продекламировал.

Называлась басня грубовато: «Пердун и бздюшка». А начиналась вот как:

> Пердун был стар. А бздюшка без руки.
> Случилось проходить им близ реки.
> Здесь деревяга по лбу ему — хрясь!
> Упал Пердун в ликующую грязь.

Дальше в рифму рассказывалось о наших с Ниточкой приключениях. Им Рогволденок придал чисто уголовный характер. В басенных стихах он откровенно грозил: Ниточке — сумасшедшим домом, мне — тюрьмой.

Кончалась басня так:

> Но басенных — не избежать плетей:
> Та без руки. Пердун же — без м…дей!

Савва, хохоча, читал басню мне, хотел прочесть и Ниточке. Я его удержал. Но Савва все равно повеселился всласть, через каждые полминуты вскрикивая:

— Ну сине-пипочный! Ну отродье кобылятьевское! На кого пасть разинул… Но мы своих в обиду не даем. Мы своих…

Тут Савва врал. Эдмундыча-то он рассчитал! Было так.

Эдмундыч на Савву все-таки стукнул. Насчет Республики Парагвай в России. Ему не поверили. Или не захотели поверить. Савва узнал («Делегатура жонду» и «Сюрте женераль»). Позвал Эдмундыча. Выложил пакетик денег. Весело глядя на старика, сказал:

— Было бы тебе через трактир «Стукачевский» доносить. Может, они подмогнули б. А так… Обделался ты, Эдмундыч, обделался, старикашечка!..

В Романове меж тем наступила золотая пора.

Пора всего романовского.

Разочаровавшись в эфире и эфирном ветре как желательном в городском хозяйстве подспорье, направив в Академию наук письмо с подписями 11 000 жителей с требованием полного запрещения такого ветра в Романове и мало-помалу теряя надежду стать первой леди Варяжской Руси, мадам Бузлова решила все в России сделать романовским.

Была все-таки отправлена телеграмма Никите Михалкову. И, по слухам, Никита Сергеевич стал в Романов не спеша собираться.

Не кино снимать! Получать почетную приставку: Романовский. Но тут даже не в Михалкове было дело. А в том, что кроме романовской овцы, романовской булки и лодки-романовки, с подачи мадам Бузловой называть романовским стали все!

Романовский ледокол и Северный романовский морской путь. Романовский сахар и романовский торф, романовский мотор и романовский рынок, романовский джип и романовский маринованный баклажан, романовские кенгуру и романовские летучие мыши…

Савва Лукич за последние два дня еще сильней разбогател.

Он решил заказать для Ниточки золотую, покрытую телесной тканью руку в Израиле.

— И ни отличит никто, уж вы мне поверьте, Нина Иванна!

Но мы с Ниточкой дружно отказались. Лукич никак не мог понять почему. Мы не объясняли, только посмеивались и переглядывались. Тут Лукич уронил слезу и пошел умываться.

По дороге он совершил покупку (мы с Ниточкой это хорошо слышали) одной иностранной газеты.

— Это газета «Пидерасьон»? — спрашивал Савва, включив громкую связь.

— Не-а.

— А какая?

— А хрен его знает!

— А почему по-русски говорите?

— Так купили нас уже…

— Передайте тому, кто купил, что я вас вместе с ним покупаю! И название гадкое смените мне быстро!

— Уи, месье, уи!.. «Нон-пидерасьон» — вас устроит?

— Тут еще надо думать, — буркнул Савва. — Мне бы чего-нибудь эфирненького…

Савва уехал по делам, а к нам неожиданно влезла без мыла добрая Леля.

Леля несколько дней подряд пыталась убедить Савву, в том, что она моя мать. Даже прибавила себе двадцать лет. Но Куроцап Лелю раскусил быстро…

Войдя, она стала распекать меня за научную нерадивость и пристально вглядывалась в Ниточку.

— А ты, мать, похорошела, — с раздражением сказала Леля. — С чего бы это?

— Да все с того же, — ответила Ниточка и, напирая великолепной и при этом едва прикрытой грудью на Лелю, выставила ее вон.

«Парк советского периода» так и оставался пока в Романове. Москва не выделяла территорию для его размещения. Несмотря на то, что русский пернач обещал отвалить за такое выделение три миллиарда долларов.

И! Состоялись, наконец, похороны Ромы Петрова.

ПЕРВЫЙ ЭФИРНЫЙ ЧЕЛОВЕК

Пенкрат с Лизкой, до последнего вставлявшие Трифону палки в колеса, уехали в Западную Белоруссию. А до этого бродили по ночам сперва у больницы, где лечился от инфекции Трифон, а потом подстерегали ученого возле его дома, чтобы свести счеты. Как-то раз, выходя от Трифона, увидел их и я: сдвоенная криво-горбатая тень была отвратительна! Лизка, на подгибающихся ногах, замотанная по самые глаза в цветную шаль, и Пенкрат в капюшоне, с омерзительно раздувшимся животом, истощенным лицом и слюнями на губах — напомнили двух бешеных, изломанных болезнью, но время от времени еще порыкивающих собак.

Перед отъездом Пенкрат написал в «Твиттере», что эфирный ветер — вздор, анекдот и пошлость. «Не эфир надо искать, — добавлял он, — а прекращать научные безумства. "Ромэфир" — сдох! Миф об эфире — тоже». Так будет начинаться моя научная работа, которую я назову: «И снова против пятой сущности и призрачных основ мироздания».

Правда, Пенкрашкин крик разума кто-то быстро с экранов удалил, поместив собственный торжествующий возглас: *«Недолго в "Твиттере" Пенкрашка колупался!»*

Только я-то Пенкрашку понял отлично. Понял: он попросту повторяла! Рупор чужих мыслей! Ну не хотят общественные, политические, научные и другие инерционные круги — и у нас, и за бугром — ничего об эфирном ветре знать! Продолжают считать его одни — ненужным соблазном, другие — тупиковой ветвью науки, третьи — существенной помехой в полит-экономическом объегоривании народа!..

Пенкрат, прихватив с собой Лизку, отбыл, и о соблазне свернуть ему шею я стал постепенно забывать.

Не стану вспоминать и Селимчика. Просто потому, что сказать о нем нечего: растворился Селим Симсмыч то ли в тюремных коридорах, то ли в едких кислотах нашего времени!

Но вот про что нужно сказать, так это про погребение Ромы беленького. Погребение, состоявшееся третьего дня, потрясло всех простотой и величием.

Выдалось небывало солнечное для последних дней октября утро. Снег лежал тонко, и грязи никакой не было.

Сразу после отпевания в церкви, уже прямо перед отъездом на кладбище, у ритуального автобуса появился Трифон.

Никому ничего не говоря, он протиснул в битком набитый автобус какой-то предмет, замотанный полотенцами и по форме напоминающий совковую лопату, потом протиснулся сам.

На кладбище после погребения (гроб оказался слишком легким, и это вызвало определенное смущение: может, там никого и нет? — правда, диакон Василиск заверил, что есть, просто Рома сильно истощен был), так вот: невдалеке от простого, крепкого, широкого и какого-то очень спокойного деревянного креста Трифон лопату совковую от полотенец и освободил. Лопата оказалась табличкой, прибитой к палке. На табличке значилось:

Рома Петров (1998—2012)
Первый эфирный человек
нового времени

Кое-кто из присутствующих хотел табличку отобрать и выкинуть на мусорную кладбищенскую горку. Но Трифон стоял возле нее, как богатырь на часах, и ревнители благочестия махнули на табличку рукой.

Махнуть пришлось еще и потому, что к Трифону и его табличке стали без слов пристраиваться некоторые имевшие отношение к науке люди. И даже те, кто к ней отношения совсем не имел.

Подошел австрияк Дроссель, ловивший в последние дни верховодку на городском причале. В руках у Дросселя была складная удочка. Подошел Столбов. Подбежала рыжеволосая Женчик. Подступил сбоку белый, как мельник — то ли от муки, то ли от горя, — прибывший позже всех на такси ученый Порошков.

Подошли и мы с Ниточкой.

Все стояли и молчали. Не загораживая Роминого креста — мы словно подпирали плечами легонькую Трифонову таблицу.

Момент был таким волнующим, что Ниточка заплакала.

Вскоре все уехали. А Трифон остался. Оглядываясь, мы видели: Трифон стоит под табличкой, а потом рядом с ней прямо на снег садится...

Савва Лукич на похороны не приехал. Занимался вопросами, как он сам выразился, «эфирообеспечения». То есть, как я понял, зарабатыванием новых и новых денег.

Что деньги его мне не нужны, я сказал Лукичу еще три недели назад. Во всяком случае — такие большие. Ведь именно большие деньги — самый страшный сегодня в мире соблазн! Так я ему и сказал.

— А еще больший соблазн — ничего не хотеть узнать нового, оставить в мире все как было! И, кстати, до конца с эфиром не разобраться! — в первый и в последний раз заорал на меня Савва. — Хуже такой инерции, сынок, некоторые у нас ее «традицией» называют, — сказал он уже тише, — ничего и нет. Жалко, наука мозги тебе как следует не прочистила!

На досуге я о Саввиных словах подумал. И выходило: прав он.

Ведь счастлив только тот, кто знает!

Это уже не Декарт, это наш русский Бунин сказал. Вспомнив эти слова, я тут же своим ненаучным, туземным умишком их всосал и присвоил. А потом, как человек знающий, решился сказать Савве про бунт. Не про мой собственный, русский бунт, — про бунт эфира.

Я начал так:

— Савва Лукич! Вот вы меня в неизведанное пространство посылаете, а ведь не догоняете: там, наверху — своя коллизия, своя драма!

— Это какая же?

— А такая. Эфиру — Господь Бог скоро не нужен станет! Не показалось вам? Да-да! Слишком мощным эфир вместе с эфирным ветром становится. И потому обязательно против Бога взбунтуется!

— Тима, ты Тима!.. Враз курроцаповскую породу видно. Взял и клюнул в нежное место. Но тут я тебя поправлю. Как Тришка наш говорит: Бог — Он и есть эфир!..

Сквозь боль и туман скорого в эфир перехода я с ним почти согласился. А чтобы боль пересилить, стал вспоминать смешное.

Вспомнил, как Савва недавно потешал нас скорым своим обращением к одному очень высокому собранию, где собирался выступить по вопросам эфиродинамики.

— Лэйзи бонз и крэйзи вумэн! — репетировал Савва Лукич в нашем с Ниточкой присутствии. — Короче: лэйзи энд крэйзи! Поскольку кроме бабок и английского языка до ума вашего ничего не доходит, скажу вам на русско-английском, или, как это... на креольском наречии: любоненавистники вы наши! Капиталюги иродовы, скрытые пуссириоты и пуссириотки! Эфир кушать — не значит его жадно пожирать!..

Развлекая нас смешными и нелепыми вещами, Савва украдкой вытирал слезы. Может, мои слова про бунт эфира вспоминал.

К моему предполагаемому переходу в эфир он привык не сразу.

Так же, как не сразу понял красоту и прелесть Ниточкина увечья, не сразу понял весомость и полноту отсутствия одной из рук! Может, поэтому, когда впервые вошел в больничную палату — вздрогнул и отвернулся. Но потом привык, разошелся, этим отсутствием тоже воодушевился...

После ухода Лукича мы с Ниточкой всегда переглядываемся и посмеиваемся. А потом, перебивая друг друга, начинаем говорить вслух одно и то же:

— Если эфирный ветер и эфирный мир существуют, если восстанавливают в неплотном виде все оставленные на земле тела...

— ...если переводят грубое мясо и кости в бесплотное существование...

— ...то твоя, Ниточка, рука, конечно, будет всем на зависть восстановлена!

— Так что подождем, а потом восстановлению от всего сердца порадуемся.

Именно эта ожидаемая радость притирает нас друг к дружке все тесней. Именно Ниточкин изъян делает нашу любовь пронзающей, огнелетучей!

И хотя Савва до последнего времени неотступно звал нас в Москву, мне (до этих самых злополучных семидесяти двух часов) никуда из Романова уезжать не хотелось. Не только на месяц — вообще никогда! Здесь Рома беленький, здесь великодушные овцы и не по-московски щедрые люди…

И пусть я до сих пор по вечерам пугаю Ниточку словами Пенкрата про полное отсутствие эфира, она на эти слова только лукаво посмеивается.

А когда мы гасим люстру, чтобы при свете малосильного ночника заняться все больше восхищающей нас любовью, Ниточка, приподымаясь на постели, всегда вслушивается в гудящий за окнами ветер.

Ее изуродованная, отнятая по самый плечевой сустав рука нежным алым отростком горит во тьме. Непоколебимая грудь матово белеет.

И тогда — после недолгого вслушивания — мягкий, трепетный, а вовсе не вихреобразный эфир начинает свой путь и разлет! Дыхание великой волжской, питающей всю русскую равнину сладкой печали соединяется вдруг с эфирным ветром.

— Слышишь, как свистит ветер, Нит? Это притягивает и зовет нас, постукивая в окна, Великий Эфир, пятая сущность, квинтэссенция жизни!..

***

Что я тут наговорил — начиная с похорон Ромы — все это поэзия промедлений и прочие словесные оттяжки.

А срок, обозначенный Трифоном и поддержанный Саввой, — он ведь здесь: подкрался, стоит в дверях, никуда, стервец, не уходит!

Еще третьего дня, у себя дома, Трифон сказал мне:

— Лучшее время для перехода — первые числа ноября или середина декабря. Осталось недолго. Нужно успеть подготовиться.

Вчера и позавчера я еще как-то надеялся, что эти назначенные Трифоном ноябрьские (а если оттянуть — декабрьские) дни вообще никогда не наступят. Глупо, но так думал.

Срок, однако, наступил.

И вот я сижу один в нашей прихожей, во втором этаже дома на Второй Овражьей. Ниточка посапывает в спальне.

Через полчаса выходить. На улице темно. Волги не видно. Верней, чуется на месте великой реки тихо клокочущая густая темень.

Самое главное я уже сделал: оставил Ниточке записку.

В ней всего шесть слов.

«Было классно. До встреч в эфире!»

Ну и поскольку главное сделано — сижу себе, думаю о пустяках. К примеру, про птицу, о которой говорил три дня назад Усынин и которую обещал взять с собой. Сперва я думал, Трифон шутит, называя птицу «красный кречет». Стал его даже подкалывать: «Вы живую птицу в красный лак окунули?».

Но вчера заглянул в энциклопешку — есть! Существует именно наш, северный, красный кречет!

Это почему-то меня взволновало. Без всяких причин. Я представил себе Трифона с красным кречетом на плече, и мне сперва стало сладко и хорошо, а потом кречета стало жаль: ему-то в эфир зачем? Ему и тут, на северах, раздолье! Летай себе и летай. Переждал Горыча или Моряну, кинулся вниз, ухватил кого надо — и опять ввысь!

Тут же, без всякого перерыва стал я думать про «эфиро-зависимых», которых Трифон тоже готовил к великой откочевке, а если без иронии — к великой трансформации, и про которых сообщил, что они уже на базе, готовят для нас все необходимое.

Я тогда не удержался, спросил:

— Дезодоранты обоняют? Парфюмы лижут? Ну, в ожидании чистого-то эфира?

— Не употребляют они теперь, — ответил Трифон. В голосе его послышалась суровость, и шутить про нюхоманов мне больше не захотелось.

Только про Вицулу еще спросил.

— Вицула наш много о себе понимать стал, поступил куда-то фельдшером, — нехотя сознался Трифон…

Я встал. Пора было выходить. Тепло одевшись, спустился я на улицу.

Было еще темновато. Шел мелкий снег. За ночь выбелило — аж задохнулся! Уже не островки и малые делянки снега — один снег, только белизна с чистотой вокруг!

Трифон ждал меня на Полевой, у подъезда.

Птицы с ним не было: ни в клетке, ни в одеяле. В руках — чемоданчик с инструментами. За плечами знакомый рюкзак с теслометром. Я обошел кругом Трифона, потом встал прямо перед ним.

— А птица где?

— В «Ромэфире» оставил. В мансарде, где Пенкрат обитал. Кузьма Кузьмич обещал покормить, а через день отвезти в лес, выпустить. Птица молодая, только поймали… В места природного обитания вполне вернуться может. Не то что мы с вами… Два дурня сорокалетних, Тима и Триша!.. Столько лет ждали, чтоб к истинной своей природе вернуться.

— А это какая такая природа, Трифон Петрович?

— Имею в виду ту природу человека, тот его состав и строение, которые были нам до грехопадения присущи… Вы так и не усвоили: эфир — не просто дуновение, не просто эманация! Это плотная мысль Бога — о мире и человеке! А с нашей стороны эфирософия — это новая мысль о Боге и мироздании!

— Прямо-таки новая?

— Прямо, прямо, не косо!

Так урча и покрикивая, Трифон навстречу новой эфирной жизни и двинул. Он впереди — я за ним.

Скрылись последние романовские дома. Началось снежное поле с редкими горбиками еще не заметной бурой земли.

В поле плясал ветер. Не эфирный, наш, мокроватый Хилок.

Впереди смутно чернел лес. Еловый он или сосновый — разобрать было невозможно.

— Туда нам, — Трифон указал рукой в сторону леса и пошел вперед по едва приметной тропке.

Стало светлеть. Как-то враз почуялось: сейчас выйдет солнце — громоздкое, будоражащее, ничуть не успокоительное…

Понуро опустив голову, брел я за Трифоном.

Глядя себе под ноги, что-то искал на земле взглядом. Потом понял: я стараюсь ступать за Трифоном след в след, чтобы думали — здесь прошел один человек.

Снежные следы вдруг отблеснули розовым: раз, другой, третий...

Я поднял голову.

Сплошное зарево в полнеба! Солнца нет. Только тучи, на глазах наливающиеся кровью, их отсветы...

Соколиная заря?! Она...

Красная, по краям рваная, над окраинами Романова, над еловым — теперь до веточки ухватываемым — лесом, над снежным полем, над островками голой земли...

«Птицы — нет, а соколиная заря (и как только это выражение в голове пустой отыскалось?) нате вам!»

Я смотрел на небо, на лес и все сильней отставал от Трифона.

По самому краю поля, чуть пригибаемые собственной силой и ловкостью, цепью прошли лыжники-стрелки в белых маскхалатах. Было их человек десять-пятнадцать.

«Из ближней военной части?»

Военные в белом шли неслышно и земли вроде не касались.

«Что твои ангелы. Карабины отстегнуть и прямо с полей — в облака!»

Внезапно сзади послышался шум. Зафырчал, надсаживаясь, мотор.

Трифон спешил вперед, он обогнал меня уже шагов на пятьдесят-шестьдесят и мотора не слышал. Или просто не хотел оборачиваться.

А я обернулся.

Сзади, метрах в ста, буксовали аэросани. В них сидел Савва Лукич. Он был в какой-то дохе, в мотоциклетных очках и в шлеме. Но узнавался сразу: по массивной фигуре и особой, ястребиной, или, как он сам говорил, «куроцаповской» посадке головы.

Савва что-то кричал, но мотор при этом не глушил, газовал все сильней.

Почти в тот же миг с другой — приволжской — стороны кто-то высокий, в летнем картузике, с поднятым воротником, полностью закрывающим лицо, кинулся Трифону наперерез. Узнать бегущего было трудно. Как ни приглядывался — не мог!

Тем временем Савва справился с рулем и подобрался ко мне почти вплотную.

— Стой, Тима! Стой! — кричал он прямо с движущихся саней. — Проверка это была... Испытание тебе было! Кто ж тебя отпус-с... — Савва снова забуксовал, вездеход завертелся на месте, вдруг перестал урчать и опрокинулся на бок.

Я кинулся помогать.

— Все, все, малышок, дальше я сам, — плачущий Савва стал вылезать из-под вездехода, хотел что-то крикнуть, внезапный порыв ветра забил ему рот, он выплюнул снег и заорал мне в лицо что есть мочи:

— Отец меня из дому выгнал! Сказал — иди! Я пошел! А отец вернул... И я тебя вернул! В отцовском изгнании... в отцовском возвращении... весь смысл мира! Я ведь... Новый русский капиталюга я... Но с людской физиономией и человеческими мыслями! И ты будешь! Садись, поехали...

Я развернулся к еловому лесу. Савва забежал поперед меня. Ухватил за плечи, потом, теряя силы, сполз вниз, колени его подломились...

Человек в летнем картузе уже догнал Трифона.

— Кто это?

— Так Столбец, конечно! — подымаясь и резко кашляя, крикнул Савва. — Ты ведь для эфирного дела… пока не годен… Зато тут сгодишься, — еще громче заорал он и полез целоваться, чего раньше себе никогда не позволял.

Столбец вдалеке тоже кинулся Трифону на плечи. Кинулся сзади, свалил. Побарахтавшись в снегу, они двинулись, не тратя на нас с Саввой никакого внимания, к еловому лесу.

Вдруг Трифон замедлил шаг, обернулся.

На плече его красным блеснула застежка от рюкзака. Трифон сложил руки рупором и крикнул раздельно:

— Все ваши затеи — пустота! В мире нет ничего… Слышите? Ни-че-го, кроме вихрей эфира!

Я побежал за Трифоном. Споткнулся, упал в свежий, только что наметенный сугроб. Рот и ноздри забило снегом, какая-то деревяшка расцарапала висок…

Когда я поднялся, Трифон со Столбовым были уже далеко: они быстро шли, почти бежали к лесу. Задыхаясь и тоже приставив ладони ко рту, я крикнул:

— В мире… ничего… кроме вихрей эфира… И Того… Кто вихри эти создал!

Крик мой историю эту и повернул туда, куда ей давно повернуть следовало: завтра утром — и как раз в то же самое время, в шесть с минутами, — я решил, уговорившись с Ниточкой о скорой встрече, добрести до Столбова и Трифона и вместе с ними попробовать возвратиться на свою прародину: перейти в мир эфира.

2012

ОГЛАВЛЕНИЕ

Литературно-художественное издание

Борис Тимофеевич Евсеев
ПЛАМЕНЕЮЩИЙ ВОЗДУХ
роман

Редактор
Татьяна Тимакова

Художественный редактор
Валерий Калныньш

Корректор
Алена Георгиева

Подписано в печать 16.04.2013
Формат 70x108/32. Бумага офсетная.
Гарнитура Charter. Печать офсетная.
Усл. печ. л. 18,2. Тираж 2 000 экз.
Заказ № 287.

«Время»
115326, Москва, ул. Пятницкая, 25
http://books.vremya.ru; letter@books.vremya.ru
(495) 951 55 68

Отпечатано в соответствии с предоставленным оригинал-макетом
в ОАО «ИПП «Уральский рабочий»
620990, г. Екатеринбург, ул. Тургенева, 13
http://www.uralprint.ru   e-mail: book@uralprint.ru